LA SOBRECARGA DE LAS CUIDADORAS DE PERSONAS DEPENDIENTES

DE PERSONAS DEPENDIENTES

Análisis y propuestas de intervención psicosocial

LA SOBRECARGA DE LAS CUIDADORAS DE PERSONAS DEPENDIENTES

Análisis y propuestas de intervención psicosocial

STEPHANIE CARRETERO GÓMEZ

JORGE GARCÉS FERRER

FRANCISCO RÓDENAS RIGLA

VICENTE SANJOSÉ LÓPEZ

tirant lo b lll anch
Valencia, 2006

En caso de erratas y actualizaciones, la Editorial Tirant lo Blanch publicará la pertinente corrección en la página web www.tirant.com. (http://www.tirant.com).

Directores de la Colección:

JORDI GARCÉS FERRER
Catedrático. Departamento de Trabajo Social y Servicios Sociales.
Universidad de Valencia: Estudio General

Mª CARMEN ALEMÁN BRACHO
Catedrática de Trabajo Social y Servicios Sociales
UNED

Asesores Científicos:

ANTONIO GUTIÉRREZ RESA (Universidad de Zaragoza)
ENCARNA GUILLÉN SÁDABA (Universidad Complutense de Madrid)
MARÍA ASUNCIÓN MARTÍNEZ ROMÁN (Universidad de Alicante)
TOMÁS FERNÁNDEZ GARCÍA (Universidad de Castilla-La Mancha)
MARÍA LUISA SETIÉN (Universidad de Deusto)
ANTONIO GORRI GOÑI (Universidad Pública de Navarra)

© STEPHANIE CARRETERO GÓMEZ
© JORGE GARCÉS FERRER
© FRANCISCO RÓDENAS RIGLA
© VICENTE SANJOSÉ LÓPEZ

© TIRANT LO BLANCH
EDITA: TIRANT LO BLANCH
C/ Artes Gráficas, 14 - 46010 - Valencia
TELFS.: 96/361 00 48 - 50
FAX: 96/369 41 51
Email: tlb@tirant.com
http://www.tirant.com
Librería virtual: http://www.tirant.es
DEPOSITO LEGAL: V -
I.S.B.N.: 84 - 8456 - 554 - 8
IMPRIME: GUADA IMPRESORES, S.L. - PMc Media, S.L.

ÍNDICE

I. INTRODUCCIÓN

El avance tecnológico y científico sobre la salud y la enfermedad conseguido desde los siglos XIX y XX en los países desarrollados conforma un hito histórico desde el punto de vista
sociopolítico y científico. La baja natalidad, la baja mortalidad,
la elevada expectativa de vida y el consecuente predominio de
las enfermedades crónicas y del grupo de personas mayores son
las principales características actuales y futuras de nuestra
sociedad, epidemiológica y demográficamente hablando. Estos
factores conllevan un incremento imparable en el número de
personas dependientes que requieren cuidados de larga duración y de las necesidades de asistencia desde los sistemas formal
e informal.

La familia, en particular la mujer, es la que tradicionalmente ha asumido la atención a las personas dependientes en el
domicilio, dado el carácter sociológicamente familista de las
sociedades mediterráneas (Esping-Andersen, 1999). Por un
lado, esta situación es insostenible en la actualidad por la fuerte
discriminación de género que implica[1] y porque la responsabilidad de los cuidados descansa sobre un grupo de la población
cuya disponibilidad es finita, dado el cambio cultural y laboral
hacia la igualdad de género en nuestro país (Garcés, Ródenas y
Sanjosé, 2003; Gorri et al., 2003). Por otro lado, la ayuda que
han de suministrar los cuidadores —por las propias características de la dependencia— es en general constante e intensa, y
asumida por una única persona —el cuidador principal—. En
muchas ocasiones, esta atención sobrepasa la propia capacidad

---

[1] Se ha reivindicado desde el Libro Blanco de la Dependencia (Ministerio
de Trabajo y Asuntos Sociales —MTAS—, 2005), que el Sistema Nacional de la Dependencia debe desarrollar las medidas oportunas para
favorecer que los varones asuman también la responsabilidad de los
cuidados.

física y mental del cuidador, conformando un evento estresante crónico, generador de la acuñada como carga del cuidador (Zarit, 1998a, 2002).

Las repercusiones de esta sobrecarga sobre los cuidadores informales implican problemas en su salud mental y física — depresión, ansiedad, enfermedades psicosomáticas, etc.— así como repercusiones económicas, laborales, familiares, sobre sus relaciones sociales y su tiempo libre. Además, la sobrecarga del cuidador tendría fuertes consecuencias sobre el receptor de cuidados en cuanto que se ha relacionado con la claudicación o el abandono del cuidado, la institucionalización e incluso con malos tratos y abusos hacia la persona dependiente.

Para la Administración, las repercusiones de la claudicación por parte del sector informal generarían un elevado coste, dado que la demanda se desplazaría entonces hacia el sector institucional público y privado —hospitales o residencias para mayores y discapacitados—. Todo ello representaría un problema político, social y económico, si tenemos en cuenta la insostenibilidad actual de los sistemas de protección social (Garcés, Ródenas y Sanjosé, 2003). Además, los propios problemas físicos y mentales del cuidador informal provocados por la sobrecarga podrían convertirlos a ellos mismos en consumidores del sistema sanitario, incrementando así la presión sobre el sistema sanitario (Havens, 1999a; Flórez, 2004).

Todo ello influye negativamente sobre la calidad de vida y el bienestar psicológico de las personas dependientes, a la vez que también sobre sus cuidadores principales. Es por todo ello, que la carga de los cuidadores informales se ha conformado hoy como un problema sanitario y social que requiere un profundo estudio, a la vez que soluciones adecuadas por medio de programas de apoyo e intervención desde la Psicología y el Trabajo Social.

En este sentido, desde las perspectivas psicológicas del estrés y del afrontamiento (Lavoie, 1999; Gaugler et al., 2000a), se han propuesto distintos modelos para explicar la carga del cuidador y poder encontrar soluciones que alivien su sobrecarga. Los diferentes modelos y las investigaciones que de forma constante han ido contribuyendo a su desarrollo han hallado múltiples variables relacionadas con la sobrecarga del cuidador. Uno de los modelos más influyentes y utilizado para explicar la sobrecarga de los cuidadores ha sido el Modelo de Proceso del Estrés de Pearlin (Pearlin, Turner y Semple, 1989; Pearlin et al., 1990; Pearlin, 1991; Aneshensel et al., 1995; Pearlin y Skaff, 1995; Gaugler, Zarit y Pearlin, 1999).

Desde estos modelos, las herramientas que se han propuesto para disminuir la carga del cuidador informal han sido fundamentalmente las estrategias de afrontamiento y el apoyo social. No obstante, el apoyo social formal bajo la modalidad de los servicios de respiro ha sido la estrategia más utilizada y estudiada en su relación como mediador del estrés de los cuidadores, debido a que —frente a otro tipo de intervención— permiten dar un descanso al cuidador en sus tareas de cuidado, benefician a la persona dependiente y retrasan o previenen la institucionalización, resultando ser a su vez un servicio de bajo coste (Zarit, Gaugler y Jarrot, 1999). Uno de los principales servicios de respiro en España, que se enmarca dentro del sistema de servicios sociales, es el Servicio de Ayuda a Domicilio (SAD).

En definitiva, la búsqueda de soluciones apropiadas para el problema de la sobrecarga del cuidador, así como los problemas económicos, políticos, sociales y psicológicos asociados, nos ha llevado a analizar y comprobar en ese marco las variables que en nuestro contexto explican gran parte de la sobrecarga del cuidador. Además, nos hemos planteado la necesidad de comprobar si el SAD, por las ventajas que puede implicar para la disminución de la carga de los cuidadores, es realmente capaz de aliviar la carga de los cuidadores, o si por el contrario, es necesaria la implicación de otros servicios y recursos que optimicen el bienestar de las personas dependientes.

Así, para contextualizar este trabajo se incluye, en primer lugar, una revisión teórica de los principales estudios realizados hasta la actualidad (Capítulo II) sobre la dependencia, los cuidados de larga duración, el cuidado informal —su prevalencia y sus principales características— la carga del cuidador describiendo los principales modelos teóricos y resultados de la investigación, programas de intervención para aliviar la carga del cuidador, el SAD y los principales instrumentos desarrollados para la evaluación de la carga del cuidador.

Tras esta delimitación teórica sobre el problema actual de la carga del cuidador informal, se presenta el planteamiento metodológico de este estudio (Capítulo III), acompañado de los principales objetivos e hipótesis de trabajo de esta investigación. Se definen asimismo el procedimiento seguido para la selección de la muestra, las variables y los instrumentos incluidos en el estudio, así como los análisis utilizados para el tratamiento estadístico de los datos. La muestra en este trabajo incluye personas dependientes usuarios y no usuarios del SAD en la Comunidad Valenciana y sus cuidadores informales.

Exponemos a continuación los resultados obtenidos (Capítulo IV) que incluyen: el análisis descriptivo de la muestra de personas dependientes, de sus cuidadores informales y de las características del cuidado informal proporcionado, el estudio específico de las características del SAD, y el análisis de la sobrecarga de los cuidadores informales. En este último punto, se evalúa el impacto del SAD como servicio de respiro sobre la sobrecarga de los cuidadores, y se analiza asimismo la importancia de otras variables en la determinación de la sobrecarga del cuidador informal.

En el capítulo V se extraen las principales conclusiones acerca de los hallazgos teóricos y empíricos del marco presentado así como de los resultados más destacados obtenidos en el estudio. Por último, se presenta un análisis comparativo entre los resultados más destacados de esta investigación respecto a los encontrados y defendidos en la bibliografía más actual sobre este tema (Capítulo VI). Este último apartado nos sirve para proponer estrategias de intervención para el establecimiento de soluciones innovadoras y adecuadas desde la Psicología en la resolución de la carga de cuidadores informales de personas dependientes.

El capítulo VII recoge las referencias bibliográficas del estudio, y al final se incluye un anexo que incluye el instrumento utilizado para la recogida de la información.

II. MARCO TEÓRICO

1. LA DEPENDENCIA

Iniciaremos la revisión teórica de este trabajo realizando un análisis pormenorizado del fenómeno de la dependencia en la actualidad. La dependencia, entendida como la situación de necesidad en la que una persona requiere de la ayuda de otro/s para realizar las actividades de la vida diaria, se está convirtiendo en un problema importante y de gran envergadura desde hace varios años por sus implicaciones sociales, psicológicas, económicas, políticas y familiares. Concretamente y en el ámbito de la Psicología preocupa, además de los posibles trastornos asociados a las situaciones de dependencia y terapias implicadas en la pérdida de la conservación cognitiva de las personas dependientes, el impacto psicológico y la sobrecarga que puede generar el cuidado de una persona dependiente sobre su cuidador principal.

Si bien la dependencia no es un fenómeno nuevo en cuanto que siempre han existido personas dependientes, la convergencia de diferentes factores como son, entre otros, el envejecimiento demográfico, el aumento de la esperanza de vida y los cambios en la estructura familiar, han propiciado que se convierta en un fenómeno que requiere respuestas urgentes y adecuadas para hacerle frente desde los ámbitos políticos, tecnológicos, sociales, sanitarios, psicológicos, familiares y económicos. Por ello, es necesario previamente comprender la relevancia de la dependencia en la actualidad, lo cual implica un estudio pormenorizado sobre su definición, los determinantes asociados a su desarrollo, los factores que la han convertido en un riesgo social y de actuación urgente, así como el conocimiento de su prevalencia.

1.1. El concepto de dependencia

En la actualidad, no existe una definición homogénea y operacional de dependencia (Pacolet et al., 2000). De hecho, el debate sobre qué abarca la dependencia en términos sociosanitarios se refleja en las definiciones aportadas por distintos autores y/u organismos nacionales e internacionales. La definición más aceptada y citada en la bibliografía es la del Consejo de Europa. En este caso, se define la dependencia como *"el estado en el cual se encuentran las personas que, por razones ligadas a la falta o pérdida de autonomía física, psíquica o intelectual, necesitan de una asistencia y/o ayuda importante —de otra persona— para realizar las actividades de la vida diaria"* (Consejo de Europa, 1998).

Rodríguez (1998), por su parte, siguiendo la citada definición del Consejo de Europa, la conceptualiza como la *"consecuencia de una disminución de la capacidad funcional que origina al individuo dificultades para realizar alguna o algunas tareas (básicas o instrumentales)"*, y defiende que el concepto de dependencia debe desvincularse del concepto de autonomía. Para esta autora, dependencia y autonomía no han de confundirse. La primera es funcional, implica la dependencia de algo o de alguien, está circunscrita y relacionada con algún deterioro de salud y se traduce en una dificultad o imposibilidad para realizar actividades básicas e instrumentales de la vida diaria. En cambio, el término autonomía hace referencia a la capacidad de decisión de una persona sobre su vida, y si tiene una discapacidad mental, a la obligada protección de sus derechos fundamentales de libertad y dignidad. En la misma línea, Michel y colaboradores ya habían señalado un año antes esta distinción semántica entre los términos de independencia y autonomía. Independencia se refiere a la capacidad para realizar las actividades físicas de la vida diaria, mientras que autonomía alude a la aptitud para tomar decisiones, razonar y expresar una opinión adecuada en una determinada situación (Michel, Kressig y Gold, 1997). Por último, Querejeta también ha realizado una amplia reflexión respecto a la confusión que pudiera existir entre ambos términos[2] concluyendo que la

---

[2]   Querejeta (2003) razona que la confusión existente entre dependencia y autonomía puede deberse a un error de traducción y/o interpretación

dependencia es "*el hecho concreto de necesitar de la ayuda de otra persona, para ciertas actividades de la vida diaria*", y la autonomía intelectual es "*la facultad abstracta de decisión sobre el gobierno y la autodeterminación de la propia vida*" (Querejeta, 2003).

Por su parte, la Organización Mundial de la Salud (OMS) establece que "*la dependencia es la limitación en la actividad para realizar algunas actividades claves y que requiere una ayuda humana que no se necesitaría de forma acostumbrada para un adulto sano*" (WHO, 2002a) y que "*es dependiente la persona que no es completamente capaz de cuidar de sí misma, de mantener una alta calidad de vida, de acuerdo con sus preferencias, con el mayor grado de independencia, autonomía, participación, satisfacción y dignidad posible*" (WHO, 2000a). Para esta organización, la dependencia implica un amplio ámbito de atención hacia las actividades de la vida diaria que los individuos incapacitados crónicamente necesitan durante un período de tiempo prolongado. Ésta es una anotación importante en cuanto que la dependencia debe diferenciarse de la enfermedad aguda y de las limitaciones temporales ya que se refiere a problemas que se van a alargar en el tiempo, y que, consecuentemente, precisan soluciones diferentes (Eurostat, 2003).

Otras definiciones, semejantes a las anteriores, son las establecidas por el Defensor del Pueblo y el IMSERSO. En concreto, para el Defensor del Pueblo (Defensor del Pueblo, SEGG y Asociación Multidisciplinaria de Gerontología, 2000)

---

realizada sobre la definición de dependencia del Consejo de Europa (1998). Este autor, haciendo referencia a las siguientes palabras de la mencionada definición traducida "autonomía física, psíquica o intelectual" afirma que "*De esta definición...parece deducirse, que la autonomía es el antónimo de la dependencia*". Por ello aclara que, en su opinión, esta definición establece la pérdida de autonomía intelectual como una posible causante más de la dependencia, junto a la pérdida física y psíquica.

la dependencia es *"la necesidad de atención y cuidados que precisan las personas que no pueden hacer por sí mismas las actividades de la vida cotidiana"*. Por otro lado, el IMSERSO establece que *"una persona es socialmente dependiente cuando como consecuencia de limitaciones severas de orden físico o mental requiere la ayuda de otra persona para realizar actos vitales de la vida cotidiana. En general, estos actos tienen que ver con el cuidado personal o que sirven de soporte imprescindible para dicho cuidado. Tales limitaciones, por tanto, suelen requerir cuidados prolongados referentes al cuidado personal, a ciertas actividades domésticas básicas y actos relacionales y de movilidad esenciales"* (IMSERSO, 1999).

Garcés, por su parte, establece que *"la dependencia surge cuando una persona requiere en mayor o menor grado la ayuda o la supervisión de otras para poder realizar las tareas o actividades de la vida diaria"*, siendo estas tareas *"las básicas e instrumentales para desenvolverse de forma autónoma"* (Garcés, 2000).

Destaca asimismo la reciente definición efectuada por O'Shea (2003) en la que hace especial incidencia en los factores que pueden causar la dependencia. En su definición considera que la dependencia debe incorporar el funcionamiento físico, mental, social y económico, por lo que sigue la definición de dependencia del Consejo de Europa (1998), citada al principio de este apartado, y añade que la dependencia también *"podría estar originada o verse agravada por la ausencia de integración social, relaciones solidarias, entornos accesibles y recursos económicos adecuados para la vida de las personas"* (O'Shea, 2003).

Autores como Garcés (2000) y Pacolet y colaboradores (2000) ya habían señalado con anterioridad a la definición de O'Shea (2003), la multidimensionalidad de la dependencia. Así, Pacolet y colaboradores (2000) establecen que la dependencia puede ser definida en términos de 4 dimensiones: física, mental, social, y económica; por lo que en función de cada tipo de dependencia se necesitará un determinado tipo de asistencia (por ejemplo, servicios asistenciales de larga duración en caso de dependencia física o mental, red de apoyo social en caso de dependencia social, e ingresos en caso de dependencia económica). Para Garcés (2000), si bien la dependencia se refiere fundamentalmente a criterios clínicos, sociales y funcionales en un sentido estricto, también incluye criterios físicos, mentales, económicos y culturales en un sentido lato. La planificación de recursos para uno u otro dependerá del modelo de política social que se aplique y de los recursos presupuestarios que se destinen.

En esta primera tarea de definición del concepto de dependencia es relevante asimismo delimitar los conceptos de discapacidad y dependencia. Desde la "Cross-Cluster Initiative on Long-Term Care" de la OMS (WHO, 2002a) y por parte de la Comisión Europea (Eurostat, 2003) se recalca la dificultad para fijar una clara distinción entre ambos términos. Como establece la última publicación de la "International Classification of Functioning, Disability and Health" (ICF) de la OMS (WHO, 2001), la discapacidad se describe según 3 niveles: la discapacidad a nivel corporal llamada "deficiencia", a nivel personal denominada "limitación en la actividad[3]", y a nivel social como "restricción en la participación". La dependencia es un atributo inseparable de la discapacidad en cuanto que sería su consecuencia funcional, no obstante, puede existir discapacidad sin que concurra dependencia (Querejeta, 2003). En este sentido se ha establecido que discapacidad y dependencia se distinguirían por el nivel de gravedad de la primera, ya que el grado de severidad de una discapacidad está relacionado con la dificultad —ninguna, moderada, severa y total— para realizar las

---

[3] "Limitación en la actividad" es el término correspondiente a "discapacidad" en anteriores Clasificaciones sobre Deficiencias, Discapacidades y Minusvalías de la OMS (WHO, 1980). El uso común clínico de la palabra "discapacidad" hace referencia a algo muy próximo a la limitación en la actividad, pero que incluye elementos de restricción a la participación (WHO, 2002a).

actividades de la vida diaria[4] (Instituto Nacional de Estadística
—INE—, 2002; WHO, 2002a; Eurostat, 2003) así como por la
interacción con factores concretos del contexto ambiental relacionados con la ayuda personal o técnica (Querejeta, 2003). Por
lo tanto, se puede establecer que a mayor gravedad de la
discapacidad y necesidad de ayuda personal o técnica, mayor es
la probabilidad que la discapacidad haga a la persona dependiente de otras.

En suma, los conceptos comunes que definen la dependencia
a lo largo de las diferentes definiciones son los siguientes
(Cuadro 1):

Cuadro 1. Conceptos comunes entre las diferentes definiciones de dependencia

No existe una causa concreta generadora de dependencia.
La necesidad de ayuda de otros.
La ayuda durante un período prolongado de tiempo.
Las actividades de la vida diaria.

Fuente: Elaboración propia, 2005.

**1. No existe una causa concreta generadora de depen-
dencia.** Se hace una referencia a que la dependencia es una
consecuencia de la pérdida de autonomía física o mental, de una
disminución de la capacidad funcional, o de la discapacidad;
pero no se define la causa clara. Esto podría aludir a la
multidimensionalidad de las causas generadoras de la dependencia ya apuntadas a través de las definiciones de Garcés
(2000), Pacolet y colaboradores (2000) y O'Shea (2003). De todo
ello trataremos a continuación.

---

[4]   La Encuesta sobre Discapacidades, Deficiencias y Estado de Salud
(EDDS) realizada en 1999 por el Instituto Nacional de Estadística (INE),
el IMSERSO y la Fundación ONCE, permite disponer de una amplia
información sobre la discapacidad y la dependencia en España (IMSERSO,
2003).

2. La necesidad de ayuda de otros. Este apoyo proviene de los sectores formales e informales (Ikegami, Hirdes y Carpenter, 2000; WHO, 2002a). La ayuda informal es prestada por la familia y/o los allegados, se realiza de forma gratuita e implica altos costes de oportunidad en tiempo, ocio, salud y trabajo. La atención formal procede de recursos sociales y sanitarios públicos y privados destinados a la rehabilitación y cuidados de personas con diferentes niveles de dependencia (Observatorio de personas mayores, 2000).

3. La ayuda durante un período prolongado de tiempo, por lo que su atención se ha denominado con la expresión cuidados de larga duración (Defensor del Pueblo, SEGG y Asociación Multidisciplinaria de Gerontología, 2000). Tanto la ayuda formal e informal y los cuidados de larga duración serán objeto de un desarrollo más amplio en apartados siguientes de este trabajo.

4. Las actividades de la vida diaria[5]. Desde los trabajos pioneros de Katz y colaboradores (1963) y Lawton y Brody (1969), los investigadores suelen distinguir entre dos grupos de actividades (Gudex y Lafortune, 2000; Casado y López, 2001):

a) Las orientadas al cuidado personal o *actividades básicas de la vida diaria (ABVD)*, son aquellas que permiten mantener una mínima autonomía personal y un nivel básico de calidad de vida, y

b) Aquellas cuyo propósito es mantener a la persona en su entorno, las denominadas *actividades instrumentales de la vida diaria (AIVD)*.

A través de las encuestas utilizadas desde el ámbito sociológico para contabilizar la prevalencia y las características de la población dependiente así como a partir de los instrumentos utilizados para la evaluación clínica de la capacidad funcional,

---

[5]   Para un estudio más exhaustivo de las actividades de la vida diaria, remitimos al lector a la publicación de Querejeta (2003) y al capítulo IX del Libro Blanco de la Dependencia (MTAS, 2005).

se pueden obtener ejemplos de lo que se considera en la bibliografía como actividades de la vida diaria (Tabla 1):

– *Encuestas europeas*. En la mayoría de los estados miembros de la Unión Europea se incluyen actividades básicas de la vida diaria como lavarse, vestirse, transferencia, ir al baño, continencia, comer, ver, oír y hablar, y actividades instrumentales (en general, tareas domésticas y cuidado de la casa). Se está poniendo énfasis asimismo en la consideración de las actividades relacionadas con la participación cultural y social, así como en actividades de comunicación y de relaciones con los demás, que son más difíciles de medir (Eurostat, 2003).

– *Encuestas en España*. En España, existen dos encuestas importantes que recogen de forma exhaustiva información sobre la dependencia para las actividades de vida cotidiana: La EDDS y la Encuesta Nacional de Salud (ENS).

En la **EDDS 1999**, las actividades básicas de la vida diaria consideradas son: desplazarse (realizar cambios de las posiciones del cuerpo; levantarse y acostarse, permanecer de pie o sentado; desplazarse dentro del hogar) y cuidarse de sí mismo (asearse — lavarse y cuidarse de su aspecto—; controlar las necesidades y utilizar solo el servicio; vestirse, desvestirse y arreglarse; comer y beber). Esta misma encuesta incluye como actividades instrumentales de la vida diaria: realizar las tareas del hogar (cuidarse de las compras y del control de los suministros y servicios, cuidarse de las comidas, de la limpieza y planchado de la ropa, de la limpieza y mantenimiento de la casa y del bienestar de los miembros de la familia) y desplazarse fuera del hogar (deambular sin medio de transporte, desplazarse en transportes públicos, conducir vehículo propio) (INE, 2002).

En la **ENS 2003**, también publicada por el INE (2005)[6], las actividades instrumentales cotidianas contempladas son: uti-

---

6   El INE, hasta el momento, sólo ha publicado datos provisionales de la ENS 2003.

lizar el teléfono; comprar comida o ropa; coger el autobús, metro o taxi; preparar el desayuno; preparar su comida; tomar sus medicinas; administrar su propio dinero; cortar una rebanada de pan; fregar la vajilla; hacer la cama; cambiar las sábanas de la cama; lavar ropa ligera a mano; lavar ropa a máquina; limpiar la casa o el piso; limpiar una mancha del suelo agachándose que corresponden a actividades instrumentales de la vida diaria. Entre las actividades básicas consideradas se encuentran: comer; vestirse y desnudarse y elegir la ropa que debe ponerse; peinarse, afeitarse, etc.; andar; levantarse de la cama y acostarse; cortarse las uñas de los pies; coser un botón; lavarse la cara y el cuerpo de la cintura para arriba; ducharse o bañarse; subir diez escalones; andar durante una hora seguida; quedarse solo/a durante toda una noche.

– *Encuestas en la Comunidad Valenciana*. En la Encuesta de Salud de la Comunidad Valenciana 2000-2001 (Consellería de Sanitat, 2002) se agrupan las actividades de la vida cotidiana en los siguientes bloques: actividades básicas del cuidado personal (comer, ir al lavabo, lavarse o vestirse, etc.); actividades cotidianas (tareas domésticas, abrir o cerrar puertas, grifos, pestillos y/o estirarse o agacharse para coger objetos, etc.); actividades para ocuparse de sus asuntos personales (ir de compras, hacer encargos, ir de visitas, ir a cobrar su pensión, hacerse las cuentas, etc.); y actividades de comunicación (escribir o leer, hacer o entender signos gráficos).

– *Instrumentos de valoración clínica de la capacidad funcional*. Algunos ejemplos son:

El **Índice de Katz de Independencia de las actividades de la vida diaria** (Katz et al., 1963) que recoge las siguientes actividades: bañarse, vestirse, usar el retrete, movilidad (en el hogar), continencia (urinaria y fecal), alimentación.

El **Índice de Barthel para las actividades básicas de la vida diaria** (Mahoney y Barthel, 1965) incluye las actividades de: comer, lavarse, vestirse, arreglarse, deposiciones, micción, usar el retrete, trasladarse, deambular, escalones (subir y bajar).

El **Índice de Lawton y Brody para las actividades instrumentales de la vida diaria** (Lawton y Brody, 1969) contiene las actividades de: uso del teléfono, ir de compras, preparación de la comida, cuidar de la casa, lavado de ropa, uso de medios de transporte, responsabilidad sobre la medicación, capacidad para utilizar el dinero.

Tabla 1. Tabla resumen de actividades de la vida diaria

	ABVD	AIVD
ENCUESTAS		
Encuestas europeas	Lavarse, vestirse, transferencia, ir al baño, continencia, comer, ver, oír y hablar.	Relacionadas con las tareas domésticas y el cuidado de la casa.
Encuestas en España		
EDDS 1999	Desplazarse: realizar cambios de las posiciones del cuerpo; levantarse y acostarse, permanecer de pie o sentado; desplazarse dentro del hogar. Cuidarse de sí mismo: asearse —lavarse y cuidarse de su aspecto—; controlar las necesidades y utilizar solo el servicio; vestirse, desvestirse y arreglarse; comer y beber.	Realizar las tareas del hogar: cuidarse de las compras y del control de los suministros y servicios, cuidarse de las comidas, de la limpieza y planchado de la ropa, de la limpieza y mantenimiento de la casa y del bienestar de los miembros de la familia. Desplazarse fuera del hogar: deambular sin medio de transporte, desplazarse en transportes públicos, conducir vehículo propio.
ENS 2003	Comer; vestirse y desnudarse y elegir la ropa que debe ponerse; peinarse, afeitarse, etc.; andar; levantarse de la cama y acostarse; cortarse las uñas de los pies; coser un botón; lavarse la cara y el cuerpo de la cintura para arriba; ducharse o bañarse; subir diez escalones; andar durante una hora seguida; quedarse solo/a durante toda una noche.	Utilizar el teléfono; comprar comida o ropa; coger el autobús, metro o taxi; preparar el desayuno; preparar su comida; tomar sus medicinas; administrar su propio dinero; cortar una rebanada de pan; fregar la vajilla; hacer la cama; cambiar las sábanas de la cama; lavar ropa ligera a mano; lavar ropa a máquina; limpiar la casa o el piso; limpiar una mancha del suelo agachándose.

Tabla 1. Tabla resumen de actividades de la vida diaria

Encuestas en la Comunidad Valenciana		
Encuesta de Salud de la Comunidad Valenciana 2000-2001	Actividades básicas del cuidado personal: comer, ir al lavabo, lavarse o vestirse, etc.	Actividades cotidianas: tareas domésticas, abrir o cerrar puertas, grifos, pestillos y/o estirarse o agacharse para coger objetos, etc. Actividades para ocuparse de sus asuntos personales: ir de compras, hacer encargos, ir de visitas, ir a cobrar su pensión, hacerse las cuentas, etc. Actividades de comunicación: escribir o leer, hacer o entender signos gráficos.
INSTRUMENTOS DE VALORACIÓN CLÍNICA		
Índice de katz	Bañarse, vestirse, usar el retrete, movilidad (en el hogar), continencia (urinaria y fecal), alimentación.	
Índice de Barthel	Comer, lavarse, vestirse, arreglarse, deposiciones, micción, usar el retrete, trasladarse, deambular, escalones (subir y bajar).	
Índice de Lawton y Brody		Uso del teléfono, ir de compras, preparación de la comida, cuidar de la casa, lavado de ropa, uso de medios de transporte, responsabilidad sobre la medicación, capacidad de utilizar el dinero.

Fuente: Elaboración propia, a partir de las fuentes de las encuestas (Eurostat, 2003; INE, 2002, 2005; Consellería de Sanitat, 2002, respectivamente) e instrumentos de valoración clínica (Katz et al., 1963; Mahoney y Barthel, 1965; Lawton y Brody, 1969, respectivamente). **Notas**: ABVD: Actividades Básicas de la Vida Diaria; AIVD: Actividades Instrumentales de la Vida Diaria.

1.2. Determinantes de la dependencia

Como hemos comentado en la sección anterior, no existe una causa concreta para el desarrollo de la dependencia sino que se ha comprobado que su desarrollo está asociado a diferentes variables: demográficas, sociales, culturales, económicas y de salud. En este sentido, con el fin de identificar y estructurar los factores implicados en este proceso y como lo han hecho del mismo modo otros autores (Femia, Zarit y Johansson, 1997, 2001; Zarit, 1998b), hemos utilizado el denominado **Disablement Model** o Modelo de Discapacidad propuesto por Verbrugge y Jette (1994) adaptado a la dependencia.

El Disablement Model explica la presencia de la discapacidad y de la dependencia a través de los siguientes componentes: 1) un "*pathway*" o camino principal, y 2) otras fuerzas representadas principalmente por factores de riesgo y recursos internos o factores psicosociales que pueden influir sobre el camino principal.

En primer lugar, como podemos observar en la figura 1, el **"pathway" o camino principal**, tomado de un modelo sobre discapacidad originalmente ideado por Nagi (1979, 1991), está compuesto por 4 componentes interrelacionados: a) la patología; b) las deficiencias funcionales; c) las limitaciones funcionales, y d) la discapacidad. Los autores defienden que la patología —que hace referencia a la enfermedad o lesión— llevaría al desarrollo de deficiencias funcionales —definidas como disfunciones en los sistemas corporales—. Estas últimas estarían directamente relacionadas con las limitaciones funcionales, definidas como restricciones en las actividades físicas y mentales básicas. El resultado último sería la dificultad para realizar las actividades de la vida diaria —dependencia—.

Figura 1. Modelo conceptual del proceso de la discapacidad: el "Disablement Model"

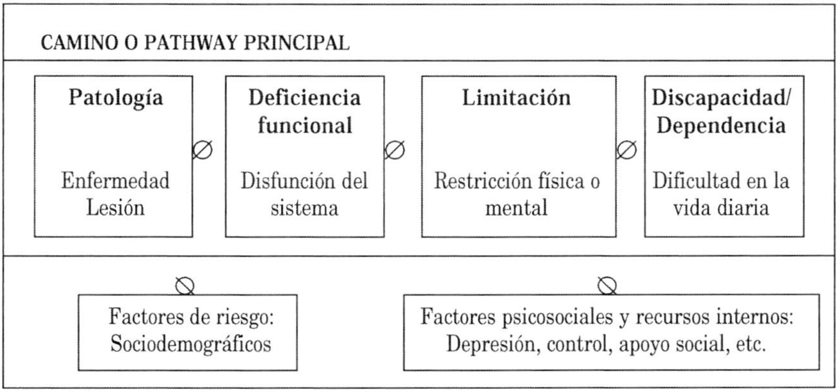

CAMINO O PATHWAY PRINCIPAL			
Patología	**Deficiencia funcional**	**Limitación**	**Discapacidad/ Dependencia**
Enfermedad Lesión	Disfunción del sistema	Restricción física o mental	Dificultad en la vida diaria

Factores de riesgo: Sociodemográficos	Factores psicosociales y recursos internos: Depresión, control, apoyo social, etc.

Fuente: Verbrugge y Jette, 1994.

A partir de este modelo, podemos inferir que las condiciones de **enfermedad y las deficiencias funcionales** están fuertemente relacionadas con la capacidad de un individuo para realizar las actividades de la vida diaria. De hecho, las diferentes deficiencias generadoras de discapacidad pueden provocar el desarrollo de la dependencia. Las malformaciones congénitas, los accidentes (laborales, de tráfico, domésticos), las nuevas enfermedades invalidantes (como por ejemplo el SIDA) y las enfermedades crónicas son generadoras de dependencia (IMSERSO, 1999, 2002). En este sentido, Garcés y colaboradores (2002) han propuesto una clasificación de enfermedades como "predictores del riesgo de dependencia" compuesta por 7 grandes bloques[7]: a) trastornos mentales; b) enfermedades

---

[7] Se trata de una clasificación basada en una selección efectuada sobre la identificación de entidades y rúbricas de la CIE-9ª Revisión y del estudio de la base de datos del Conjunto Mínimo de Bases de Datos (CMBD) de la Comunidad Valenciana 1999-2000. Como señalan los propios autores (Garcés et al., 2002), esta clasificación constituye una primera aproximación a la categorización de enfermedades predictoras de dependencia por lo que hay que ser cautelosos a la hora de considerarla e interpretarla. No obstante, aporta un gran valor a nuestra revisión teórica ya que no

crónicas; c) enfermedades agudas con riesgo de cronificación; d) enfermedades degenerativas; e) enfermedades oncológicas; f) enfermedades congénitas, y g) VIH/SIDA.

En concreto, las enfermedades crónicas, como por ejemplo las enfermedades isquémicas del corazón, el cáncer, los infartos, la artritis, la enfermedad pulmonar obstructiva crónica, se caracterizan fundamentalmente por su propensión a causar limitación en la capacidad funcional y se encuentran entre las que más padecen las personas dependientes (Femia, Zarit y Johansson, 2001; IMSERSO, 2002; Vrandenburg et al., 2002; WHO, 2002a; Garcés et al., 2004).

En este sentido, las enfermedades osteoarticulares son las que adquieren mayor relevancia en su relación con la dependencia porque son causa de aumento de morbilidad, de limitaciones funcionales y del deterioro de la calidad de vida, aunque no se encuentran entre las principales causas de muerte (IMSERSO, 2002). En concreto, las deficiencias osteoarticulares son una de las principales causas de discapacidad en todos los grupos de edad y conforman la primera causa de dolencia entre las personas mayores así como el principal motivo para restringir sus actividades de tiempo libre y ocio u otras actividades principales (INE, 2002). Por ejemplo, según la Encuesta Nacional de Salud de 1997 (Ministerio de Sanidad y Consumo, 1997), el 29,7% de los mayores atribuyeron a la artrosis, el reuma, los dolores de espalda o el lumbago los impedimentos que limitaron su actividad el último año considerado. Los problemas cerebrovasculares son también importantes en su relación con la dependencia en cuanto que, además de ser la primera causa de muerte, originan graves discapacidades que precisan cuidados y atención continuos (IMSERSO, 2002).

En segundo lugar, siguiendo con el Modelo de Verbrugge y Jette (1994), el pathway o camino principal está influido por

---

hemos encontrado otras clasificaciones tan exhaustivas en las revisiones de los trabajos realizados hasta el momento.

una serie de variables que son los factores de riesgo y los factores psicosociales. Los **factores de riesgo** hacen referencia a características o conductas propias del sujeto que incrementan o reducen las probabilidades de aparición de la discapacidad y la dependencia. Se trata de factores predisponentes en cuanto que existen antes del inicio de la discapacidad y son normalmente características permanentes del individuo. En general incluyen variables sociodemográficas que afectan a la gravedad de las deficiencias, las limitaciones funcionales y la discapacidad.

Efectivamente, entre las *variables sociodemográficas,* la *edad* es uno de los grandes factores explicativos de la dependencia. En este sentido, la evidencia empírica disponible muestra, tanto en el ámbito nacional como internacional, la estrecha relación existente entre dependencia y edad avanzada (Wiener y Hanley, 1989; Berkman et al., 1993; Parker, Thornslend y Lundberg, 1994; Béland y Zunzunegui, 1995; Rogers, 1995; Crimmins, Hayward y Saito, 1996; Ruigómez y Alonso, 1996; Blanco, 1998; Escudero et al., 1999; Grundy y Glaser, 2000; Pacolet et al., 2000; Waidman y Liu, 2000; Garcés et al., 2002; IMSERSO, 2002; Eurostat, 2003; MTAS, 2005). Así, el porcentaje de individuos que soportan limitaciones en su capacidad funcional aumenta conforme se consideran grupos poblacionales de mayor edad (Eurostat, 2003; Garcés et al., 2004). El incremento de las situaciones de dependencia evoluciona más rápidamente a partir de los 50 años (IMSERSO, 2003), con una aceleración notable alrededor de los 80 años (Observatorio de Personas Mayores, 2000; Casado y López, 2001).

Los datos empíricos avalan estas afirmaciones ya que, por un lado, se ha encontrado que entre las personas menores de 60 años con restricción en la movilidad el mayor porcentaje de afectados se concentra en el grupo de 50-59 años (Zurriaga, 1998). Asimismo, se ha visto que los individuos de 75 y más años presentan un riesgo de dependencia 2,6 veces superior al que sufre la población entre 65 y 74 años (Fundación Pfizer, 2001), y que entre las personas de 65 y más años son los individuos de más edad (85 o más años) los que padecen mayores problemas de dependencia (Casado y López, 2001). En este último caso, las cifras indican que el 61,2% de personas de 85 y más años son dependientes frente a un 11,1% de sujetos de 65 a 69 años (Red Centinela, 1999). Por tanto, como concluyen Casado y López (2001), la senescencia se revela como un factor claramente determinante de la aparición de problemas de dependencia.

Por otro lado, la edad aparece también como un predictor del grado de gravedad de la dependencia (Laukannen et al., 2001). En esta línea, se ha hallado que, entre personas de 65 y más años, los de mayor edad duplican las probabilidades de que la dependencia sea moderada en vez de leve, y tienen un riesgo cinco veces superior de que ésta sea grave (Fundación Pfizer, 2001).

Otra variable sociodemográfica que se ha visto relacionada con la dependencia es el *sexo*. Algunos estudios apuntan a una incidencia diferencial de la dependencia por sexo en personas mayores (Escudero et al., 1999; Waidman y Liu, 2000; Femia, Zarit y Johansson, 2001); no obstante, la influencia directa de este factor sobre la dependencia no es del todo clara. Así, es cierto que existe una mayor prevalencia de la dependencia entre la población femenina. De hecho, los estudios a nivel nacional indican que las mujeres constituyen algo más de la mitad de la población dependiente y que a partir de los 80 años las mujeres representan dos tercios de ese grupo (Observatorio de Personas Mayores, 2000). Por su parte, los estudios realizados en la Comunidad Valenciana cuantifican entre un 63% (Garcés et al., 2004) y un 67% la proporción de mujeres dependientes de más de 64 años (Red Centinela, 1999). Sin embargo, esta relación entre sexo y dependencia puede deberse a la presencia de otras variables más relevantes. En concreto, debido a una mayor expectativa de vida y a cuestiones de tradición; las mujeres mayores muestran una mayor probabilidad de multimorbilidad, viven más tiempo con discapacidad, poseen una peor percepción de la propia salud, tienen mayor posibilidad de ser viudas y de ser analfabetas, y de poseer menos recursos económicos que los hombres (Béland y Zunzunegui, 1995; Jacobzone, 1999; Grundy y Glasser, 2000; Casado y López, 2001; IMSERSO, 2002; Pérez, 2003). Todos estos factores —como se verá más adelante— se relacionan directamente con altas tasas de dependencia e incluso constituyen su perfil típico.

Por lo que respecta al *nivel de estudios*, varios trabajos señalan la relación positiva entre el bajo nivel educativo y el desarrollo de la dependencia. En este sentido, entre las personas con estudios universitarios se encuentran las tasas más bajas de dependencia (de cada diez, sólo una es dependiente), mientras que las tasas de dependencia entre los analfabetos son muy elevadas (dos de cada tres analfabetos son dependientes) (Abellán y Puga, 2001). Concretamente, el riesgo de dependencia se multiplica por 1,6 en el caso de tener un nivel educativo no superior a primaria, y se multiplica por 2 cuando se trata de personas analfabetas (Fundación Pfizer, 2001).

Esta asociación entre alto nivel educativo y baja dependencia parece atribuible a la relación de la educación con unas buenas condiciones laborales y económicas, con la posesión de recursos psicológicos y sociales adecuados y con un estilo de vida saludable (Winkleby et al., 1992; Manton, Corder y Stallard, 1997; Ross y Mirowsky, 1999). Por ejemplo, enfermedades crónicas asociadas a un alto riesgo de limitaciones para la movilidad —como la artritis, las enfermedades cardiovasculares o las fracturas relacionadas con la osteoporosis— están relacionadas con factores de riesgo como la inactividad, el consumo de tabaco y la obesidad, que en diversos estudios han sido asociadas a su vez con un bajo grado educativo (Freedman y Martin, 1999).

Por otro lado, la presencia de la dependencia también muestra un patrón diferenciado en función del *estado civil*. La viudedad entre las personas mayores parece mostrar una fuerte relación con la dependencia. De hecho se ha encontrado que la situación de viudedad multiplica por casi tres veces los riesgos de dependencia de los solteros, y que mientras entre los casados casi uno de cada cuatro es dependiente (21%), entre los viudos esta situación alcanza el 38% (Fundación Pfizer, 2001). Así, las personas no casadas o que no lo han estado nunca tienen mayor riesgo de ser dependientes (Béland y Zunzunegui, 1995; IMSERSO, 2002). Sin embargo, son varios los autores que afirman que tras esta asociación entre estado civil y dependencia se oculta la influencia de otras variables como el estado de salud (Escudero et al. 1999), la posesión de una vivienda (Grundy y Glasser, 2000), y la percepción de soledad, vulnerabilidad y abandono (IMSERSO, 2002).

El bajo *nivel de ingresos* también se asocia a la mayor probabilidad de ser dependiente. De hecho, en los hogares con ingresos por debajo de 361 euros/mensuales, la incidencia de la dependencia es prácticamente el doble que en los que tienen rentas más altas (a partir de los 901,52 euros/mes) (Fundación Pfizer, 2001; IMSERSO, 2002). No obstante, esta relación ha de tomarse con mucha cautela dado que en ella pueden estar influyendo distintas variables. Por un lado, como algunos autores señalan, la discapacidad puede afectar a la posibilidad de obtener un nivel adecuado de ingresos como puede ser la limitación para realizar un número determinado de horas de trabajo (Preston y Taubman, 1994; Lindholm, Burström y Diderichsen, 2001). Por otro lado, la edad, el género, el estado civil, el nivel educativo y la soledad podrían estar fácilmente asociados a la falta de recursos (CERMI, 2004), aunque Grundy y Glasser (2000) sostienen que la clase social es más importante en la determinación de la dependencia que los ingresos actuales.

En este sentido, los estudios señalan una relación positiva entre baja *clase social* y riesgo de dependencia. Por ejemplo, un estudio de la Fundación Pfizer (2001) encontró que entre las personas mayores con un nivel social medio-bajo, la dependencia alcanza a uno de cada cuatro personas, y a cuatro de cada diez en el estrato social más bajo. No obstante, observaron un patrón diferencial en función del sexo en la relación entre la clase social y la dependencia. Las mujeres con mejor posición social son las que mayor grado de autonomía poseen, mientras que los varones de clase social media-alta presentan una tasa de dependencia en la vejez casi tan elevada como sus congéneres en situaciones socioeconómicas más desventajosas.

Los indicadores de estilo de vida, las conductas saludables y la obesidad también confirman el modelo de factores de riesgo de discapacidad y dependencia. Tabaquismo, sedentarismo, falta de ejercicio regular y sobrepeso son factores que predisponen a padecer problemas de funcionamiento corporal (IMSERSO, 2002).

Por otro lado, según el Modelo de Discapacidad (Verbrugge y Jette, 1994) se han identificado también una serie de **factores psicosociales o recursos internos** que pueden impactar sobre el funcionamiento diario del individuo. Estas variables harían referencia a recursos y factores psicológicos que pueden reducir las demandas o incrementar la capacidad de una persona. De este modo, la posesión de un mayor número de recursos por parte del individuo puede compensar la discapacidad, a la vez que una menor tenencia de éstos puede exacerbarla. Son ejemplos de los factores psicosociales: la maestría[8], la capacidad cognitiva, la depresión[9], el aislamiento social, la salud autopercibida, el apoyo social, etc. (Femia, Zarit y Johansson, 1997, 2001).

Los estudios han señalado que la *maestría* afecta al proceso de discapacidad (Berkman et al., 1993; Camacho et al., 1993; Bruce et al., 1994; Idler y Kasl, 1995). La maestría es un

---

[8] La maestría hace referencia a la magnitud con la que un individuo siente que los azares de su vida están bajo su control personal en vez de estar determinados de forma fatalista (Pearlin y Schooler, 1978; Pearlin et al., 1981)

[9] Si bien el Modelo de Discapacidad engloba la demencia (el deterioro de la capacidad cognitiva) y la depresión como factores psicosociales, habría que mencionar que son también enfermedades crónicas y que podrían ser considerados también como factores del camino principal generador de dependencia.

concepto similar al control, que protege a los individuos de las tensiones y de los estresores de la vida (Pearlin y Schooler, 1978). La investigación previa sugiere que las personas con altos niveles de maestría emplean estrategias cognitivas y conductuales que modifican el significado y la consecuencia de la experiencia (Femia, Zarit y Johansson, 1997). Así, se ha visto que la maestría está asociada a un mejor funcionamiento para la realización de las actividades de la vida diaria (Roberts, Rukle y Haug, 1994).

La presencia de algún tipo de **demencia** así como el **deterioro cognitivo** asociado incrementa la probabilidad de desarrollar discapacidad y dependencia (Schaie, 1990; Fitz y Teri, 1994; Gill, Richardson y Tinetti, 1995; Gaugler et al., 2000b; Dekosky y Orgogozo, 2001; Njegovan et al., 2001). Un estudio de Caro y colaboradores (2002) halló que, entre pacientes con enfermedad de Alzheimer en estadio medio, incluso aquellos con niveles relativamente bajos de deterioro cognitivo tenían un elevado riesgo de perder la capacidad de vivir de forma independiente. Se ha argumentado que la relación entre el deterioro cognitivo y dependencia viene explicada por el hecho que los recursos cognitivos permiten a los individuos responder y adaptarse a las demandas y necesidades del ambiente así como a implicarse en mayores niveles de funcionamiento (Femia, Zarit y Johansson, 2001).

Este es un hecho preocupante, en especial porque las demencias, entre ellas la enfermedad de Alzheimer, han experimentado un crecimiento superior al 2.500 por cien en los últimos 16 años para las mujeres de 75 y más años y del 2.000 por cien para los varones de 85 y más años (IMSERSO, 2002). Habría que añadir a estas cifras que la enfermedad de Alzheimer tiene una etiología desconocida para que la que todavía se carece de prevención y tratamiento eficaces (Flórez, 1996).

La **depresión** también se ha relacionado con el inicio y con cambios en la discapacidad (Turner y Noh, 1988; Camacho et al., 1993; Bruce et al., 1994; Smits, Deeg y Jonker, 1997; Ritchie, Touchon y Ledesert, 1998; Zarit, 1998b; Femia, Zarit y

Johansson, 2001). Así, un estado de ánimo deprimido puede disminuir la motivación necesaria para que el individuo se comprometa en conductas que mantengan sus niveles de capacidad funcional. Las investigaciones parecen indicar la presencia de elevados niveles de síntomas depresivos en individuos que experimentan de forma temprana el inicio de la discapacidad (Bruce et al., 1994). Se ha afirmado que una vez la discapacidad física está presente, la discapacidad y la depresión actúan como una espiral que lleva al declive de la salud física y mental (Femia, Zarit y Johansson, 1997).

La *percepción del estado de la propia salud* o *salud autopercibida* también eleva el riesgo de una persona a ser dependiente (Berkman et al., 1993; Camacho et al., 1993; Bruce et al., 1994; Idler y Kasl, 1995; Zarit, 1998b; Femia, Zarit y Johansson, 2001). Aunque está constatado que la enfermedad está asociada directamente con discapacidad, la autopercepción del estado de salud parece ser un determinante más potente que ésta para sentirse incapaz de realizar algunas actividades habituales (Idlar y Kasl, 1995), y que las personas que se sienten mal o muy mal multiplican por 1,4 su riesgo de dependencia moderada y por 1,9 el riesgo de que la dependencia sea grave (IMSERSO, 2002).

El *aislamiento social* también se ha asociado con una menor capacidad funcional y mayor dependencia (Baltes, Wahl y Schmid-Furstoss, 1990; Zarit, 1998b), mientras que la pertenencia a grupos sociales correlaciona de forma positiva con la realización de actividades de la vida diaria (Camacho et al., 1993). Maganizer y colaboradores (1990) encontraron que el contacto con una red social estaba asociado con la recuperación del funcionamiento de las actividades cotidianas tras una fractura de cadera, concluyendo que el apoyo social sería una barrera protectora frente a los procesos de discapacidad y dependencia.

Por lo tanto, podemos establecer un perfil de la persona dependiente en la actualidad, que esquematizamos en la tabla siguiente (Tabla 2).

Tabla 2. Perfil de la persona dependiente

Enfermedades y lesiones	Factores de riesgo	Factores psicosociales
• Presencia de enfermedad crónica.	• Edad mayor. • Mujer. • Bajo nivel educativo. • Viuda. • Bajo nivel de ingresos. • Clase social baja. • Malos hábitos de salud y de vida.	• Baja maestría. • Deterioro cognitivo. • Depresión. • Pobre salud autopercibida. • Aislamiento social, bajo apoyo social.

Fuente: Elaboración propia, 2005.

Este perfil de la persona dependiente ha sido encontrado por otros autores en la bibliografía (Berkman et al., 1993; Camacho et al., 1993; Bruce et al., 1994; Idler y Kasl, 1995; Zarit, 1998b; Femia, Zarit y Johansson, 2001; Garcés et al., 2004).

1.3. Factores que explican la importancia de la dependencia en la actualidad

Pasamos a continuación a dar un paso más hacia la comprensión de la relevancia de la dependencia en la actualidad, concretando los acontecimientos que la hacen hoy un punto importante de intervención desde las políticas públicas[10] para una actuación sociosanitaria a corto y medio plazo.

---

[10]   Desde el gobierno se están iniciando actuaciones en este sentido y se ha anunciado ya desde el Ministerio de Trabajo y Asuntos sociales la creación del Sistema Nacional de Atención a la Dependencia. A la fecha de la pronunciación de este comunicado por parte del Gobierno —20 de enero de 2005—, el ministro de Trabajo y Asuntos Sociales seguía el cronograma establecido hacía seis meses con el inicio de la elaboración del Libro Blanco de la Dependencia (MTAS, 2005), entregando al Parlamento este documento que servirá de base para la elaboración de la nueva Ley de Atención a las Personas Depen-

Realmente, en todos los países europeos[11], la dependencia viene explicada por diferentes factores demográficos y epidemiológicos. En concreto, durante todo el siglo pasado, los países más desarrollados han experimentado cambios importantes en la estructura de sus poblaciones o transición demográfica y en el tipo de enfermedades por las que se ven afectados o transición epidemiológica (WHO, 2002a). A continuación pasamos a describir ambos fenómenos de forma más concreta.

1.3.1. La transición demográfica

En primer lugar, el cambio en la estructura de una población o **transición demográfica** implica que un país o sociedad pase de una alta fertilidad y alta mortalidad a una baja fertilidad y baja mortalidad, y se caracteriza por un incremento de la esperanza de vida y por un envejecimiento de la población[12] (WHO, 2002a). España, casi un siglo después que la mayoría de los países europeos (Casado y López, 2001; IMSERSO, 2002), está experimentando este proceso desde principios del siglo XX (Fernández, 1996; Pérez, 1998).

Así, en la actualidad, todos los países occidentales poseen *bajas tasas de fertilidad y alta expectativa de vida* (Garcés, 2000; Pacolet et al., 2000; IMSERSO, 2002). En la Unión Europea la tasa media de fertilidad en el año 2001 era de 1,5,

---

dientes. A partir de esta última normativa, se creará el nuevo Sistema Nacional (Morán, 2005).

[11] Puede encontrarse un análisis exhaustivo sobre la dependencia y las distintas respuestas a esta situación en la Unión Europea en los capítulos IX y XI del Libro Blanco de la Dependencia (MTAS, 2005).

[12] Pérez (2003) señala que el "envejecimiento" de las poblaciones ha sido uno de los resultados más publicitados de los cambios históricos recientes en la dinámica demográfica. No obstante justifica que la denominación "envejecimiento" no es la más acertada y resulta "poco afortunada" dado que las poblaciones realmente no envejecen sino que lo que hacen es modificar su estructura por edades.

oscilando entre el 1,1 y 1,2 para España e Italia, respectivamente, hasta el 1,8 y el 2,0 para Francia e Irlanda de forma respectiva (OMS, 2002). La esperanza de vida al nacer de los ciudadanos europeos ha incrementado de 67 años en 1960 (Economic Policy Committee, 2001) a 78 años en el 2001 —75 años para los varones y 81,2 años para las mujeres— (OMS, 2002). En España, según datos del IMSERSO (2002), la esperanza de vida al nacer incrementó en un 8,2% entre 1970 y 1996, y la esperanza de vida a los 65 años ganó un 23,9% en el mismo período. En la actualidad, este indicador alcanza los 78,3 años (74,7 años para los varones y 81,9 años para las mujeres), y aumenta hasta los 83,2 años para los que han superado el umbral de los 65 años (81,1 años en el caso de los varones y 85,0 años las mujeres). Como se puede observar entre los datos recogidos aquí, las mujeres viven más años que los hombres, diferencia que también se ha acentuado a lo largo del siglo XX en España (Blanes, Gil y Pérez, 1996) al igual que en todos los países desarrollados (Jacobzone, 1999; Pacolet et al., 2000).

El *envejecimiento demográfico* constituye también un fenómeno constatado y observado en todos los países desarrollados (Pacolet et al., 2000; Pérez, 2003) y se caracteriza por un aumento en el porcentaje que representan los individuos mayores de 65 y más años sobre el total de la población (Pacolet et al., 2000) y una disminución de la proporción de los grupos de edades más jóvenes (WHO, 2002a; Pérez, 2003). Como ha señalado la Comisión Europea (Eurostat, 2003), en las últimas tres décadas, el número de personas mayores ha incrementado de forma significativa en todos los países miembros de la Unión Europea. Por ejemplo, en la actualidad, la proporción media de ciudadanos europeos mayores de 65 y más años se encuentra en torno al 15%, oscilando entre un 11% en Irlanda y un 17% en Suecia (Pacolet et al., 2000).

En España, la cifra de personas mayores ha aumentado siete veces en el siglo XX, por sólo dos el total nacional, multiplicándose el número de octogenarios por 13 (IMSERSO, 2002). En este mismo período, el número de ciudadanos españoles menores de 15 años prácticamente no se ha modificado y la cifra de población entre los 15 y 64 años sólo se ha multiplicado por 2,4 (Pérez, 2003). Desde 1970, las personas de edad han aumentado con tasas anuales del 2,5%, y en los últimos decenios el crecimiento de mayores se ha situado en el 3,7% (IMSERSO, 2002). Hoy en día la población mayor española representa aproximadamente el 17% de la población total (Pérez, 2003; INE, 2004a).

El escenario para el futuro indica tasas de fertilidad estables, aumentos paulatinos en la esperanza de vida e incrementos en el número de personas mayores. En concreto, si bien se espera que las tasas de fertilidad europeas converjan hasta alcanzar una media del 1,7 de aquí al año 2050, estas tasas son demasiado bajas para asegurar una sustitución natural de la población o para estabilizar su estructura por edades. Asimismo, las proyecciones sobre la esperanza de vida muestran incrementos para ambos sexos en el mismo período considerado igual a 5 y 4 años para varones (de 75 a 80 años) y mujeres (de 81 a 85 años), respectivamente, para el 2050 en el conjunto de la Unión Europea (Economic Policy Comitee, 2001). Se prevé también que la diferencia entre sexos en la esperanza de vida siga aumentando lentamente hasta 2026, según los cálculos del Instituto Nacional de Estadística, para estabilizarse posteriormente (IMSERSO, 2002).

En cuanto al crecimiento del número de personas mayores, todas las proyecciones coinciden en señalar que el proceso de envejecimiento no ha hecho más que empezar en los países desarrollados (Jacobzone, 1999; Jacobzone et al., 1999). Los datos muestran que la proporción de personas mayores de 65 y más años pasará en la Unión Europea entre el 2000 y el 2020 de un 15 a un 20% de la población total (Pacolet et al., 2000).

En España será también el colectivo que experimentará el mayor crecimiento en las próximas décadas (Fernández, 1998) —con incrementos anuales superiores al 1,2% hasta el 2050— mientras que desde la tercera década del siglo XXI la población española en su conjunto evolucionará con tasas negativas. En concreto, el segmento del total de la población que mayor crecimiento experimentará será el de las personas de 80 y más años, siendo para el grupo de 85 y más años del orden de un 80% en los próximos 20 años. Según Naciones Unidas, un 37,6% de la población española tendrá 65 y más años en 2050 (13,4% serán octogenarios); España será uno de los países más viejos del mundo junto a Japón, Italia, Croacia y la República Checa (IMSERSO, 2002).

1.3.2. La transición epidemiológica

La **transición epidemiológica** supone el paso de un tiempo en el que predominaban las enfermedades infecciosas, con alta maternidad y alta mortalidad infantil, a un estado donde la mortalidad prematura es baja y predominan las enfermedades crónicas (WHO, 2002a). Así, en la actualidad, en los países industrializados las enfermedades transmisibles ya no son causa de muerte y discapacidad, sino que el aumento de la esperanza de vida ha provocado que lo sean las enfermedades crónicas.

De hecho, según el Informe sobre la Salud en el Mundo 2002 (OMS, 2002), la enfermedad isquémica de corazón, los trastornos depresivos unipolares, la enfermedad cerebrovascular, los trastornos por abuso de alcohol, la demencia y otros trastornos del sistema nervioso, la sordera, la enfermedad pulmonar obstructiva crónica, los accidentes de tráfico, la osteoartritis, y los cánceres de pulmón, bronquios y tráquea son los 10 principales enfermedades o lesiones en los países desarrollados. El abuso de tabaco y alcohol, el sendentarismo, la hipertensión arterial, las dietas pobres en fruta y verdura, la obesidad, y el colesterol —generados por los malos hábitos de consumo y de vida— son los principales causantes de estas enfermedades.

Si bien estas enfermedades no están asociadas a mortalidad, entre sus principales características se encuentran: su propensión a causar limitación en las capacidades funcionales; su prevalencia incrementa particularmente con la edad; y aquellos que las sufren a menudo tienen patologías múltiples y comórbidas (WHO, 2002a).

Tal es el problema que desde el Plan Nacional I+D+i (2003-2007) del Ministerio de Educación y Ciencia (Comisión Interministerial de Ciencia y Tecnología, 2003) se está promoviendo la financiación de proyectos de investigación centrados en estas enfermedades en cuanto que son causantes de gran morbilidad, reducción de años de vida productivos, y de gran repercusión social y económica. De hecho, no debemos olvidar que tras el indicador de esperanza de vida se esconden otros indicadores relacionados en mayor medida con la calidad de vida y el bienestar. En concreto, es importante aquí destacar que si bien la esperanza de vida es igual a 74,7 años para los varones y 81,9 años para las mujeres, según señala Jiménez (2004) a partir de cálculos sobre la EDDS (INE, 2002) —Tabla 3—:

- La esperanza de vida libre de enfermedades crónicas al nacer —tiempo medio de vida previo al diagnóstico de una enfermedad crónica— es igual a 41 años para los hombres y a 38 años para las mujeres.

- La esperanza de vida en estado de buena salud subjetiva al nacer es de 59,5 años para los varones y de 58,2 años para las mujeres.

- La esperanza de vida libre de discapacidad al nacer se estima en 68,5 años para los varones y en 72,1 años para las mujeres.

- La esperanza de vida al nacer sin discapacidades severas es igual a 71,1 años para los varones y 75,4 años para las mujeres.

- La esperanza de vida sin discapacidad para las actividades de la vida diaria (sin dependencia) es, al nacer, de 72,7 años para los varones y de 77,1 años para las mujeres.

Tabla 3. **Tabla resumen de diferentes indicadores de la esperanza de vida al nacer**

	Esperanza de vida al nacer (en años)					
	Esperanza de vida	Libre de enfermedades crónicas	En estado de buena salud subjetivas	Libre de discapacidad	Sin discapacidades severas	Sin dependencia
Varón	74,7	41	59,5	68,5	71,1	72,7
Mujeres	81,9	38	58,2	72,1	75,4	77,1

Fuente: Elaboración propia, a partir de datos de Jiménez (2004).

1.4. La prevalencia de la dependencia

Tras conocer los principales determinantes para el desarrollo de la dependencia así como aquellos factores que exacerban la importancia de este fenómeno en la actualidad, es necesario contabilizar la magnitud real de la dependencia. En este caso, los datos sobre dependencia que encontramos en la bibliografía están establecidos, en general, distinguiendo entre aquellos correspondientes a población entre 6 y 64 años y las referentes a la población mayor (de 65 años en adelante). Esta distinción se fija debido a que la dependencia, si bien abarca toda la estructura de edades, se concentra especialmente en las personas mayores (Eurostat, 2003).

Cuando se intenta conocer la prevalencia de la dependencia, las encuestas sobre discapacidad constituyen una importante fuente de la cifra de personas dependientes (Eurostat, 2003) aunque la muestra utilizada sean los hogares de un país y por lo tanto no recojan el cómputo de personas discapacitadas institucionalizadas.

En los países miembros de la Unión Europea, según datos de la European Community Household Panel —ECHP[13]—

---

[13]   La ECHP presenta el número de personas que tienen limitaciones en la realización de las actividades de la vida diaria debido a problemas crónicos de salud mental o físico, enfermedad o discapacidad.

(Eurostat, 1999), la prevalencia de la discapacidad grave en Europa es sólo del 8% entre las personas de más de 16 años, mientras que el 21% de la población europea de más de 64 años informan estar gravemente impedidos en sus actividades diarias, cifra igual al 29% cuando nos centramos en la población de más de 74 años. Por su parte, Pacolet y colaboradores (2000) han estimado, a partir de datos recogidos en informes nacionales de los países europeos, que en los estados miembros de la Unión Europea hay al menos 7,6 millones de personas dependientes o que están percibiendo una ayuda del estado debido a su situación de dependencia. No obstante, tal como se ha señalado en la bibliografía, hay que ser cautelosos con estos datos ya que la definición de dependencia y el contenido de los instrumentos de medida todavía varían de un estado a otro por lo que no dejan de ser meras aproximaciones a la cuantificación de la dependencia en Europa (Gudex y Lafortune, 2000; Pacolet et al. 2000; Eurostat, 2003).

En el caso de España, en general, los datos sobre dependencia se obtienen bien a través de las encuestas sobre discapacidad o bien de las encuestas de salud, ambas elaboradas por el Instituto Nacional de Estadística, y en la que la muestra utilizada son los hogares españoles. En este caso, los datos más recientes provienen de la última encuesta elaborada por este organismo junto al IMSERSO y la Fundación ONCE, a saber, la Encuesta sobre Discapacidades, Deficiencias y Estado de Salud —EDDS— de 1999 (INE, 2002) y a la que ya hemos hecho referencia en este capítulo. La EDDS (INE, 2002) nos aporta la información que se detalla en la tabla 4 respecto a la prevalencia de la dependencia en España[14].

---

[14] Para la obtención de datos más detallados sobre la prevalencia de la dependencia en España, recomendamos la consulta de la página web del INE (*www.ine.es*) —sección salud— Encuesta de Discapacidades, Deficiencias y Estado de Salud; así como el capítulo I "Bases demográficas: estimación, características y perfiles de las personas en situación de dependencia" del Libro Blanco de la Dependencia (MTAS, 2005).

En concreto, las cifras indican que, respecto a la población de entre 6 y 64 años, el 4,6% es discapacitada. Más de la mitad (58,4%) de las personas discapacitadas tiene dificultades para realizar las actividades de la vida diaria —820.525 personas—, y en el 63% de ellas (519.788 personas) la dificultad es grave (severa o total). En general, las discapacidades relacionadas con la motricidad así como las referentes a realizar las tareas del hogar son las que más afectan a la población de este grupo. En concreto, el 29,6% tiene dificultades para desplazarse, el 52,5% para desplazarse fuera del hogar, el 15,3% para cuidar de sí mismo, y el 36,9% para realizar las tareas domésticas.

En cuanto a la población de 65 y más años, los datos muestran que el 32,2% tiene alguna discapacidad. De total de personas discapacitadas de este intervalo de edad, el 71% tiene dificultades para realizar las actividades de la vida diaria, y en el 70% de los casos la dificultad es grave; lo que representa un 22,1% y un 16%, respectivamente, del total de personas mayores. En concreto, las actividades de la vida diaria que más les afectan son: desplazarse fuera del hogar (65,2%), realizar las tareas del hogar (50,6%), desplazarse (39,1%), y cuidar de sí mismo (27,1%).

A estas cifras hay que añadir las personas con dependencia que están atendidas en centros residenciales y que no están computadas en esta encuesta: 26.950 de menos de 64 años y 80.000 mayores de 64 años (Fernández, 2002).

La estimación de ambas fuentes de datos, esquematizada también en la tabla 4, señala que el 6,5% de la población española de más de 6 años es dependiente para realizar las actividades de la vida diaria. Casi el 3% de las personas entre 6 y 64 años y alrededor del 24% de los de más de 64 años tienen dependencia en algún grado.

Tabla 4. Prevalencia de la discapacidad y la dependencia en España

	Grupo de edad		
	6 a 64 años	65 años y más	Total
Total población	*30.631.634*	*6.434.809*	*37.066.443*
EDDS[1]			
Total Discapacitados	*1.405.992*	*2.072.652*	*3.478.644*
Total Discapacitados para las AVD (1)	*820.525*	*1.464.815*	*2.285.340*
Discapacidad moderada	287.610	406.207	693.817
Discapacidad severa	258.241	473.464	731.705
Discapacidad total	261.547	553.944	815.491
No consta el grado de discapacidad	13.127	31.199	44.326
Discapacidad para desplazarse	*415.610*	*809.533*	*1.225.143*
Discapacidad para desplazarse fuera del hogar	*738.073*	*1.350.827*	*2.088.900*
Discapacidad para cuidar de sí mismo	*215.228*	*561.830*	*777.058*
Discapacidad para realizar las tareas del hogar	*519.486*	*1.049.111*	*1.568.597*
Personas dependientes atendidas en recursos institucionales[2] (2)	26.950	80.000	106.950[3]
TOTAL PERSONAS DEPENDIENTES (1+2)	818.382	1.503.962	2.322.344

Fuentes: [1]INE, 2002; [2]Fernández, 2002. **Notas:** AVD: actividades de la vida diaria. [3] En el Libro Blanco de la Dependencia (MTAS, 2005) se estima que esta cifra es igual a 200.000 personas.

En la Comunidad Valenciana, podemos utilizar datos de diferentes fuentes para cuantificar la población dependiente: la EDDS, la Encuesta de Salud de la Comunidad Valenciana 2000-2001, y estudios sobre dependencia realizados por Polibienestar. Por un lado, la EDDS (INE, 2002) también ha realizado una explotación de sus datos por Comunidades Autónomas y los resultados señalan que, para el grupo de personas entre 6 y 64 años, 124.921 personas tienen alguna discapacidad (3,9%), 75.855 son dependientes en algún grado (2,4%) y 49.637 personas tienen una dependencia grave o total (1,6%). En este grupo de edad, la dependencia se muestra sobre todo para desplazarse fuera del hogar (67.840 personas —2,1%—) y para realizar las tareas domésticas (52.433 personas —1,6%—)

Entre las personas mayores, 187.954 personas son discapacitadas (28,2%), 133.513 son dependientes (20,0%), y 97.100 tienen una dependencia severa o total (14,6%). Aquí también la dependencia se centra en particular para desplazamientos fuera del hogar (126.586 personas —19,0%—) y para la realización de tareas del hogar (101.588 personas —15,2%—).

Por otro lado, la Encuesta de Salud de la Comunidad Valenciana 2000-2001 (Consellería de Sanitat, 2002) nos ayuda a contabilizar las personas mayores dependientes en nuestra Comunidad. En concreto, en ella se indica que el 8,2% de las personas mayores de 64 años tiene algún grado de dependencia para el cuidado personal, el 11,9% para realizar las actividades cotidianas, el 16,7% para llevar a cabo asuntos personales, y el 13,1% para comunicarse.

Los diferentes estudios publicados por la Unidad de Investigación Polibienestar de la Universidad de Valencia (Garcés et al., 2002; Garcés et al., 2004; Garcés, Ródenas y Sanjosé, 2004) perfilan también la prevalencia de la dependencia en la Comunidad Valenciana en el año 2000. Según los trabajos de estos autores, un 5,9% de la población de esta comunidad autónoma es dependiente para realizar las actividades de la vida diaria. Asimismo, han contabilizado que, entre las personas atendidas en la red de recursos y servicios sociales y sanitarios de la Comunidad Valenciana[15], existen aproximadamente 115.136

---

[15]   Los recursos sociales y sanitarios incluidos en el estudio que se describe (Garcés et al., 2002) son aquellos disponibles para las personas con problemas sociosanitarios ofrecidos actualmente desde el Sistema de Salud y el Sistema de Servicios Sociales de la Comunidad Valenciana. En concreto, los recursos sanitarios son los siguientes: Unidades Médicas de Corta Estancia y Atención Sociosanitaria (UMCE-ASS), Hospitales de Atención a Crónicos y Larga Estancia (HACLE), Unidades de Hospitalización a Domicilio (UHD), Unidades de Hospitalización Psiquiátrica (UHP), Unidades de Conductas Adictivas (UCA), y Unidades de Salud Mental (USM). Los recursos y servicios sociales incluyen: Residencias para mayores y discapacitados, Centros de Rehabilitación e Integración Social para Enfermos Mentales Crónicos (CRIS), Centros Especializados

personas con algún grado de dependencia, 238.719 personas con riesgo de ser dependientes y 129.337 poseen un riesgo de dependencia grave.

A continuación se presenta una tabla resumen de las tasas generales de dependencia en Europa, España y la Comunidad Valenciana (Tabla 5).

Tabla 5. Tasas generales de dependencia. Porcentaje de población con algún grado de dependencia

	6 a 64 años	64 y más años
Europa	8%[1]	21%
España[2]	3%	24%
Comunidad Valenciana	2,4%	20,0%

Fuentes: Elaboración propia a partir de explotación de datos de la ECHP (Eurostat, 1999) y de la EDDS (INE, 2002). Notas: [1] El porcentaje corresponde a población de más de 16 años. [2] Incluye población institucionalizada, cifras de población residente en hogares corresponde a 2,7% y 22,1 años, respectivamente.

En definitiva, la persona dependiente es aquella que, debido a múltiples factores —en especial la edad avanzada—, precisa de la ayuda de otras personas para llevar a cabo las actividades habituales y diarias, necesarias para tener una vida digna y vivir de forma independiente. Esto representa en la actualidad un problema en cuanto que se prevé el aumento de este grupo de la población, debido principalmente al envejecimiento demográfico y al avance de la medicina que no ha logrado todavía aumentar la calidad de los años de vida ganados. Además, la necesidad de la ayuda de otros por parte de la persona dependiente para llevar a cabo las actividades cotidianas, se caracteriza por ser diaria, continuada y prolongada. Se ha denominado

---

para Enfermos Mentales Crónicos (CEEM), Servicio de Ayuda a Domicilio (SAD), Programa de ayudas para el cuidado de ancianos desde el ámbito familiar y Teleasistencia.

a este tipo de asistencia, cuidados de larga duración. Por ello, dedicamos la sección siguiente a recorrer brevemente las características de este tipo de atención.

2. LOS CUIDADOS DE LARGA DURACIÓN

Como hemos establecido en el capítulo anterior, uno de los principales criterios presentes en las definiciones sobre dependencia y que la distingue de otros procesos o situaciones es la necesidad que tiene la persona dependiente de recibir una asistencia por parte de otros durante un período prolongado de tiempo. Así, la ayuda no está asociada sólo al cuidado de una enfermedad puntual sino que a la cronicidad propia del mal estado de salud que limita la independencia del sujeto. Todo ello implica una asistencia para aquellas actividades que un sujeto realiza diariamente, siendo el cuidado de naturaleza prolongada. Estos cuidados constantes y perdurables durante un largo período de tiempo han sido denominados cuidados de larga duración (CLD). La revisión teórica realizada sobre la bibliografía existente más relevante respecto a la definición de los CLD nos lleva a inferir que una serie de indicadores claves delimitan de forma precisa lo que son los CLD, a saber:

- Para qué sirven: Objetivos de los CLD.
- El tipo de cuidados o servicios que implican.
- Quién necesita recibirlos.
- Donde se proveen.
- Quién provee los CLD.

2.1. Objetivos de los cuidados de larga duración

Los cuidados de larga duración se diferencian fundamentalmente de los cuidados agudos y de las tradicionales intervenciones sanitarias en que su finalidad no es curar o sanar una enfermedad (U.S. Senate Special Committee on Aging, 2000;

Bains, 2003); por el contrario, sus objetivos se centran en (Defensor del Pueblo, SEGG y Asociación Multidisciplinaria de Gerontología, 2000; U.S. Senate Special Committee on Aging, 2000; Casado y López, 2001; WHO, 2002b; Bains, 2003):

- Favorecer la mayor calidad de vida posible.

- Minimizar, restablecer o compensar la pérdida del funcionamiento físico y/o mental.

- Favorecer que la persona dependiente alcance y mantenga un nivel de funcionamiento lo más óptimo posible.

- Permitir vivir lo más independientemente posible.

- Ayudar a las personas a completar las tareas esenciales de la vida diaria.

- Mantener al máximo los limitados niveles de función, salud, y bienestar mental y social.

2.2. Tipos de cuidados de larga duración

Los CLD implican la provisión de una asistencia de intensidad progresiva, dado que la cantidad y frecuencia de los cuidados aumenta conforme incrementa el grado de dependencia de la persona receptora de la asistencia (Casado y López, 2001). Además, los CLD incluyen un amplio abanico de servicios:

- Servicios médicos o de salud (Institute of Medicine, 1986; U.S. Senate Special Committee on Aging, 2000; WHO, 2000b; Lakra, 2002).

- Servicios sociales (Institute of Medicine, 1986; U.S. Senate Special Committee on Aging, 2000; WHO, 2000b; Lakra, 2002).

- Servicios para la realización de actividades de la vida diaria: servicios personales o de cuidado personal —por ejemplo, el baño y el aseo personal—; tareas domésticas —por ejemplo, la preparación de comidas y la limpieza—

gestión de tareas diarias —como comprar, gestión y toma de la medicación, y el transporte— (WHO, 2002b).

- Provisión de ayudas técnicas —muletas y andadores— (WHO, 2002b).

- Tecnologías asistenciales avanzadas —por ejemplo, sistemas de emergencia y recordatorios informáticos de toma de medicación— (WHO, 2002b).

- Adaptaciones y habilitaciones de la vivienda (rampas y pasamanos) (U.S. Senate Special Committee on Aging, 2000; WHO, 2000b, 2002; Lakra, 2002).

- Servicios de apoyo (U.S. Senate Special Committee on Aging, 2000; WHO, 2000b, 2002b; Lakra, 2002).

- Servicios de transporte (WHO, 2000b; Lakra, 2002).

Algunos autores como Casado y López (2001) señalan que los cuidados de larga duración no incluyen la asistencia médica y que, por lo tanto, ambos tipos de atención no deben confundirse. Justifican además que, es por ello que, al no requerir grandes medios tecnológicos, humanos y materiales, los CLD pueden ser dispensados por personas no cualificadas como son los familiares de las personas dependientes.

No obstante, como hemos podido observar más arriba, organismos como la U.S. Senate Special Committee on Aging (2000) y la Organización Mundial de la Salud (WHO, 2002b) así como entidades españolas de prestigio en el campo de la atención sociosanitaria (Defensor del Pueblo, SEGG y Asociación Multidisciplinaria de Gerontología, 2000) los incluyen como un servicio dentro de los CLD. De hecho, varios autores han señalado que la provisión de los cuidados de larga duración es compleja en cuanto que supone la conjunción de servicios médicos y sociales (Assous y Ralle, 2000; Ikegami, Herdes y Carpenter, 2002). En este sentido, los CLD no pertenecen al sistema de sanidad "clásico", sino al sector médico-social (Comisión de las Comunidades Europeas, 2001). Nosotros estamos más en la línea de incluir la coordinación de servicios sociales y sanitarios en los CLD.

2.3. Personas receptoras de los cuidados de larga duración

Los cuidados de larga duración van dirigidos a las personas dependientes. A lo largo de las definiciones los autores hacen referencia a este colectivo del siguiente modo:

- Persona que no es totalmente capaz de cuidar de sí misma (WHO, 2002b).

- Personas con limitaciones físicas, mentales o cognitivas (WHO, 2000b; Lakra, 2002).

- Individuos que han perdido alguna capacidad de autocuidado por una enfermedad crónica o debido a una discapacidad (U.S. Senate Special Committee on Aging, 2000).

- Individuos portadores de incapacidad (Defensor del Pueblo, SEGG y Asociación Multidisciplinaria de Gerontología, 2000).

- Personas que pueden estar impedidas para completar por ellas mismas las tareas esenciales de la vida diaria debido bien a una enfermedad crónica, discapacidad o debilidad (Bains, 2003).

2.4. Lugar en el que se proveen los cuidados de larga duración

Los cuidados de larga duración pueden ser provistos en: 1) la vivienda en la que vive la persona dependiente —cuidado domiciliario—; 2) la comunidad —cuidado comunitario—; o 3) una institución —cuidado institucional— (Institute of Medicine, 1986; Ikegami, Herdes y Carpenter, 2002).

Los cuidados domiciliario y comunitario se caracterizan fundamentalmente por la permanencia de la persona dependiente en su propia casa —o de forma alternativa en el domicilio de uno de sus cuidadores—. Los cuidados en ambos tipos de ámbitos comparten el objetivo de mantener, en la medida de lo posible, a las personas dependientes en su entorno habitual. De forma diferencial, en el caso del cuidado domiciliario, el sujeto con dependencia recibe los cuidados exclusivamente en su domicilio, mientras que el cuidado comunitario implica la prestación de la asistencia en un centro externo al domicilio en régimen ambulatorio durante el día. Este tipo de establecimientos suelen ser los denominados centros de día (WHO, 2002b). Los CLD institucionales son adecuados cuando una persona deja la vivienda en la que reside habitualmente y se traslada a un centro para recibir los cuidados de larga duración en una institución, de forma permanente o temporal (Casado y López, 2001; WHO, 2002b); sería el caso de las residencias para mayores y para discapacitados.

2.5. Proveedores de los cuidados de larga duración

Los cuidados de larga duración son proporcionados por cuidadores formales y/o informales, tema en el que profundizaremos más adelante. El término cuidador hace referencia a cualquier persona que proporciona asistencia a alguien que tiene algún grado de dependencia (Family Caregiver Alliance, 2001).

Los **cuidadores formales** son proveedores de cuidados que:

* Reciben una retribución económica por suministrar los cuidados (Fradkin y Heath, 1992; McConnel y Riggs, 1994; Family Caregiver Alliance, 2001; WHO, 2002b; Eurostat, 2003),

* Están asociados a un sistema de servicio organizado (Eurostat, 2003) como las organizaciones gubernamentales, las organizaciones no gubernamentales locales, nacionales o internacionales (ONGs), u organizaciones con ánimo de lucro (Fradkin y Heath, 1992; McConnel y Riggs, 1994; Family Caregiver Alliance, 2001; WHO, 2002b).

- Están cualificados profesionalmente para la práctica de la asistencia y entre ellos se encuentran los profesionales sanitarios (enfermeras y médicos) y sociales (trabajadores sociales) (WHO, 2002b; Eurostat, 2003).

- Proporcionan en general servicios de cuidado personal, visitas de enfermería y tareas del hogar (Decima Research Inc. y Health Canada, 2002).

Por su parte, los *cuidadores informales* son aquellas personas que:

- Dispensan cuidados sin percibir compensación económica por realizar esta tarea (Fradkin y Heath, 1992; McConnel y Riggs, 1994; Havens, 1999a; Schoenfelder et al., 2000; Fundación Pfizer, 2001; WHO, 2002b; Eurostat, 2003; Williams, 2003),

- No poseen formación formal para suministrar los cuidados (WHO, 2002b) ni tampoco sobre las necesidades físicas y/o mentales que provocan la enfermedad/discapacidad (Blanco, Antequera y Aires, 2002). En los dos aspectos anteriores, tal como señala la Organización Mundial de la Salud (WHO, 2002b), se está observando en los últimos años un aumento en la cantidad de información y formación de los cuidadores informales en determinados países y se ha procedido a implantar algunas formas de pago para este trabajo.

- Pertenecen al entorno próximo de la persona dependiente como son los miembros de la familia nuclear y extensa, vecinos y amigos (Fradkin y Heath, 1992; McConnel y Riggs, 1994; Brodaty y Green, 2000; Schoenfelder et al., 2000; WHO, 2000b; Fundación Pfizer, 2001; WHO, 2002b; Eurostat, 2003; Williams, 2003).

- Se implican en actividades de cuidado y de atención a las necesidades (Blanco, Antequera y Aires, 2002).

- Ayudan de forma regular y continua a la persona dependiente, normalmente durante todo el día (Brodaty y Green, 2000).

Existe cierta confusión en las distintas definiciones sobre apoyo informal y apoyo formal respecto a la figura del voluntario. Algunos autores establecen que el cuidado informal abarca también a "voluntarios independientes así como el trabajo voluntario organizado a través de organizaciones como los grupos religiosos" (WHO, 2002b), mientras que otros los incluyen en el grupo de cuidadores formales (Fradkin y Heath, 1992; McConnel y Riggs, 1994; Family Caregiver Alliance, 2001). En nuestro contexto, se defendería la inclusión de la figura del voluntario dentro del sistema de apoyo informal dado su carácter altruista y desinteresado (Rodríguez, 2004; MTAS, 2005).

En general, la investigación internacional y nacional indica que el uso del cuidado informal predomina sobre la asistencia formal. Este hecho se hace patente en el estudio elaborado por Wiener (2001) "The Role of Informal Support in Long-Term Care", quién señala que, a pesar del desarrollo de los servicios de cuidados de larga duración por parte de los estados, de las empresas privadas y de la organizaciones no gubernamentales para los individuos dependientes, el cuidado informal sigue siendo la forma dominante de cuidado en todo el mundo. Además, se ha observado que, en la mayoría de los países desarrollados, salvo en los casos en los que la persona dependiente carece de familiares, el uso del cuidado formal —bien domiciliario, comunitario o institucional— como fuente única de cuidados es casi inexistente (WHO, 2002b) y que las personas dependientes siguen utilizando la asistencia informal de la misma manera independientemente del desarrollo de servicios de cuidado formal (Montorio, Díaz e Izal, 1995). La tendencia general observada cuando la persona dependiente utiliza algún tipo de ayuda formal es complementarla con ayuda informal (Casado y López, 2001).

En concreto, los cuidados informales representan alrededor del 75% de toda la ayuda que reciben las personas mayores dependientes en los países desarrollados, correspondiendo el resto a los cuidados de larga duración provistos formalmente por los organismos públicos y privados (Jacobzone, 1999). Por ejemplo, Joël y Martín (1998) encontraron, entre la población dependiente francesa, que alrededor del 50% de las personas con un nivel grave de dependencia recibían de forma exclusiva atención informal, y para aquellos con dependencia moderada la utilización de cuidado informal era de dos a tres veces superior a la de los servicios formales. En nuestro país más del 80% de las personas mayores dependientes que reciben asistencia utilizan únicamente el sistema informal de cuidados (Centro de Investigaciones Sociológicas —CIS—, 1998; INE, 2002), el 11% utilizan ambos tipos de cuidados, y el 4,5% recibe exclusivamente ayuda formal (CIS, 1998). Se ha estimado así que en España los cuidadores formales atienden aproximadamente a un 10% de las personas mayores dependientes (Fundación Pfizer, 2001; INE, 2002).

Otra de las tendencias observadas es el rechazo a la institucionalización. La investigación señala que las personas dependientes eligen en mayor medida el cuidado domiciliario y comunitario porque prefieren permanecer en sus casas (Newman, 2002; WHO, 2000b), y porque el coste de la asistencia en un centro es más elevado que el de las otras dos formas de cuidado (Jacobzone et al., 1999; Newman, 2002); este hecho se acentúa en las sociedades mediterráneas por el carácter familista de las mismas (Garcés, Ródenas y Sanjosé, 2003). Como se ha señalado en varios estudios efectuados por Jacobzone y colaboradores (Jacobzone, 1999; Jacobzone et al., 1999; Jenson y Jacobzone, 2000) aproximadamente una quinta parte de la población de los países desarrollados mayor de 65 años está recibiendo cuidado formal —en torno al 30% en residencias y al 70% en el domicilio—. Estos autores señalan que, en promedio, se espera que cada individuo pase de 2 a 4 años recibiendo algún tipo de cuidado formal al final de su vida. Por ejemplo, en Francia el 94% de las personas de 65 y más años que recibe ayuda formal, de las cuales el 57% tiene una discapacidad grave, vive en un domicilio privado y, según datos del INE (2002), en España, el 63% de las personas dependientes reciben las ayudas de asistencia personal de forma mayoritaria en el hogar. Algunos países han experimentado de esta manera un descenso en sus tasas de vida institucionalizada, por lo que la atención domiciliaria ha tenido que adaptarse para afrontar y tratar mayores niveles de discapacidad (Jacobzone et al., 1999).

Se han desarrollado asimismo **varios marcos teóricos con la intención de explicar las preferencias por el uso del apoyo informal sobre los servicios formales** (Davey et al., 1999). Realizaremos por ello aquí un resumen refiriendo las aportaciones más significativas para los objetivos de nuestro trabajo (Tabla 6).

En primer lugar, Cantor (1975) con su *Modelo Compensatorio Jerárquico* propuso que las preferencias de cuidado dependen de las relaciones sociales, por lo que los cuidados de larga duración serán proporcionados por la persona más cercana, más accesible y disponible a la persona dependiente. Cuatro años más tarde, Shanas (1979) elaboró un modelo similar basado en un *Principio de Sustitución Jerárquica* que opera dentro de la red informal de la persona dependiente. Con esta idea defendía que cuando las personas sufren algún tipo de dependencia, prefieren volcarse primero hacia la familia, los amigos y vecinos para el apoyo, siendo los servicios formales la última alternativa en ausencia de cuidadores informales o cuando las demandas de cuidado exceden las capacidades de la red de apoyo informal (Penning, 1990).

Por otro lado, el *Modelo de Relación de Funcionamiento Compartido* de Johnson (1983) afirma que ningún miembro de la familia es principalmente responsable del cuidado, sino que el papel del cuidado es compartido entre los miembros de la familia. Estos modelos estarían basados en las aportaciones teóricas del papel del apoyo social sobre la salud y el bienestar (Caplan, 1974; Cobb, 1976; Cohen y Wills, 1985; Lin y Ensel, 1989) en las que se defienden los efectos beneficiosos del apoyo social como apoyo al individuo para cubrir sus necesidades sociales, físicas y psicológicas, así como para mejorar el afrontamiento de los eventos estresantes (Durá y Garcés, 1991; Gracia, Herrero y Musitu, 1995).

Litwak (Litwak, 1985; Litwak y Kulis, 1987; Silverstein y Litwak, 1993) amplió los modelos anteriores recalcando la importancia de considerar de forma conjunta el tipo de apoyo y la persona proveedora de los cuidados (Davey et al., 1999). A través de un *Modelo de Tarea Específica* (Litwak, 1985; Litwak y Kulis, 1987; Silverstein y Litwak, 1993), sugirieron que la tarea de cuidado está dividida entre cuidadores formales e informales en función del tipo de asistencia requerida. Según esta teoría, amigos y vecinos asumen con mayor probabilidad las necesidades de asistencia mínima (ayuda para comprar o para el transporte) mientras que los cuidadores para la realización de tareas de cuidado personal que requieren pocas habilidades, impredecibles y de dedicación más intensiva suelen ser los familiares. Las actividades de cuidado que necesitan mayores competencias y que acontecen en momentos determinados tienden a ser realizadas por cuidadores formales. Noelker y Bass (1989) denominaron a esta teoría "*Especialización Dual*", y fijaron su importancia en cuanto que puede disminuir el nivel de conflicto entre los cuidadores formales e informales.

Por su parte, Messeri y colaboradores (Messeri, Silverstein y Litwak, 1993) valoraron que si bien el Modelo de Tarea Específica de Litwak (Litwak, 1985; Litwak y Kulis, 1987; Silverstein y Litwak, 1993) y el Modelo Jerárquico Compensatorio de Cantor (1975) se solapaban, el primero era más amplio que el segundo. Además, para estos autores, el Modelo de Cantor no posee un buen fundamento teórico sobre el orden de preferencia de los cuidadores y tampoco explica la razón por la que una jerarquía de cuidadores no prevalece con algunas tareas especializadas por lo que consideraron acertadamente que el conocimiento y la experiencia en la tarea de cuidado eran los dos predictores más importantes para el uso de los servicios de cuidado formal.

Edelman (1986) propuso un *Modelo Suplementario* en el que la ayuda formal es meramente un elemento añadido al cuidado proporcionado por los cuidadores informales con el fin de aliviar el estrés y las demandas de tiempo; mientras que, por el contrario, Greene (1983) con su *Modelo de Sustitución* defendió que los cuidadores informales utilizarían el cuidado formal como sustituto de su propio cuidado si se les diera esta alternativa. Según los criterios de Lyons y Zarit (1999) este último marco teórico plantearía serios problemas políticos dado que la noción de sustituir a todos los cuidadores informales por ayuda formal requeriría un cambio radical, entendemos que presupuestario, en las premisas de la política social, lo que parece poco plausible en la actualidad. Asimismo, tampoco parece claro que los cuidadores informales acepten un modelo de sustitución, si tenemos en cuenta que varios estudios han demostrado incrementos muy leves en el uso de la ayuda formal cuando ésta se hace más disponible, aun cuando el coste ya no sea una barrera (Lawton et al., 1989; Montgomery y Borgatta, 1989). Para Lyons y Zarit, este último modelo podría ser posible en países en el que hay disponibilidad y rápida accesibilidad al cuidado institucional (Lyons y Zarit, 1999).

Tabla 6. Marcos teóricos explicativos del uso del apoyo informal y formal.

MODELO (AUTOR)	CARACTERÍSTICA PRINCIPAL
Modelo Compensatorio Jerárquico (Cantor, 1975).	Las personas dependientes prefieren que les cuide una persona cercana, accesible y disponible.
Modelo de Sustitución Jerárquica (Shanas, 1979).	Las personas dependientes prefieren que les atiendan primero sus familiares, amigos y vecinos y después un servicio formal.
Modelo de Relación de Funcionamiento Compartido (Johnson, 1983).	El papel del cuidado es compartido entre los miembros de la familia.
Modelo de Tarea Específica (Litwak, 1985; Litwak y Kulis, 1987; Silverstein y Litwak, 1993) o Especialización Dual (Noelker y Bass, 1989).	La tarea de cuidado es dividida en función del tipo de asistencia.
Modelo Suplementario (Edelman, 1986).	La ayuda formal es un suplemento del cuidado informal.
Modelo de Sustitución (Greene, 1983).	Los cuidadores informales utilizarían el cuidado formal como sustituto de su propia asistencia, si se les brindara esa opción.

Fuente: Elaboración Propia, 2005.

No obstante, como ha señalado un informe de la Comisión Europea (Eurostat, 2003) sobre dependencia y cuidados de larga duración en Europa, la sustitución o la complementariedad entre el cuidado formal e informal sigue siendo una tema de debate actual. Con el objetivo de aclarar esta cuestión, los autores de este informe analizaron diferentes encuestas de países europeos sobre ambos tipos de asistencia, hallando resultados dispares: en algunos casos la ayuda formal e informal parecen sustituirse y en otros, complementarse. Por ejemplo, en un estudio realizado en Suecia (Sundström y Hassing, 2003) se pudo comprobar que la asunción del apoyo por las familias provoca el declive de la ayuda de los servicios formales públicos, y que la complementariedad es adecuada en aquellos casos en los que el sector formal proporciona servicios de atención personal básica, dejando al sector informal la provisión de actividades instrumentales (compras, acompañamiento, etc.). Asimismo, los resultados de la investigación realizada en EE.UU. por Lakdalla y Philipson (1999) vincularon la suplementariedad de la ayuda formal e informal al grado de deterioro cognitivo de la persona dependiente. En concreto, estos autores vienen a confirmar que el cuidado informal es viable y puede ser usado como sustituto de la ayuda formal si la persona dependiente mantiene su capacidad cognitiva. Por el contrario, el cuidado informal es un suplemento importante para aquellas personas muy dependientes con incapacidad para comprender o comunicarse (Lakdalla y Philipson, 1999).

McAuley y colaboradores (McAuley, Travis y Safewright, 1990) consideran que los modelos desarrollados anteriormente han omitido la consideración de postulados de la psicología social para explicar la relación entre apoyo formal e informal. Por ello, estos autores asumieron la perspectiva del interaccionismo simbólico para conceptualizar esta relación y llegaron a proponer que la interacción entre apoyo formal e informal está determinada por las realidades sociales de las personas afectadas —cuidadores formales e informales y receptores del cuidado—, es decir, por sus percepciones, expectativas de conductas apropiadas y por la implicación entre ellas.

La investigación empírica realizada para probar estos modelos ha dado lugar a resultados dispares. Mitchell y Krout (1998) estudiaron una muestra de personas mayores dependientes y descubrieron que cuando los servicios formales estaban categorizados en: muy discrecionales (cuidado personal), parcialmente discrecionales (transporte médico) y poco discrecionales (servicios médicos como las visitas del médico), las relaciones entre el apoyo formal e informal defendidas por algunos modelos teóricos variaban. En este sentido, hallaron que el modelo de Cantor sólo se cumplía para aquellos servicios que eran muy o parcialmente discrecionales. En contraste, aquellos individuos que recibían cuidado informal tenían más probabilidad de recibir servicios formales menos discrecionales tales como la asistencia médica. Estos autores concluyeron que el cuidado informal complementa los servicios formales, tal como apoya la teoría de Litwak (Litwak, 1985; Litwak y Kulis, 1987; Silverstein y Litwak, 1993).

Por su parte, Scott y Roberto (1985) observaron patrones de cuidado formal e informal a personas mayores de áreas rurales utilizando la perspectiva de red de apoyo social y encontraron apoyo para el Modelo de Johnson (1983) sólo en el caso de aquellas personas dependientes con pocos recursos socioeconómicos. En este caso, utilizaban apoyo informal y formal. Sin embargo, se confiaba exclusivamente en el apoyo informal sólo bajo 3 circunstancias: cuando la persona mayor tenía alto nivel socioeconómico, vivía cerca de sus hijos, o era viudo y no vivía con sus hijos. Estos mismos autores también hallaron apoyo para la teoría de Cantor: en situaciones en la que los hijos vivían cerca, la probabilidad de que los amigos se implicaran en el cuidado era menor. No obstante, cuando la persona mayor era viuda y vivía lejos de los hijos, los amigos estaban más implicados en el apoyo.

Otros autores han destacado los beneficios del cuidado informal que nos podría ayudar a explicar la evidencia de las cifras que indican la inclinación hacia este tipo de atención a la hora de recibir los cuidados de larga duración. Así, la ayuda informal

a) es el principal predictor del mantenimiento de las personas mayores dependientes en la comunidad (Bazo, 1991; Montorio, Díaz e Izal, 1995), b) coincide con el lema "envejecer en casa" eje de las políticas sociales europeas en este momento (OCDE, 1993, 1994a, 1994b; Pacolet, Versiek y Bouten, 1993), c) es versátil, en cuanto que es un recurso que tiene la capacidad de adaptarse a los diferentes niveles y necesidades del cuidado, ajustándose progresivamente a los requerimientos del aumento de dependencia en las personas, independientemente de la disponibilidad de ayuda formal (Yanguas y Pérez, 1997).

En este contexto podemos entender de forma más concreta la carga del cuidador. Resumiendo, los cuidados de larga duración implican múltiples servicios de asistencia y apoyo para mantener la mayor calidad de vida de la persona dependiente. Este tipo de cuidados son asumidos frecuentemente por un cuidador informal, sin la ayuda de recursos formales. La información y los datos que aportamos en el apartado siguiente nos ayudan a contextualizar y caracterizar la magnitud del cuidado informal, así como a plantear sus repercusiones sobre el responsable principal del suministro de cuidados a las personas dependientes.

3. EL CUIDADO INFORMAL

En este apartado, acorde con los objetivos de este trabajo sobre carga de cuidadores informales de personas dependientes, se detalla con amplitud las características de los cuidadores y del cuidado informal. En primer lugar, pasaremos a conocer el número de personas que podrían verse afectadas por la sobrecarga.

3.1. El cuidado informal en cifras

Establecer la cifra de personas cuidadoras no es una tarea fácil. En primer lugar, los numerosos estudios existentes sobre cuidado informal se centran en particular, en establecer el perfil del cuidador informal así como las principales características de los cuidados a las personas dependientes. Además, las múltiples definiciones de "cuidador" condicionan una amplia variabilidad en la estimación del número de personas cuidadoras (Family Caregiver Alliance, 2001; Decima Research Inc. y Health Canada, 2002).

Diferentes estudios sociológicos dejan patente la relevancia de la cifra que representa en la actualidad los cuidadores informales de personas dependientes. De hecho, entre la población norteamericana, se ha calculado que el 19,2% (52 millones de personas) cuida a personas adultas enfermas o discapacitadas (Health and Human Services, 1998) y casi uno de cada cuatro hogares —22,4 millones de hogares— está implicado en la atención de personas de 50 o más años (National Alliance for Caregiving, 1997). Asimismo, las cifras sobre el número de cuidadores informales de personas mayores —65 y más años— dependientes para realizar las actividades de la vida diaria oscilan entre 5,8 (Spector et al., 2000) y 7 (Health and Human Services, 1998) millones, lo que representa entre el 2,1% y el 2,6% de la población de ese país. Además, hay un 1,9% de personas (5 millones) que atiende a enfermos con demencia de 50 años en adelante. Las proyecciones a corto plazo realizadas en este país indican que para el 2007 el porcentaje de hogares con cuidadores informales de personas de 50 y más años podría alcanzar el 13,7% (National Alliance for Caregiving, 1997).

En Canadá, el 9,6% de la población —3 millones de personas— presta ayuda a individuos afectados por alguna enfermedad crónica o discapacidad (Decima Research Inc. y Health Canada, 2002). Además, un estudio promovido por el gobierno canadiense en el año 2002 para establecer el perfil de los cuidadores informales estableció que el 4% de los adultos estaba proporcionando cuidados a un miembro de la familia que padecía una discapacidad mental o física o con una enfermedad crónica o debilitante (Decima Research Inc. y Health Canada, 2002).

Respecto al número de cuidadores en Europa, el Panel de Hogares de la Unión Europea (INE, 2004b) indica que el 5,5% de la población europea encuestada cuida de forma no remunerada a personas adultas. En nuestro medio, según los estudios del Instituto de Mayores y Servicios Sociales —IMSERSO— (2003), un 20,7% de los adultos en España presta ayuda para la realización de las actividades de la vida diaria a una persona mayor con la que convive y el 47,3% de las personas con discapacidad recibe asistencia personal. Según el avance de un estudio presentado el 1 de octubre de 2004 por la Secretaría de Estado de Servicios Sociales, Familias y Discapacidad elaborado por el IMSERSO sobre la situación de los mayores en España (Gabinete de prensa del Ministerio de Trabajo y Asuntos Sociales, 2004), en la actualidad, un 15% de los hogares españoles cuida a personas dependientes.

3.2. El perfil sociodemográfico del cuidador informal

Las variables sociodemográficas del cuidador informal que determinan su perfil, es decir, su mayor probabilidad para asumir la responsabilidad de la atención de larga duración son: la relación entre receptor de cuidados y cuidador, el sexo, el vínculo familiar, el estado civil, la edad, el nivel educativo, la situación laboral, el nivel económico, y la clase social. Haremos a continuación un desarrollo sucinto de cada uno de ellas.

La familia como principal fuente de cuidado informal. Todos los datos internacionales, europeos y nacionales confirman de forma consistente que la familia es la principal proveedora de los cuidados informales para las personas dependientes en la mayoría de los países desarrollados (INSERSO, 1995; Bazo, 1998; García, Mateo y Gutiérrez, 1999; Jenson y Jacobzone, 2000; Eurostat, 2003; Garcés, Ródenas y Sanjosé, 2003; García, Mateo y Eguiguren, 2004; Zarit, 2004; MTAS, 2005). Estos hallazgos apuntan a que los cuidados de larga duración dependen de la disponibilidad de la familia como fuente de apoyo (WHO, 2000b).

En EE.UU., más del 80% de las personas con demencia son cuidadas en sus casas por familiares (Haley, 1997; Mockus Parks y Novielli, 2000). Las encuestas europeas sobre dependencia y discapacidad confirman también el elevado porcentaje de familiares entre los cuidadores informales (Eurostat, 2003).

Las diversas investigaciones realizadas en nuestro país también indican la mayor representación de los familiares de las personas dependientes entre los cuidadores informales frente a otras fuentes de asistencia informal como los amigos y vecinos. Los últimos datos disponibles señalan que el 81% de las personas dependientes de cualquier grupo de edad es atendido por un familiar (INE, 2002; IMSERSO, 2003). En el caso de los cuidados a las personas dependientes de entre 6 y 64 años, el 85,9% recibe los cuidados de un familiar (INE, 2002) y entre el 79% (INE, 2002), el 80-88% (INSERSO, 1995; Durán, 1999) y el 92,6% (IMSERSO, 2004) de las personas mayores dependientes son atendidos por su familia. Asimismo, el 93,7% de adultos en España que presta ayuda a una persona mayor para realizar las actividades de la vida diaria tiene vínculos familiares con el receptor de cuidados (IMSERSO, 2002; Pérez, 2002). Otras fuentes de datos señalan que en nuestro país más del 50% de sujetos afectados de deficiencias psíquicas y un 70% de discapacitados físicos reciben asistencia de un familiar (Durán, 1999; García, Mateo y Gutiérrez, 1999; García, Mateo y Maroto, 2004).

En la Comunidad Valenciana, la familia también aparece como el cuidador principal de las personas mayores dependientes en cuanto que en más del 88% de los casos existe alguna relación de parentesco con la persona receptora de la atención de larga duración (Dirección General de Salut Pública, 2000; Garcés et al., 2002). Asimismo, en un reciente estudio realizado por la Unidad de Investigación Polibienestar de la Universidad de Valencia se ha computado que el 97% de las personas dependientes usuarias de recursos sociales y sanitarios de esta Comunidad Autónoma posee alguna relación familiar con su cuidador (Garcés et al., 2004).

El sexo: El cuidado, una cuestión de mujeres. Otra de las cuestiones que aparecen más claras cuando se estudia el perfil de los cuidadores informales es que la provisión de los cuidados de larga duración sigue siendo de forma predominante una tarea principalmente realizada por la mujer (OECD, 1998; Havens, 1999a; WHO, 2000b; Jenson y Jacobzone, 2000). De hecho, en la mayoría de los estudios sobre cuidado informal, se ha observado que existe una relación directa entre sexo y cuidados familiares así como la presencia prioritaria de las mujeres de la familia en la jerarquía de cuidados. Estos hallazgos han llevado a que se afirme que es el sexo y no el tipo de vínculo familiar el que determina la elección de los cuidadores (Hooyman y Gonyea, 1995). Sin embargo, como señala Villalba (2002) y como veremos más adelante, ambas variables son importantes y se deben estudiar de forma simultánea a la vez que diferenciada en la determinación del perfil del cuidador.

En Estados Unidos, las estimaciones del porcentaje de cuidadores informales que son mujeres van del rango del 59% al 75% (National Alliance for Caregiving y AARP, 1997; Health and Human Services, 1998; Family Caregiver Alliance, 2001, 2003; Arno, 2002); en Australia el 56% de todos los cuidadores son mujeres (Mears, 1998) y en Canadá esta tasa oscila entre el 55% (Fast y Mayan, 1998) y el 77% (Decima Research Inc. y Health Canada, 2002). Asimismo, según los datos de diferentes encuestas europeas sobre personas dependientes y cuidadores informales en Europa, las mujeres son también más numerosas que los hombres en la provisión de los cuidados a las personas dependientes (Eurostat, 2003). Por ejemplo, en Alemania el 73% de los cuidadores informales son del sexo femenino (Jenson y Jacobzone, 2004) y en el Reino Unido la distribución por sexos se sitúa en el 42% de hombres frente al 58% de mujeres (The Stationary Office, 1998; Eurostat, 2003).

En España, las cifras son también contundentes en cuanto que son mujeres el 60% de los cuidadores principales de personas mayores (INSERSO, 1995; IMSERSO, 2002; Pérez, 2002), el 75% de los cuidadores de personas con discapacidad (Jiménez y Huete, 2002) y el 92% de los cuidadores de las personas que necesitan atención en los hogares (García, Mateo y Gutiérrez, 1999). Entre los cuidadores de enfermos con demencia las tasas varían entre el 68% y el 77% (Gómez-Busto et al., 1999; Tárraga et al., 2000; Tárraga y Cejudo, 2001). Asimismo, el 71% de los hombres con graves discapacidades y el 75% de las mujeres dependientes son cuidados por mujeres (INE, 2002; IMSERSO, 2003). Así, en nuestro medio, a pesar de que en los últimos años se ha podido confirmar una tendencia hacia la mayor implicación de los varones en las tareas de cuidado, el predominio femenino sigue siendo incuestionable (Pérez, 2002). De hecho, resultan alarmantes los últimos datos publicados por el IMSERSO en diciembre de 2004 (IMSERSO, 2004) entre los que se señala que el 83,6% de los cuidadores de personas de 65 y más años son del sexo femenino.

Según la Encuesta de Salud de la Comunidad Valenciana 2000-2001 (Consellería de Sanitat, 2002), el 67,6% de los cuidadores de discapacitados y enfermos crónicos así como el 64,9% de las personas que prestan asistencia a personas mayores son mujeres. Otros datos disponibles en la Comunidad Valenciana denotan que el 72,4% de los cuidadores de personas dependientes atendidas en recursos sociales y sanitarios son mujeres (Garcés et al., 2004).

El vínculo familiar. El vínculo familiar es otra de las variables más relevantes en la determinación del perfil del cuidador.

En general, los cuidadores de personas dependientes suelen ser familiares directos como los padres, los hijos o los cónyuges dependiendo del receptor de la asistencia. Por ejemplo, los datos indican que en Estados Unidos, entre los adultos de edades comprendidas entre los 20 y los 75 años que proveen cuidado informal, el 38% proporciona cuidados a padres mayores y el 11% a su cónyuge (Health and Human Services, 1998). En Canadá, se ha hallado que los receptores del cuidado familiar son con más probabilidad un cónyuge/pareja (38%), el padre/madre (33%) o hijos (17%) del cuidador (Decima Research Inc.

y Health Canada, 2002). En España, el 31,8% de la población dependiente recibe los cuidados de sus hijos, el 24,6% de su cónyuge y el 9,4% los padres (INE, 2002).

En concreto, cuando consideramos la población dependiente menor de 65 años, los cuidadores suelen ser bien el cónyuge o alguno de los padres. En España, según datos obtenidos a partir de la EDDS 1999 (INE, 2002), el 26,4% de las personas afectadas por alguna discapacidad reciben asistencia por parte de su cónyuge y el 27,4% de sus padres, mientras que sólo el 14,8% de estos sujetos son cuidados por sus hijos.

En el caso de las personas mayores dependientes es la pareja o el hijo adulto el que suele proporcionar los cuidados (Jenson y Jacobzone, 2000; Eurostat, 2003). En Finlandia y Francia, más del 50% de los mayores débiles reciben cuidado de un hijo o un nieto adulto, en Austria y Alemania el 32% y el 22%, respectivamente, de aquellos que reciben ayudas para el cuidado de personas dependientes son hijos adultos (Jenson y Jacobzone, 2000).

En nuestro medio, según diferentes encuestas relacionadas con el ámbito del cuidado de las personas mayores, el 57% de los hijos asisten a sus padres mayores dependientes (CIS, 1998; IMSERSO, 2004), cifra que asciende al 62% (CIS, 1998) y 67% (IMSERSO, 2004) si se añaden los porcentajes correspondientes a los cuidados suministrados por los yernos y las nueras. El cuidado abastecido por los cónyuges representa casi entre el 17% (IMSERSO, 2004) y el 26% (CIS, 1998) de los casos —en función de los estudios— mientras que en torno al 10% de otros familiares —como hermanos, sobrinos,...— se encargan de suministrar la asistencia (Casado y López, 2001; IMSERSO, 2004). Los cuidadores de enfermos con demencia son mayoritariamente asumidos por la pareja del enfermo (53%) seguido por los hijos/hijas (35%) y los nietos del enfermo (2%) (Tárraga y Cejudo, 2001).

En la Comunidad Valenciana, el 43% de los cuidadores de personas dependientes atendidas en recursos sociosanitarios son su cónyuge, mientras el 23% y el 20% son hijos y padres, respectivamente (Garcés et al., 2004). En el caso de las personas mayores dependientes, la hija es principalmente la persona que cuida al mayor dependiente, seguido del cónyuge y de otros familiares (Dirección General de Salut Pública, 2000; Garcés et al., 2002).

El sexo y el estado civil del cuidador así como la convivencia son factores que también influyen en la determinación de la persona a cargo del cuidado. En primer lugar, son las madres, esposas e hijas las que asumen en mayor medida el cuidado. En España, si bien son los hijos de las personas dependientes los principales proveedores de ayuda familiar a las personas mayores dependientes, en un 76% de los casos éstos son mujeres. Según estos datos, por tanto, parece claro que son las hijas y las nueras las que actualmente proporcionan el grueso de los cuidados informales (Casado y López, 2001; Pérez, 2002).

Además emerge un curioso patrón de género cuando se observa de forma detenida el sexo de la persona atendida. Los datos recogidos en España muestran que las mujeres mayores dependientes son atendidas fundamentalmente por sus hijas mientras que la asistencia proporcionada a los hombres dependientes de esta misma edad es efectuada bien por la hija bien por la esposa. En concreto, a las mujeres mayores dependientes las cuida su hija (41%), su cónyuge (15%), su hijo (13%) u otros familiares (10%); mientras que los hombres mayores en las mismas circunstancias son atendidos por su cónyuge (35%), su hija (33%), su hijo (12%), u otros familiares (7%) (Fundación Pfizer, 2001). Asimismo, cerca del 45% de los hombres con alguna discapacidad reciben asistencia de una pareja y el 21% de las hijas mientras que las tasas para las mujeres son del 15% y del 37%, respectivamente (INE, 2002). Estas diferencias son el resultado del efecto combinado de dos fenómenos: por un lado, una mayor expectativa de vida de las mujeres genera tasas de viudedad muy superiores entre este colectivo (Eurostat, 2003) y, por otro lado, entre las personas viudas, casi el 85% de los cuidados los proporcionan los descendientes (Casado y López, 2001; Pérez, 2002).

Por otro lado, Eggebeen (1992) en un estudio sobre datos recogidos en EE.UU. llegó a la conclusión que la posibilidad de recibir cuidados por parte de los hijos estaba relacionado con el estado civil de la persona mayor, en cuanto que observó que entre las personas mayores divorciadas había una menor predisposición a recibir apoyo de sus hijos que las personas mayores viudas.

Asimismo, la dimensión de vivienda compartida versus vivienda separada se superpone con la variable vínculo entre cuidador y receptor de cuidados. En muchos casos, los maridos y las mujeres comparten la misma vivienda con su esposo, mientras que las hijas y otros familiares pueden o no vivir en viviendas separadas (Zarit, 1990a). La British General Household Survey (The Stationary Office, 1998) indica que: a) los cuidadores que cuidan a alguien en su propia casa: el 52% cuida de un cónyuge y el 22% de su padres o suegros mientras que los que lo hacen fuera del hogar el 55% cuidan a sus padres o suegros y un 22% lo hacen de amigos y vecinos; b) los cuidadores que convivían constituían aproximadamente el 25% de los cuidadores.

Estado civil del cuidador. No existe mucha información disponible respecto al estado civil de los cuidadores. Estimaciones realizadas a partir de los datos del Panel de Hogares de la Unión Europea (INE, 2004b) señalan que entre la población europea al cuidado de adultos predomina las personas casadas (54,7%), seguidas de las solteras (35,5%). El resto son viudas (7,7%), divorciados/as o separados/as (2,1%). Los resultados en España indican la misma tendencia. En concreto, en diferentes encuestas realizadas sobre el cuidado de personas mayores dependientes se ha obtenido que alrededor del 75% de los cuidadores estaban casados (CIS, 1998; Defensor del Pueblo, SEGG y Asociación Multidisciplinaria de Gerontología, 2000; IMSERSO, 2004). Por otro lado, el predominio de este estado civil también se ha encontrado entre los cuidadores de personas afectadas por demencia, alcanzando en este caso las personas casadas, una representación del 85% (Tárraga y Cejudo, 2001).

Edad del cuidador. Los cuidadores de personas dependientes suelen tener en general más de 40 años, con una edad
media que se sitúa en torno a los 50 años. Encuestas realizadas
en Estados Unidos estiman que la edad media de los cuidadores
familiares que atiende a alguien de 20 o más años es igual a 43
años (Health and Human Services, 1998) y que para aquellos
que cuidan a personas de 50 o más la edad media de los
cuidadores familiares es de 46 años (National Alliance for
Caregiving y AARP, 1997; Family Caregiver Alliance, 2001).
En los distintos países europeos, los cuidadores de personas
dependientes tienen edades comprendidas entre los 45 y los 64-
68 años (The Stationary Office, 1998; Eurostat, 2003). También
se confirma para España lo que sucede en otros lugares, es
decir, que el intervalo de edad del cuidador se sitúa entre los 45
y los 69 años (MTAS, 2005). Según la encuesta sobre soledad en
las personas mayores (CIS, 1998), tienen más de 45 años el 70%
del total de personas cuidadoras. La edad media de éstas es de
52 años (Defensor del Pueblo, SEGG y Asociación
Multidisciplinaria de Gerontología, 2000; IMSERSO, 2004).

Hay que señalar asimismo que la edad de los cuidadores
queda agrupada en dos grandes conjuntos. En primer lugar,
cuando se trata de personas mayores dependientes, la media de
edad correspondiente al grupo de los hijos cuidadores suele
estar en un intervalo entre los 35 y los 55 años, y otro que recoge
el intervalo de edad de la pareja y que se sitúa entre los 65 y los
85 años (Tárraga y Cejudo, 2001). Algunos estudios han encontrado que el 58% de los cuidadores tiene entre 35 y 64 años y que
entre un 17% y un 30% tiene más de 60 0 65 años (Decima
Research Inc. y Health Canada, 2002; Pérez, 2002; Eurostat,
2003).

En la Comunidad Valenciana, la edad media de los cuidadores
de personas dependientes es de 55 años (Garcés et al., 2004). El
48% de los cuidadores de personas mayores dependientes tiene
entre 41 y 60 años, y el 39% tiene más de 60 años (Dirección
General de Salut, 2000). Asimismo, a partir de la información
recogida en la Encuesta de Salud de la Comunidad Valenciana

2000-2001 (Consellería de Sanidad, 2002), entre las personas que cuidan de personas mayores, un 46% tiene más de 64 años y el 33% tiene entre 45 y 64 años, siendo los porcentajes muy semejantes cuando las personas atendidas son discapacitados y enfermos crónicos (42,2% y 33,3%, respectivamente).

Nivel educativo de los cuidadores. El nivel de estudios de los cuidadores es en general muy bajo y no supera en un porcentaje elevado el de estudios primarios. En nuestro medio, aproximadamente un 60-66% del conjunto de cuidadores no tiene estudios o posee estudios primarios frente a un 6-7% que cuenta con estudios universitarios (Defensor del Pueblo, SEGG y Asociación Multidisciplinaria de Gerontología, 2000; IMSERSO, 2004). Más del 80% de los cuidadores de personas dependientes en la Comunidad Valenciana no posee un nivel educativo superior a la enseñanza primaria (Dirección General de Salut Pública, 1999; Garcés et al., 2002; Garcés et al., 2004). En esta misma línea, a partir de datos publicados en la Encuesta de Salud de la Comunidad Valenciana 2000-2001 (Consellería de Sanitat, 2002) hemos hallado que el 91% de las personas dedicadas al cuidado de discapacitados y enfermos crónicos tiene un nivel de instrucción muy bajo —sin estudios (59%) o estudios primarios (32%)— y que el 85% de los que prestan asistencia a personas mayores se encuentran en la misma situación (un 57% no tiene estudios y un 28% sólo tiene estudios primarios).

Situación laboral de los cuidadores. Los trabajos revisados señalan que en general los cuidadores no desempeñan ninguna actividad laboral.

Los datos recogidos en diferentes países desarrollados confirman esta tendencia. Por ejemplo, investigaciones realizadas en Canadá indican que los cuidadores están retirados (31%) o se dedican a las tareas del hogar (16%), sobre todo las mujeres mayores. Un 22% están contratados a tiempo completo, mientras que una proporción similar trabaja a tiempo parcial o es autónoma (19%) (Decima Research Inc. y Health Canada, 2002). En Australia el 41% de los cuidadores principales participan en el mercado laboral, y el 49% de ellos está contratado a media jornada (Jenson y Jacobzone, 2000).

Las cifras en España indican que el 75% del total de personas cuidadoras de personas mayores dependientes no tiene actividad laboral alguna: son amas de casa (50%), jubiladas/os (15%) y paradas/os (9,7%). Sólo el 18,5% de la muestra desarrolla un trabajo remunerado, que en general compatibiliza con los cuidados. En este último grupo, predominan los trabajadores a jornada completa (63,5%), seguidos por los que desempeñan un trabajo a media jornada (20%) y por horas sueltas (14,3%) (Defensor del Pueblo, SEGG y Asociación Multidisciplinaria de Gerontología, 2000). En la Comunidad Valenciana, los cuidadores de personas dependientes son en la mayoría de los casos inactivos: el 43% se ocupan de su hogar y el 22% son jubilados/as frente a un 22% de trabajadores (Garcés et al., 2004).

En el caso del cuidado a personas mayores dependientes, la situación laboral del cuidador se perfila de forma diferente en función de si el cuidador es su pareja o alguno de sus hijos de la persona dependiente (Tárraga y Cejudo, 2001). Cuando el cuidador es la pareja es más habitual que se trate de un jubilado/a. En el caso de los hijos que están en edad de ser laboralmente activos, bien tienen un empleo o bien nunca han desempeñado una actividad laboral fuera de casa.

De forma añadida, la implicación y dedicación en el mercado laboral por parte de los cuidadores también se ven determinadas por el número de horas dedicadas a las tareas de cuidado y por el sexo del cuidador. De manera genérica, se ha señalado por un lado que, independientemente de los niveles de cuidado, las mujeres cuidadoras están infrarepresentadas en el mercado laboral (Fast y Mayan, 1998) mientras que, por otro lado, datos recogidos entre la población canadiense muestran un elevado porcentaje de cuidadores que suministran atención a personas mayores dependientes durante menos de 7,5 horas a la semana están contratados a tiempo completo, independientemente del sexo. Cuando el cuidado supera las 7,5 horas por semana, aparece la diferencia de género: sólo el 54% de las mujeres están en el mercado de trabajo frente al 71% de los hombres. En España, la situación sería más afín a la primera afirmación general, en cuanto que la condición laboral que en mayor medida caracteriza a las mujeres cuidadoras es la inactividad (Casado y López, 2001). En un reciente trabajo realizado en Andalucía se encontró que la proporción de mujeres cuidadoras con empleo no alcanzó el 18%, mientras que en el caso de los hombres cuidadores (el 8,6% del total) fue del 34,6% (García, Mateo y Eguiguren, 2004).

Nivel económico de los cuidadores. Es difícil establecer un patrón respecto a la situación económica de los cuidadores informales de personas dependientes ya que los datos disponibles no son a menudo comparables. La tendencia indica niveles económicos bajos de los cuidadores e ingresos medios del hogar.

En este aspecto, la explotación de los resultados del Panel de Hogares de la Unión Europea (INE, 2004b) muestra que el 55% de los hogares europeos que se dedican al cuidado diario de adultos perciben ingresos mensuales por encima de los 1.587 euros, y de entre ellos el 57,4% tiene retribuciones superiores a los 2.380 euros al mes. Por otro lado, una investigación realizada en Canadá halló que los cuidadores de personas dependientes solían repartirse en todos los niveles de ingresos aunque tendían a tener ingresos familiares más bajos que la media nacional debido fundamentalmente a su situación de inactividad laboral (Decima Research Inc. y Health Canada, 2002). En otras investigaciones se menciona que el grupo de cuidadores está formado mayoritariamente por mujeres con niveles socioeconómicos bajos (INSERSO, 1995; Fundación Pfizer, 2001; La Parra, 2001; IMSERSO, 2002; García, Mateo y Eguiguren, 2004).

Hacia esta última dirección se dirigen también los datos publicados para la Comunidad Valenciana en cuanto que más del 50% de los cuidadores de personas mayores (54%) y casi el 70% de las personas que están al cuidado de personas con alguna discapacidad o enfermedad crónica, tienen ingresos no superiores a 901,52 euros mensuales (Conselleria de Sanitat, 2002).

Se ha comentado que los cuidadores con mayor poder adquisitivo tendrían una mayor capacidad económica para contratar servicios privados que los cuidadores con bajo nivel económico, siendo este último grupo incapaz para hacer frente a este gasto. Esta situación de mayor precariedad económica les obligaría a asumir consecuentemente toda la responsabilidad de los cuidados de la persona dependiente (MTAS, 2005).

Clase social de los cuidadores. Tampoco en este caso existen muchos datos en esta categoría. Probablemente porque esta variable no tiene una relación tan directa a la hora de establecer el perfil del cuidador. Algunos trabajos señalan por ejemplo que son las mujeres de menor nivel educativo, sin empleo y de niveles sociales inferiores las que configuran el gran colectivo de cuidadoras informales en nuestro medio (INSERSO, 1995; La Parra, 2001).

Tras esta descripción se puede establecer el perfil sociodemográfico del cuidador informal (Tabla 7). Siguiendo estas variables y acorde con otros estudios (INSERSO, 1995; Decima Research Inc. y Health Canada, 2002; Garcés et al., 2002; IMSERSO, 2002; García, Mateo y Maroto, 2004; Garcés et al., 2004), el cuidador suele ser en mayor medida un miembro de la familia, de sexo femenino, esposa o hija, con una edad entre los 45 y 65 años aproximadamente, que no trabaja, con un nivel socieconómico y educativo bajo.

Tabla 7. Tabla resumen del perfil sociodemográfico del cuidador informal

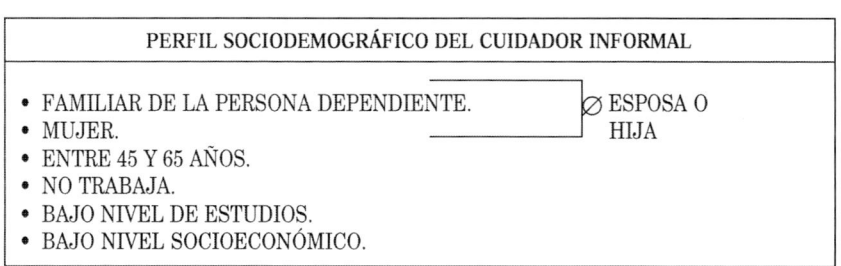

PERFIL SOCIODEMOGRÁFICO DEL CUIDADOR INFORMAL
• FAMILIAR DE LA PERSONA DEPENDIENTE.   ⊘ ESPOSA O • MUJER.   HIJA • ENTRE 45 Y 65 AÑOS. • NO TRABAJA. • BAJO NIVEL DE ESTUDIOS. • BAJO NIVEL SOCIOECONÓMICO.

Fuente: Elaboración propia, 2005.

3.3. Características del cuidado informal

Una vez descrito el perfil sociodemográfico del cuidado, procedemos a detallar las principales características de los cuidados que suministran los cuidadores informales, con referencia al lugar donde se proporcionan los cuidados, las tareas que realizan, su frecuencia e intensidad, su duración, las razones para las que cuidan, y el número de cuidadores que suelen atender a la persona dependiente.

Lugar en el que se proporcionan los cuidados/El régimen convivencial. Como ha quedado definido en el apartado correspondiente a la delimitación del cuidado informal, este tipo de cuidados de larga duración es provisto en la vivienda en la que reside la persona dependiente. Esta vivienda puede ser la del receptor de cuidados o bien puede ser la de su cuidador, y ambos pueden compartir o no la misma casa. Se ha señalado que esta decisión de convivencia o no puede depender principalmente de dos variables: a) el estado civil y b) el grado y tipo de deterioro de la persona dependiente. En general, cuando una persona casada tiene problemas de dependencia, su cónyuge suele ser el encargado de proporcionarle, en el domicilio que ambos comparten, los cuidados requeridos —independientemente de su nivel de deterioro—. Para aquellos que carecen de cónyuges y con un nivel de dependencia elevado, la solución habitual es que la persona se vaya a vivir a casa de alguno de sus familiares (Casado y López, 2001).

La tendencia general observada en los países desarrollados es que los cuidadores conviven con la persona dependiente. De hecho, en el caso del cuidado de las personas mayores, aunque en general las tasas de convivencia entre padres e hijos han disminuido, los cuidadores todavía tienden a vivir con la persona mayor (Jenson y Jacobzone, 2000). Esto acontecería a pesar de los resultados que reflejan las encuestas de que uno de los principales miedos de los ancianos es convertirse en una carga para sus familias (Pitrou, 1997; Joël y Martin, 1998). En Australia, por ejemplo, tres de cada cuatro cuidadores principales de personas mayores frágiles eran un miembro de la familia que vivía en la misma vivienda (Jenson y Jacobzone, 2000). Una investigación sobre cuidados a personas dependientes realizada en Canadá encontró que el 77% de los cuidados familiares eran proporcionados en el domicilio del enfermo dependiente, situación que se daba sobre todo cuando el receptor era la esposa/pareja, un hijo o alguien con una discapacidad mental (Decima Research Inc. y Health Canada, 2002).

También es verdad que en los Estados Unidos esta convivencia no suele ser tan habitual ya que algunas encuestas realizadas en ese país indican que sólo el 19% de los cuidadores de mayores vive con la persona que cuida. Esto genera que un gran número de la población de ese país tenga que desplazarse para poder atender la persona dependiente. Wagner (1997) halló que casi 7 millones de norteamericanos son cuidadores *a distancia* de sus familiares mayores en cuanto que deben desplazarse a distancias equivalentes a una hora o más entre el lugar de residencia del cuidador y del adulto mayor con necesidad de asistencia. Además, el tiempo medio de desplazamiento para estos cuidadores es de 4 horas (Wagner, 1997). Esta información contrasta con datos similares obtenidos con población española, en la que de entre los pocos cuidadores de personas mayores que han de desplazarse para proporcionar asistencia, el 64,4% tarda menos de 30 minutos en ese traslado y sólo el 12,8% utiliza una hora o más en el desplazamiento (IMSERSO, 2004).

De hecho, en España, confirmamos la tendencia general observada en los países desarrollados, en cuanto que en la mayoría de los casos los cuidados de larga duración son proporcionados por personas que conviven con la persona dependiente dentro del hogar. Por un lado, se constata que el 90% de los cuidadores de personas con alguna discapacidad con edades comprendidas entre 6 y 64 años reside en el hogar con la persona receptora de cuidados (INE, 2002). En el caso de los cuidados de larga duración a personas mayores con alguna discapacidad, los cuidados son provistos, en alrededor del 70% de los casos, también en la vivienda de la persona afectada. En todos los casos, cuando el cuidador es la pareja/cónyuge o el hermano/a, éste comparte la vivienda con la persona dependiente y cuando se trata de amigos y vecinos en ningún caso el cuidador vive en el hogar de la persona receptora de cuidados. En el caso de otros vínculos familiares, las cifras pueden variar. En concreto, cuando el cuidador de discapacitados menores de 65 años es el hijo/a o padre/madre en más del 80% de los casos reside con el dependiente en el hogar, pero cuando se trata de otros parientes la posibilidad de convivencia disminuye al 35%.

Por el contrario, siguiendo con la explotación de los datos de la EDDS (INE, 2002), se observa, respecto al grupo anterior, una fuerte disminución del porcentaje de hijos cuidadores que convive con la persona dependiente cuando esta última es mayor de 64 años. En concreto, para las personas discapacitadas entre 65 y 79 años, el 56,8% de hijos residen en el hogar del receptor de cuidados, y para aquellas de 80 y más años, esta cifra es igual al 69%. Por otro lado, la tasa de otros parientes se incrementa siendo del 44,5% y 66,1%, respectivamente, para ambos grupos de edad.

Según datos muy recientes del IMSERSO (2004) sobre el cuidado informal de personas mayores dependientes, la persona atendida y el cuidador viven predominantemente juntos de manera permanente (61%), el 30% de los cuidadores no comparten la vivienda con el receptor de cuidados, y el 9% tiene convivencias temporales. Se ha señalado asimismo que el 14% de las personas mayores dependientes que son atendidas por sus allegados viven solas (Defensor del Pueblo, SEGG y Asociación Multidisciplinaria de Gerontología, 2000).

En una investigación realizada en España por Casado y López (2001) basándose en los datos de la Encuesta de soledad de las personas mayores (CIS, 1998), observaron que un 22% de las personas mayores dependientes habían perdido su autonomía domiciliar. No obstante, encontraron que este dato alcanzaba una dimensión diferente cuando se relacionaba con su estado civil. En concreto, entre las personas casadas sólo el 4% vivía en otro domicilio distinto al de su propia vivienda, mientras que entre las personas solteras y viudas, la pérdida de la autonomía domiciliar se producía, respectivamente, en un 51% y un 34% de los casos.

Tareas realizadas. Si bien hemos visto que los cuidados de larga duración engloban una gran variedad de cuidados y servicios, los cuidadores informales realizan múltiples tareas que pueden generar demandas físicas, emocionales, sociales o financieras (Biegel, Sales y Schulz, 1991; Williams, 2003) y que implican atención personal (como ayudarles a levantarse y moverse) e instrumental (toma de medicación, tareas administrativas, etc.), de vigilancia y acompañamiento (consultas al médico o al banco), de cuidados sanitarios más o menos complejos, de gestión y relación con los servicios sanitarios así como apoyo emocional y social (Decima Research Inc. y Health Canada, 2002; García, Mateo y Maroto, 2004; IMSERSO, 2004).

Los estudios muestran de forma repetida que existen diferencias por sexo en las tareas de cuidado desempeñadas y que parecen estar asociadas al rol tradicional de género. Las cuidadoras suelen asumir en mayor medida la realización de tareas domésticas, cuidados básicos y personales y apoyo emocional mientras que los hombres cuidadores se dedican con mayor frecuencia a actividades de acompañamiento, vigilancia (INSERSO, 1995; García, Mateo y Gutiérrez, 1999; Jenson y Jacobzone, 2000), gestiones como pago de recibos y tareas que exigen esfuerzo físico como las movilizaciones (Decima Research Inc. y Health Canada, 2002).

Una encuesta realizada por la Statistics Canada (1997) a través de la General Social Survey de 1996 detectó estas diferencias por sexo. Las cuidadoras tenían más probabilidad que los cuidadores varones de implicarse en el cuidado personal (34% frente al 18%), el apoyo emocional (33% vs 23%), la preparación de comidas (40% vs 19%) y la realización de trabajos domésticos (36% vs 15%). Por el contrario, los hombres tenían más probabilidad que las mujeres de realizar tareas de mantenimiento del hogar (43% frente al 19%). Para el caso de tareas tales como el transporte, el manejo de dinero, la compra o el control general de la situación de la persona mayor, la diferencia entre éstos era muy baja e incluso en ocasiones insignificante.

En este sentido, las mujeres se responsabilizan de cuidados que requieren de forma sistemática una mayor dedicación diaria, que exigen una cierta regularidad en su provisión y son más pesados y tediosos que los asumidos por los hombres (Jenson y Jacobzone, 2000; García, Mateo y Maroto, 2004), a la vez que resultan ser éstas las actividades de cuidado más demandadas por las personas dependientes (INSERSO-CIS, 1995; Yanguas, Leturia y Leturia, 2001).

Frecuencia e intensidad del cuidado informal. Sin bien la ocurrencia y la intensidad de las tareas de cuidado varían en función de la naturaleza y el grado de la dependencia del receptor del cuidado, se ha observado que la ayuda informal a las personas dependientes tiene lugar de forma cotidiana en más del 50% de los casos (Decima Research Inc. y Health Canada, 2002; INE, 2002).

Encuestas realizadas en Estados Unidos indican que los cuidadores de personas de 50 y más años pasan una media de 17,9 horas por semana proporcionando cuidados, cifra que se incrementa a 20 horas semanales entre aquellos que proporcionan el cuidado para personas mayores de 64 años (Health and Human Services, 1998). Asimismo, el 20% de aquellos que cuidan de familiares o amigos de 50 y más años pasan más de 40 horas semanales proporcionando cuidados (National Alliance for Caregiving y AARP, 1997). En Canadá se ha constatado que el 56,6% de los cuidadores presta la asistencia a diario y un 22,1% semanalmente (Health Canada y Decima Research Inc., 2002). En Europa, el 23% de las personas dedicadas a los cuidados de adultos pasan 60 o más horas semanales dedicadas a esta tarea (INE, 2004b).

En España, datos que engloban a personas dependientes de todas las edades (INE, 2002) denotan que los cuidadores proporcionan en casi el 50% de los casos más de 40 horas de cuidados semanales. En concreto, la ayuda que proveen los cuidadores a las personas mayores dependientes es en la inmensa mayoría de los casos permanente (77%), siendo la ayuda por temporadas o por turnos muy minoritaria (IMSERSO, 2004). El 85% del total de personas cuidadoras proporciona una ayuda diaria (Defensor del Pueblo, SEGG y Asociación Multidisciplinaria de Gerontología, 2000; IMSERSO, 2004), siendo la media de ayuda diaria igual a 10,6 horas (IMSERSO, 2004).

En el caso de niveles de dependencia más graves como en el caso de presencia de demencia, las horas de cuidado se incrementan. Tomando como base el estudio de Tárraga y colaboradores (2000) realizado con 100 familias de enfermos con demencia que acudían al Servicio Catalán de Salud, se constata que la media de horas de dedicación por parte del cuidador principal se situaba alrededor de 105 horas semanales.

Datos de la Encuesta de Salud de la Comunidad Valenciana 2000-2001 (Consellería de Sanitat, 2002) señalan que, los cuidadores prestan una media de 7,6 horas de cuidados diarios a los ancianos y un promedio de 9,2 horas a los discapacitados y enfermos crónicos. En esta línea, casi el 41% de personas atiende a personas discapacitadas y enfermos crónicos entre 9 y 16 horas diarias y en el caso de las personas mayores dependientes los cuidadores informales prestan sus cuidados en el 38,9% de los casos durante un intervalo de 1 a 4 horas al día, y un 35,1% entre 9 y 16 horas cotidianamente.

Las investigaciones sobre cuidado informal y reparto del tiempo muestran también diferencias por sexo en las horas de cuidado, afirmando que son las mujeres las dedican más tiempo. Algunos estudios señalan que incluso cuando la distribución de tareas asistenciales es equilibrada entre sexos, las mujeres dedican un 50% más de tiempo que los hombres (Health and

Human Services, 1998; Family Caregiver Alliance, 2001, 2003). Según los datos del Panel de Hogares de la Unión Europea (UE) para 1999, el 47% de las mujeres dedicaban más de 40 horas semanales al cuidado diario de los adultos, frente a un 12% de los hombres (García, Mateo y Maroto, 2004).

Por otra parte, en España también la intensidad de los cuidados recae sobre las mujeres en mayor medida que en los hombres; de esta forma se constata que casi el 41% de las hijas cuidadoras dedica más de 40 horas a la semana de trabajo a cuidar frente al 26% en el caso de los hijos, el 58% de las hermanas y el 39% de los hermanos; en todo caso puede afirmarse que la intensidad de la carga recae fundamentalmente sobre la mujer (INE, 2002).

La situación laboral también influye en las horas de cuidado. Boaz (1996) en un estudio sobre ayuda informal a personas mayores dependientes norteamericanas concluyó, que sólo los cuidadores que trabajaban a tiempo completo dedicaban un número de horas significativamente menor que el resto de las personas a sus tareas de cuidador. Por el contrario, en el caso de los trabajadores a tiempo parcial, éstos proporcionaban la misma cantidad de cuidados que las personas que no tenían un empleo remunerado.

Duración del cuidado. Los cuidadores informales han de proveer los cuidados en muchas ocasiones durante meses e incluso años.

Las investigaciones obtienen intervalos amplios de cuidados que oscilan entre menos de un año a más de cuarenta años y una media de 4,5 años de atención informal (National Alliance for Caregiving y AARP, 1997; Family Caregiver Alliance, 2001). Los períodos más usuales van de uno a cuatro años aunque en un 20% de los casos la ayuda informal es provista durante 5 y más años (Stone, Cafferata y Sangl, 1987). Asimismo, el 62% de los cuidadores canadiense están atendiendo a su familiar desde hace al menos 3 años, y el 20% lo lleva haciendo durante más de 10 años (Decima Research Inc. y Health Canada, 2002).

En España según la encuesta sobre cuidadores informales de personas mayores (CIS, 1998), un 28% declararon llevar más de 10 años atendiendo a una persona mayor dependiente, el 18,9% informó llevar entre 6 y 10 años, y el 25,7% entre de 3 y 5 años (Defensor del Pueblo, SEGG y Asociación Multidisciplinaria de Gerontología, 2000). En un reciente informe se afirma que los cuidadores llevan cuidando en promedio un total de 5 años y medio a una persona mayor dependiente (IMSERSO, 2004).

Razones por las que los cuidadores proporcionan los cuidados. Pocos son los estudios que han analizado las razones por las que un cuidador asume la tarea del cuidado. Así, dentro del contexto del cuidado familiar, una encuesta nacional realizada en Canadá sobre el perfil de los cuidadores familiares (Decima Research Inc. y Health Canada, 2002), halló que las personas asumían principalmente la asistencia informal de las personas dependientes porque lo percibían como una responsabilidad familiar o por elección propia sin una razón concreta —simplemente porque habían elegido hacerlo—. De forma minoritaria pero significativa, otras argumentaciones fueron la no disponibilidad de otras personas para asumir el cuidado así como la ausencia de servicios formales domiciliarios.

Número de cuidadores - El cuidador principal/La ayuda de otros. Los cuidadores principales son las personas que asumen la responsabilidad de la mayoría de las tareas de cuidados del familiar dependiente, y son, asimismo, los que más se preocupan por este familiar (García, Mateo y Gutiérrez, 1999; García, Mateo y Eguiguren, 2004). En general, los cuidadores principales tienen una red de cuidadores secundarios que les ayudan en actividades de asistencia a la persona dependiente (Villalba, 2002).

Según estudios europeos (Eurostat, 2003), los cuidadores principales recurrirían en mayor medida como fuente de apoyo al cuidado que suministran los recursos de ayuda formal —frente a la ayuda informal— como los servicios de atención domiciliaria. Por ejemplo, en Suecia una quinta parte de las personas mayores combina cuidado informal y ayuda a domicilio. En los Países Bajos, entre las personas de 65 y más años que reciben al menos un tipo de ayuda (informal y atención a domicilio), el 25% recibía sólo ayuda informal, el 11% las usaba de forma integrada, y alrededor de un 6% combina el cuidado informal con otros tipos de ayuda incluida la asistencia domiciliaria. Se ha observado que el cuidador recurre en busca de ayuda de otros para descansar de su responsabilidad así como para obtener apoyo para la realización de cuidados y de actividades cotidianas a la persona dependiente, como el aseo personal, las tareas domésticas y la provisión de cuidados sanitarios (Decima Research Inc. y Health Canada, 2002).

En España, el IMSERSO (2004) informa que entre los cuidadores de personas mayores dependientes, el 47% ejerce la única ayuda que recibe la persona cuidada y en torno al 36% afirma ser el cuidador principal. Las razones fundamentales aducidas por los cuidadores para no ser apoyados en sus tareas asistenciales son fundamentalmente porque sus familiares tienen mucho trabajo (34%) y/o no quieren ayudarles (15%) o porque consideran que son autosuficientes para desempeñar dichas tareas (26%). El apoyo familiar al cuidador principal suele provenir de sus hermanas (23%), su cónyuge varón (25%), sus hijas (22%) y sus hijos (19%) principalmente. Se ha comprobado que en el 85% de los casos, la ayuda por parte de otros es diaria y escasamente un 5% dice ayudar a la persona de referencia quincenalmente o con menor frecuencia (Yanguas, Leturia y Leturia, 2001). En el caso de las personas afectadas de demencia, la supervisión por parte de otro cuidador no principal y no profesional sólo se realiza en alrededor del 39% de los casos, con una media de 14 horas semanales (Tárraga y Cejudo, 2001).

En un estudio realizado en la Comunidad Valenciana, los datos señalan también que un 34% de los cuidadores de personas dependientes no recibe ayuda de nadie para realizar las tareas de cuidado, y que en el caso de la presencia de algún cuidador secundario, éste suele ser un hijo o una hija (43,9%), un cónyuge (18,2%) o un hermano (15,2%) del cuidador principal (Garcés et al., 2004).

De forma repetida aparece en este apartado la influencia del sexo, apuntando que la responsabilidad del cuidado es asumida en mayor medida por la mujer. Así, por ejemplo, de todos los cuidadores en Australia sólo el 56% son mujeres pero el 70% son cuidadoras principales, es decir, aquellas que asumen más responsabilidad con el cuidado de una persona dependiente son mujeres (Mears, 1998). De hecho, las diferencias de género son todavía más grandes cuando se miden las responsabilidades asumidas en el cuidado. En una encuesta realizada en 1995 a una muestra de personas casadas de ambos sexos que cuidaban y atendían a sus padres, se les solicitó que describieran su propio grado de responsabilidad y cómo lo compartían con su cónyuge. Mientras que el 66% de las hijas y de las nueras respondieron que asumían la responsabilidad del cuidado en la mayoría de las ocasiones, sólo el 5% de los hombres informaron que tenían la responsabilidad principal de esta asistencia. Se hallaron también diferencias entre ambos sexos respecto a sus percepciones sobre el reparto de tareas: solamente el 9% de las mujeres —frente al 43% de los hombres— respondieron que hacían la mitad del trabajo y un 33% de los maridos voluntarios contestaron que sólo hacían el trabajo cuando se les pedía. Se concluyó que incluso cuando un hombre está implicado en una tarea de cuidado, las mujeres asumen la principal responsabilidad y los hombres tienen más probabilidad de asumir el rol de "asistente o ayudante complementario" (Jenson y Jacobzone, 2000).

Finalmente, mencionar que la mayoría de los cuidadores cuida sólo a una persona, aunque se ha observado que un pequeño porcentaje que está en torno al 10% cuida de un segundo miembro de la familia —en muchos casos el otro padre— (Decima Research Inc. y Health Canada, 2002; IMSERSO, 2004).

Presentamos en la tabla 8 un breve resumen esquematizado de las características que identifican de forma genérica la provisión del cuidado informal.

Tabla 8. Tabla resumen: Características generales del cuidado informal

Características generales del cuidado informal
• El cuidado informal se suministra en la vivienda de la persona dependiente. • El cuidador informal y el receptor de cuidados comparten la misma vivienda. • El cuidado informal implica la provisión de múltiples tareas de cuidado centradas en la ayuda para realizar las actividades básicas e instrumentales de la vida diaria. • Los cuidados informales se suministran diariamente y de forma intensa. • Los cuidadores informales suelen atender a una sola persona dependiente. • El cuidado informal tiene una duración prolongada que dura años. • El cuidado informal suele ser asumido por una única persona, el cuidador principal.

Fuente: Elaboración propia, 2005.

Como podemos observar, los cuidadores informales se enfrentan a elevadas demandas durante un período de tiempo prolongado, lo que puede provocarles una intensa sobrecarga que repercute negativamente sobre su salud física y mental. El consecuente desarrollo de patologías físicas y psíquicas ha llevado a que se considere incluso como un cuadro clínico bajo el nombre de "síndrome del cuidador" (Pérez, Abanto y Labarta, 1996; Muñoz et al., 2002; García, Mateo y Maroto, 2004). Es necesario por lo tanto que iniciemos a continuación la definición y conceptualizacion teórica de la carga del cuidador informal.

4. ESTRÉS Y CUIDADO INFORMAL: LA CARGA DEL CUIDADOR

Como hemos podido ir comprobando, el sistema de apoyo social informal asume la mayor parte de la asistencia a las personas dependientes. Esta asistencia ha de ser diaria e intensa, implica una elevada responsabilidad, y se mantendrá durante años. El cuidado se convierte por lo tanto en un estresor que impacta negativamente sobre el cuidador y que probablemente le sobrecargará. En este sentido, el cuidado informal ha sido conceptualizado como un evento vital estresante (Zarit, 1998a, 2002).

De hecho, las personas que asumen el cuidado de una persona con problemas de dependencia suelen experimentar graves alteraciones en su salud física y mental así como consecuencias negativas sobre su bienestar psicológico (Anthony-Bergstone, Zarit y Gatz, 1988; Gallagher et al., 1989; Schultz, Visitainer y Williamson, 1990) derivados del estrés originado por las circunstancias en que se desarrolla el cuidado (Braithwaite, 1992). Además, a diferencia de otros eventos estresantes que son de corta duración, el cuidado puede prolongarse a lo largo de un período de varios años, por lo que la cronicidad del estresor hace que el cuidado sea especialmente estresante (Zarit, 1996, 1998a, 2002). En este sentido, los cuidadores informales se enfrentan, por un lado, a estresores inmediatos propios del desempeño del cuidado, y por otro, al deterioro de proporcionar asistencia durante un período de duración no determinada sin saber cuando descansarán (Zarit, 2002). Esta situación de malestar y estrés sobre el cuidador ha sido conceptualizada con el término general de carga.

4.1. El concepto de carga

El término carga ha sido ampliamente utilizado para caracterizar las frecuentes tensiones y demandas sobre los cuidadores (Zarit, 2002). A principios de la década de los 60, Grad y Sainsbury (1963) mencionaron por primera vez este concepto en la bibliografía científica, al describir la carga percibida por los familiares al cuidado de sus semejantes afectados por alguna enfermedad mental en el domicilio (Vitaliano, Young y Russo, 1991). La definición que se le dio al concepto de carga en ese momento, y que ha sido adoptada por otros autores de forma más o menos amplia en la investigación sobre las repercusiones negativas del cuidado informal, ha sido la de asumirlo como un término global para describir la consecuencia física, emocional y económica de proporcionar el cuidado (Grad y Sainsbury, 1963; Cantor y Little, 1985; Horowitz, 1985; George y Gwyther, 1986; Kasper, Steinbach y Andrews, 1990; Pearlin et al., 1990;

Pearlin, 1991; Schacke y Zank, 1998; Mockus Parks y Novielli, 2000; Gaugler, Kane y Langlois, 2000).

En este sentido, merecen ser destacadas las aportaciones realizadas por Zarit y colaboradores quienes identificaron la carga generada por la provisión de cuidados como "un estado resultante de la acción de cuidar a una persona dependiente o mayor, un estado que amenaza la salud física y mental del cuidador" (Zarit, Reever y Bach-Peterson, 1980), así como la de George y Gwyther que entienden la carga como "la dificultad persistente de cuidar y los problemas físicos, psicológicos y emocionales que pueden estar experimentando o ser experimentados por miembros de la familia que cuidan a un familiar con incapacidad o algún tipo de deterioro" (George y Gwyther, 1986). Similarmente, otros autores han descrito la carga como el impacto que el cuidado tiene sobre la salud mental, la salud física, otras relaciones familiares, el trabajo y los problemas financieros del cuidador (Pearlin et al., 1990; Gaugler, Kane y Langlois, 2000).

Sin embargo, a pesar de las múltiples investigaciones realizadas en las tres últimas décadas, sobre todo en el campo de los cuidadores familiares de enfermos afectados de alguna demencia como la enfermedad de Alzheimer (Zarit, Reever y Bach-Peterson, 1980; Friss, 2002; Villalba, 2002), la carga del cuidador sigue siendo un término amplio con muchas definiciones respecto al que todavía no existe homogeneidad en cuanto a su significado y uso (Zarit, 1990b; Friss, 2002).

En un intento por definir la carga de forma más concreta y detallada, se ha diferenciado entre componentes objetivos y subjetivos, lo que ha dado lugar a los conceptos de carga subjetiva y objetiva (Montgomery, Goneya y Hooyman, 1985; Braithwaite, 1992; Kinsella et al., 1998; Villalba, 2002). De hecho, esta distinción obedece al propio desarrollo del concepto de carga y apunta hacia la multidimensionalidad del impacto del cuidado (Haley, 1989; Montgomery y Borgatta, 1989; Zarit, 1990a; Mittleman et al., 1995). Así, en un primer momento, el término carga fue elaborado como una percepción subjetiva del impacto del cuidado por parte del cuidador (Corin, 1987; Yanguas, Leturia y Leturia, 2001). En concreto, la carga subjetiva, también llamada tensión, haría referencia a las actitudes y a la reacción emocional del cuidador ante el desarrollo del cuidado, como por ejemplo, la moral baja o un estado de ánimo desmoralizado, ansiedad y depresión (Montgomery, 1989; International Psychogeriatric Association, 2002; García, Mateo y Maroto, 2004). Posteriormente, se incluyó el componente objetivo de la carga. La carga objetiva está relacionada con la dedicación al desempeño del rol de cuidador (Montgomery, 1989; García, Mateo y Maroto, 2004) e implicaría las repercusiones concretas sobre la vida del cuidador (Corin, 1987; Lavoie, 1999). De forma específica, englobaría indicadores tales como el tiempo de cuidado (Kasper, Steinbach y Andrews, 1990; International Psychogeriatric Association, 2002), las tareas realizadas, el impacto del cuidado en el ámbito laboral, las limitaciones en la vida social (Kasper, Steinbach y Andrews, 1990; García, Mateo y Maroto, 2004), y las restricciones en el tiempo libre (Yanguas, Leturia y Leturia, 2001).

En este sentido, la carga del cuidador engloba múltiples dimensiones por lo que, como ha señalado Zarit (2002), este término no puede ser resumido en un único concepto sino que tiene que ser entendido dentro de un proceso multidimensional.

Por otro lado, la mayoría de la investigación realizada sobre las consecuencias negativas del cuidado informal recalca la existencia de cierta variabilidad individual existente entre los cuidadores respecto a la carga y el estrés, dado que los cuidadores no responden de la misma forma a los mismos estresores ni a los mismos niveles de demandas ni tampoco utilizan los mismos recursos para afrontarlos. En este sentido, se ha hecho hincapié en que existen diferencias individuales entre los cuidadores respecto a la carga y estrés percibidos: algunas personas son capaces de adaptarse de forma efectiva a las aparentemente desbordantes circunstancias, mientras que otras son vencidas por estresores mínimos; además se ha constatado la existencia de fluctuaciones en la adaptación a los estresores a lo largo del tiempo de cuidado (Pearlin et al., 1990; Cartwright et al., 1994; Zarit, 1996, 2002; Lyons et al., 2002).

Como se ha podido constatar, el concepto de carga del cuidador es complejo. Es por ello que, para poder comprender y situar este concepto, hemos considerado oportuno presentar y describir en primer lugar los marcos teóricos desarrollados hasta la fecha desde el ámbito de la psicología para explicar la carga del cuidador. Posteriormente, realizaremos una revisión de los principales resultados empíricos obtenidos de la investigación en este campo.

4.2. Perspectivas teóricas sobre el estrés del cuidador

Los modelos teóricos desarrollados para explorar las diferencias individuales encontradas en la investigación sobre las variables relacionadas con la carga del cuidador han emergido principalmente de las perspectivas psicológicas sobre el estrés (Lavoie, 1999; Gaugler et al., 2000a). De forma similar a lo que estamos exponiendo con el término carga, el término estrés sigue siendo todavía en la actualidad en el campo de la psicología un concepto muy ambigüo y del que se abusa con frecuencia (Sandín, 1995). En función del marco teórico que se adopte, el estrés es concebido como 1) una respuesta no específica del organismo (Selye, 1954, 1960, 1983); 2) como características asociadas a los estímulos del ambiente como en la teoría de Holmes y Rahe (1967); o 3) focalizado en la interacción, en el que existen factores cognitivos que median entre los estímulos estresantes y las respuestas fisiológicas. El máximo exponente de este último enfoque teórico interaccional del estrés es la teoría de Lazarus y Folkman (1984) y es el que ha guiado fundamentalmente el desarrollo teórico y la investigación de la carga del cuidador (Kinsella et al., 1998).

La **Teoría de Lazarus y Folkman** (Lazarus y Folkman, 1984, 1987; Lazarus, 1991) maximiza la relevancia de los factores psicológicos (básicamente cognitivos) que median entre los estímulos (estresores o estresantes) y las respuestas al estrés. Desde esta perspectiva, el estrés se origina a través de las relaciones particulares entre la persona y su entorno. Basándose en esta idea de interacción, núcleo de esta teoría (Sánchez-Cánovas y Sánchez López, 1994), Lazarus y Folkman definen el estrés psicológico como "el resultado de una relación entre el sujeto y el ambiente, que es evaluado por éste como amenazante o desbordante de sus recursos y que pone en peligro su bienestar" (Lazarus y Folkman, 1984). Esta teoría se centra en dos dimensiones básicas: la **valoración cognitiva** y el **afrontamiento**, entendidos ambos como los mediadores de las reacciones emocionales a corto plazo del estrés.

En primer lugar, el individuo ante una situación estresante podría llevar a cabo dos tipos de valoraciones cognitivas: **primaria y secundaria**. La **evaluación primaria** sería la valoración que hace el sujeto de las repercusiones de un acontecimiento o situación sobre su bienestar, y que pueden ser evaluadas como a) un *daño* o una *pérdida* que ya se ha producido, originando emociones negativas como culpabilidad, disgusto, tristeza, decepción y enfado; b) una *amenaza*, en la que el sujeto anticipa el daño o pérdida —el potencial lesivo de la situación—, generando emociones negativas tal como preocupación, ansiedad, inquietud, etc; c) un *desafío*, en la que se produce una valoración positiva de las fuerzas o recursos necesarios para salir airoso de la situación, ocasionando emociones positivas como confianza, estimulación, esperanza, etc.; o d) un *beneficio*, valoración que no induciría a reacciones de estrés y que produciría emociones positivas de felicidad, alegría, liberación, etc. La **evaluación secundaria** es la valoración del individuo acerca de sus propios recursos para afrontar la situación e implica el reconocimiento de recursos, un juicio sobre la idoneidad de la elección de determinados recursos para obtener el resultado esperado, así como la seguridad de que uno puede aplicar una estrategia en particular o un grupo de ellas de manera efectiva. La reacción de estrés depende sustancialmente de la forma en que el sujeto valora sus propios recursos de afrontamiento.

Ambos tipos de valoración no son procesos diferentes e interactúan determinando el nivel de estrés y la intensidad o calidad de la respuesta emocional que el sujeto experimentará en una situación concreta. Asimismo, puede producirse una **reevaluación**, es decir, cambios en la evaluación inicial por nueva información recibida del entorno y/u obtenida de las propias reacciones de éste. La reevaluación permite que se produzcan correcciones sobre las valoraciones previas —primaria y secundaria—. La valoración que hace el sujeto de la situación o acontecimiento estaría influida por factores situacionales y personales.

De una evaluación de daño, amenaza o desafío, y de la respuesta potencial elaborada a través de la evaluación secundaria nace el afrontamiento, como proceso de ejecución de esa respuesta. El *afrontamiento*, entendido como un proceso, es definido por los autores de la teoría como "aquellos esfuerzos cognitivos y conductuales constantemente cambiantes que se desarrollan para manejar las demandas específicas externas y/o internas que son evaluadas como que exceden o desbordan los recursos de los individuos" (Lazarus y Folkman, 1986), es decir, consistiría en esfuerzos cognitivos y conductuales para manejar el estrés psicológico. Así, en este modelo, el afrontamiento se define en función de lo que una persona hace o piensa, no en términos de malestar emocional o adaptación (Sánchez-Cánovas, 1991; Sánchez-Cánovas y Sánchez-López, 1994).

Se diferencian dos funciones del afrontamiento: el afrontamiento dirigido a manipular o alterar el problema, que denominan **afrontamiento centrado en el problema**, y el afrontamiento dirigido a regular la respuesta emocional a la que el problema da lugar, el **afrontamiento focalizado en la emoción**. Este último es más probable que aparezca cuando ha habido una evaluación de que no se puede hacer nada para modificar las condiciones lesivas, amenazantes o desafiantes del entorno, es decir, tiende a predominar cuando la persona siente que el estresor es perdurable. Por el contrario, el afrontamiento centrado en el problema tiene más probabilidad de aparecer cuando tales condiciones resultan evaluadas como susceptibles de cambio, por lo que tiende a predominar en situaciones donde puede hacerse algo constructivo (Folkman y Lazarus, 1980).

Los autores del modelo transaccional han identificado asimismo, a través de su escala "Modos de afrontamiento" (Folkman y Lazarus, 1980, 1985; Folkman et al., 1986), diferentes estrategias cognitivas y comportamentales que usan las personas para afrontar las situaciones estresantes. Estas estrategias fueron categorizadas, a través de un análisis factorial, en 8 dimensiones de afrontamiento: confrontación, planificación de solución de problemas —que corresponden ambas al afrontamiento centrado en el problema—, distanciamiento, autocontrol, aceptación de la responsabilidad, escape-evitación, reevaluación positiva —que se relacionan con el afrontamiento centrado en la emoción— y búsqueda de apoyo social —que recoge ambas funciones de afrontamiento— (Sandín, 1995).

Lazarus y Folkman (1980, 1984) no defienden la postura de la existencia de estilos de afrontamiento, porque para ellos el afrontamiento dependería de la interacción entre variables situacionales y personales, las cuales no son estables. Aunque afirman que sí se puede hablar de dos dimensiones que empujan al individuo a adoptar un tipo de afrontamiento u otro: la complejidad y la flexibilidad. La complejidad hace referencia a la cantidad y repertorio de estrategias de afrontamiento que un sujeto posee, y la flexibilidad implica el nivel con el que una persona es capaz de modificar sus estrategias de afrontamiento según la situación. Una persona compleja y flexible poseería un estilo de afrontamiento bastante adaptativo, mientras que aquella poco compleja y flexible poseería un estilo de afrontamiento poco adaptativo.

En el proceso de afrontamiento, Lazarus y Folkman (1987) destacan también la existencia de variables de personalidad —valores, compromisos, metas y creencias— y variables ambientales —demandas, recursos, limitaciones y aspectos temporales— que influyen sobre el proceso de valoración, a los que han denominado **antecedentes causales**.

En el campo del cuidado la idea principal en la adopción de este marco teórico del estrés es que las demandas de cuidado no son estresantes en sí mismas sino que es la evaluación que hace el sujeto de la situación y de sus recursos de afrontamiento lo que hace que el cuidado sea percibido como una carga (Kinsella et al., 1998). Desde esta perspectiva, el cuidador se encuentra frente a algunos estresores o demandas, que están mediadas por procesos psicológicos, principalmente la valoración del cuidador de esos eventos y a través del uso del apoyo social y de las estrategias de afrontamiento. Como resultado de estos estresores y mediadores, los cuidadores pueden experimentar presión o carga subjetiva y pueden tener otras consecuencias negativas, tal como el incremento de síntomas de salud física y mental así como problemas emocionales (Vitaliano et al., 1989; Zarit, 1989; Gatz et al., 1990; Zarit, 1990, 1990b; Gaugler et al., 2000a) —Figura 2—.

Figura 2. Modelo de Estrés y Afrontamiento del cuidado

Fuente: Zarit, 1990a.

No obstante, según Zarit (1990a) esta asunción teórica para explicar las consecuencias del cuidado presenta una serie de limitaciones en cuanto que no tiene en cuenta ni el contexto familiar específico en el que se desarrolla la asistencia a la persona dependiente —como por ejemplo la relación entre cuidador y receptor de cuidados, los valores familiares, la influencia de otros familiares así como los efectos sobre la persona cuidada (Cohler et al., 1989; Zarit, Birkel y MaloneBeach, 1989; Gatz et al., 1990)— ni tampoco el contexto sociocultural en el que la atención de larga duración acontece.

Así, conscientes de las limitaciones existentes en la determinación teórica de la carga del cuidador, Pearlin y colaboradores desarrollaron el **Modelo del Proceso del Estrés** (Pearlin, Turner y Semple, 1989; Pearlin et al., 1990; Pearlin, 1991; Aneshensel et al., 1995; Pearlin y Skaff, 1995; Gaugler, Zarit y Pearlin, 1999) —Figura 3—. Se trata de uno de los modelos más utilizados en el contexto del cuidado informal, desarrollado para explicar la carga de los cuidados de enfermos con demencia y a partir del cual se han ido desarrollando otros factores relevantes a medida que iba multiplicándose la investigación en este campo. Su modelo adopta un acercamiento multidimensional y comprehensivo en el que se especifican las variables intervinientes y contextuales que pueden predecir el impacto negativo del cuidado sobre la salud de los cuidadores.

En concreto, el Modelo del Proceso del Estrés (Pearlin et al., 1990; Pearlin, 1991; Aneshensel et al., 1995; Pearlin y Skaff, 1995; Gaugler, Zarit y Pearlin, 1999) defiende que *1)* las **variables contextuales** del cuidado influyen potencialmente sobre la adaptación de los individuos al proceso de cuidado y pueden afectar al estrés y al bienestar del cuidador. Entre ellas se incluyen fundamentalmente las características sociodemográficas del cuidador y del receptor de cuidados (la edad, el sexo, el estado civil, los ingresos, la situación laboral), la estructura y el vínculo familiar, el tipo de convivencia, la disponibilidad de cuidadores secundarios, la historia de la relación de ayuda, el contexto cultural, y la disponibilidad y accesibilidad a los servicios así como características asociadas al cuidado como son la cantidad de tiempo proporcionando los cuidados.

Asimismo, propone la existencia de *2)* **estresores primarios objetivos** que incluyen la dependencia específica del sujeto así como las demandas o tareas de cuidado y las responsabilidades que derivan de ella y a las que el cuidador debe responder: las deficiencias físicas, conductuales y cognitivas de la persona dependiente, sus conductas problemáticas, la dependencia para las actividades de la vida diaria y el deterioro cognitivo.

Los estresores primarios objetivos, a su vez, tendrían un impacto subjetivo inmediato sobre los cuidadores, ocasionando distintas reacciones emocionales negativas. Serían los llamados *3) estresores primarios subjetivos* o la valoración subjetiva del cuidador a las demandas del cuidado. Sus dimensiones incluyen sentimientos de sobrecarga de rol —esto es, el cuidador se siente exhausto, cansado emocionalmente, preocupado y tenso debido al desempeño de su rol de cuidador—, cautividad del rol —el cuidador se siente atrapado en su rol de cuidador— y deterioro de la relación personal que hace referencia a una merma en las actividades compartidas y en los intercambios afectuosos entre cuidador y persona cuidada debido a la situación de cuidado.

Siguiendo con la explicación del Modelo del Proceso del Estrés, los estresores primarios pueden asimismo repercutir y extenderse o *proliferar*, en término de los autores del modelo, a las otras áreas de la vida del cuidador fuera de la situación estricta del cuidado. Es lo que los autores del modelo han llamado *4) estresores secundarios.* Se manifestarían objetivamente en forma de conflictos familiares y laborales, problemas económicos, y reducción del tiempo libre y de las actividades sociales; son las **tensiones de rol**. Por otra parte, también proponen dimensiones subjetivas, las llamadas **tensiones intrapsíquicas**, que incluyen la pérdida de la autoestima y de la maestría[16] así como del sentido del self —o pérdida percibida de la identidad personal—, la falta de competencia, y la cautividad en la tarea sumergiéndose en las demandas de la situación. Como ha

---

[16] La maestría hace referencia a la magnitud con la que un individuo siente que los azares de su vida están bajo su control personal en vez de estar determinados de forma fatalista (Pearlin y Schooler, 1978; Pearlin et al., 1981) y representaría la confianza del cuidador sobre su propia capacidad para suministar de forma exitosa una asistencia de calidad a los receptores del cuidado (Pearlin y Schooler, 1978; Lawton et al., 1989).

incidido Zarit (2002), al describir este modelo, la denominación secundaria no alude a una menor importancia de este elemento con respecto a otros de este marco teórico, sino que su apelativo obedece a que no forma parte integral de la discapacidad o enfermedad del paciente. Como ocurre en el caso de los estresores primarios, existe una cierta variabilidad individual en cuanto al grado de desarrollo de estos estresores.

El impacto de los estresores se vería regulado por *5) variables moduladoras*: **las estrategias de afrontamiento** y **el apoyo social**, que permitirían a los cuidadores limitar o disminuir los efectos que el cuidado de una persona dependiente conlleva. Es en el uso de estos recursos dónde se manifiestan las principales diferencias individuales (Zarit, Todd y Zarit, 1986; Pearlin et al., 1990).

El **afrontamiento** representa las respuestas a los estresores a fin de disminuir sus consecuencias negativas (Pearlin y Schooler, 1978). En línea con la teoría de Lazarus y Folkman (1984) se han identificado dos funciones principales del afrontamiento (Pearlin y Skaff, 1995):

A) el afrontamiento focalizado en el problema que implica todas aquellas acciones instrumentales y cognitivas para encontrar formas alternativas de tratar la situación de cuidado o redefinirla. El cuidador pone en marcha estrategias como cambios de comportamiento ante conductas agresivas de la persona dependiente, búsqueda de información para incrementar su competencia en el desempeño de las tareas asistenciales, realización de actividades alternativas al cuidado, o reajustes en el horario o en el ambiente de cuidado.

B) El afrontamiento de tipo emocional o focalizado en la emoción son pensamientos o conductas diseñadas para disminuir el malestar emocional y manejar los síntomas derivados del estrés (por ejemplo, síntomas depresivos o psicosomáticos). Expresar o esconder las emociones, encontrar significado al cuidado, tratar de no pensar en las dificultades de la provisión del cuidado, apoyarse en la fe o rezar, etc. son ejemplos de estrategias útiles para regular la respuesta emocional del estrés del cuidador. Existe una gran variedad de estrategias de afrontamiento, algunas son internas a la persona y forman parte de su personalidad, mientras que otras son situacionales y externas (Lazarus y Folkman, 1984).

Por su parte, el **apoyo social** tiene múltiples dimensiones, destacando en este contexto la asistencia instrumental —equivalente a la ayuda formal y/o informal recibida por el cuidador por parte de otros para atender al receptor de cuidados— y el apoyo emocional —referente a sentimientos de ayuda que recibe el cuidador de otras personas—.

Finalmente, la experiencia del cuidado implicaría *6) una serie de resultados o consecuencias a nivel de salud física y psíquica* (depresión, trastornos psicosomáticos, etc.) que podrían desembocar en el abandono del rol de cuidador como resultado de la interacción de todas las influencias descritas. Aquí también se incorpora la relevancia de las diferencias individuales, en particular respecto a la negatividad versus positividad de las repercusiones del cuidado.

Además, este modelo conceptualiza el cuidado de una persona dependiente como un proceso dinámico, en el que los cuidadores van adaptándose a las necesidades y demandas cambiantes de las personas que atienden. Por ello, el Modelo del Proceso del Estrés propone que existen tres fases distintas en el proceso de la provisión del cuidado de una persona dependiente: 1) el cuidado domiciliario, 2) el ingreso institucional, y 3) la aflicción por la pérdida. Plantea que el malestar experimentado por el cuidador en la primera fase de asistencia en el domicilio sigue influyendo en las sucesivas fases del proceso del cuidado (Aneshensel et al., 1995). La consideración del cuidado como un proceso hace explícito el impacto acumulativo de la duración de la asistencia sobre el estrés del cuidador, así como la interacción dinámica de los estresores a través del tiempo y de las transiciones importantes —como la institucionalización y la pérdida— (Gaugler et al., 2000c).

Figura 3. Modelo del Proceso del Estrés de Pearlin

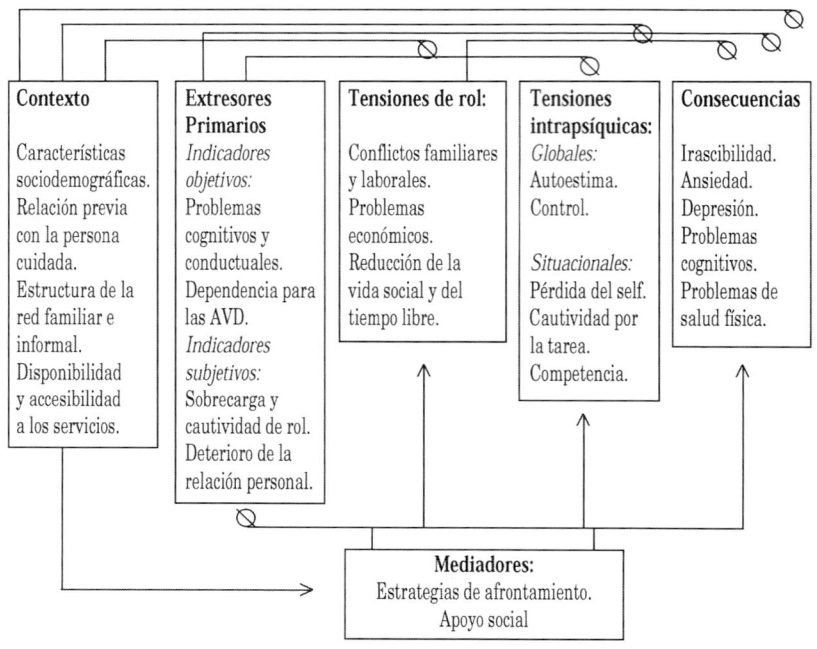

Fuente: Pearlin et al. (1990).

Casi a la par que se desarrollaba el modelo de Pearlin y colaboradores, Zarit (1989, 1990) lo amplió incorporando la *valoración secundaria* del Modelo de Lazarus y Folkman (1984) en lo que ha denominado ***Modelo Teórico Expandido del Cuidado*** —Figura 4—. En el contexto de la carga del cuidador, este concepto refleja el proceso por el que las personas evalúan cómo de adecuados son sus recursos para afrontar las amenazas generadas por los estresores del cuidado. El autor de esta teoría (Zarit, 1989, 1990a) señaló que si bien se trata de una dimensión que se solapa con los componentes subjetivos del modelo previamente descrito —por ejemplo las valoraciones de los estresores secundarios—, permite ofrecer una panorámica o valoración general de cómo se siente el cuidador respecto a la situación de cuidado.

De hecho, según Zarit (1989, 1990a), los cuidadores realizan valoraciones generales de la situación de cuidado, sopesan las contribuciones de los diferentes estresores y los recursos de los que disponen de forma individual, pudiendo ser esta valoración general un fuerte predictor de la estabilidad o del abandono del cuidado. En este sentido, cuando los recursos son evaluados como adecuados, el cuidador probablemente continuará sin sentimientos excesivos de tensión o cambios negativos en su bienestar físico y emocional. Por el contrario, cuando los recursos son excedidos por las demandas, la situación puede llevar a una crisis, incrementando la probabilidad de que el cuidador experimente carga y altos costes personales e institucionalice a la persona dependiente.

Si bien la evaluación de cada estresor o recurso permite estimar las contribuciones de cada área a la carga del cuidador, la valoración subjetiva permitiría obtener una evaluación general que indique de forma más adecuada la capacidad actual del cuidador para manejar la situación y seguir manteniendo su rol de cuidador (Zarit, 1990a).

Es precisamente en este marco teórico en el que cobra sentido el concepto de carga del cuidador utilizado por Zarit cuando desarrolló su instrumento de evaluación de la carga del cuidador —la Caregiver Burden Interview— (Zarit, Reever y Bach-Peterson, 1980; Zarit, Todd y Zarit, 1986; Zarit, 2002), con el que pretendía evaluar si las demandas a las que se enfrentan los cuidadores son superiores a las que están dispuestos o son capaces de asumir. Para Zarit, la carga sería similar a este proceso de "valoración secundaria" contemplaba en el modelo del proceso del estrés de Lazarus y Folkman (1984), por lo que los cuidadores experimentarían carga si perciben que las demandas de la situación exceden sus recursos (Zarit, 1990b). La carga en este acercamiento sería subjetiva y reflejaría por lo tanto las diferencias individuales plasmadas en la investigación, esto es, algunas personas se sentirán sobrecargadas por pequeñas demandas asistenciales, mientras que otras sentirán poca o ninguna carga subjetiva cuando suministren un amplio y consumador cuidado (Zarit, 1990b, 2002). En línea con Zarit, algunos autores han sugerido que la etiqueta "carga" es entonces presuntiva y que el constructo hace referencia de forma más acertada a una "valoración" (Kinsella et al., 1998).

Figura 4. Marco Teórico Expandido del Cuidado

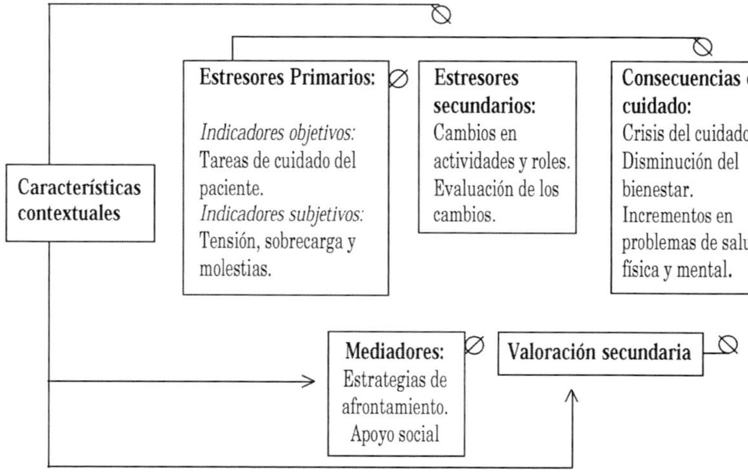

Fuente: Zarit, 1990a.

Zarit ha ido ampliando y modificando de forma sucesiva este modelo, intentando adecuarlo a la cantidad ingente de variables que iban emergiendo de la investigación relativa al impacto del cuidado sobre los cuidadores de personas dependientes. Los cambios se han centrado en la incorporación de otra dimensión del marco teórico del estrés propuesto por Lazarus y Folkman (1984), la **evaluación primaria**, creando lo que ha denominado **Modelo del Proceso del Estrés Modificado de Lazarus y Pearlin** (Zarit, 2002) —Figura 5—. Este modelo se basa en que el impacto de los estresores primarios objetivos debe ser entendido en función de su importancia o del grado de amenaza que suponen para los cuidadores. Así, al igual que en la teoría de Lazarus y Folkman (1994), cada estresor primario objetivo puede ser evaluado como amenazante o desafiante por parte del cuidador. Intervendrían por tanto en este caso las diferencias individuales, dado que la valoración del estresor como amenazante y generadora de malestar emocional o no es subjetiva de cada cuidador.

Figura 5. Modelo del Proceso del Estrés de Lazarus y Pearlin Modificado

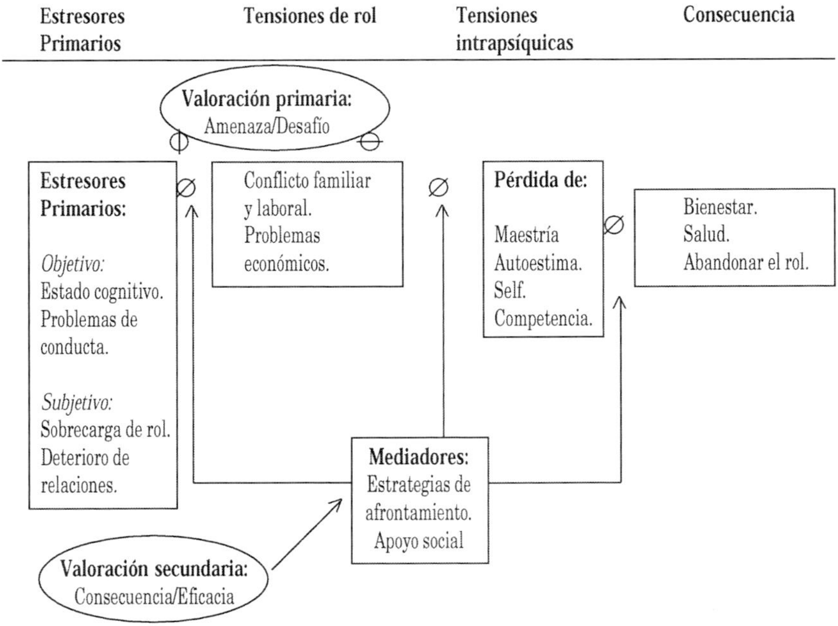

Fuente: Zarit, 2002.

La revisión realizada sobre los modelos teóricos propuestos desde el marco procesual del estrés evidencia la complejidad del término de carga. Las principales teorías, expuestas aquí, han tenido que ir desarrollándose y ampliándose a medida que iban surgiendo nuevos resultados de investigación sobre el estrés del cuidador. Así, el perfilado teórico sobre el concepto de carga a lo largo de los años ha dado lugar a que la carga del cuidador sea concebida como un proceso determinado por múltiples dimensiones del proceso del estrés, que ha de ubicarse dentro de este marco sin ceñirla a esta única dimensión. En esta línea Zarit señaló que "*Más importante que qué es lo que llamamos carga es el reconocimiento de que el estrés del cuidado es un proceso multidimensional, con muchas consecuencias potenciales*" (Zarit, 2002). La exploración de los principales hallazgos empíricos de los estudios acerca de las repercusiones del cuidado que presentamos a continuación nos ofrece una visión más aplicada y estructurada de la naturaleza multidimensional de la carga del cuidador.

4.3. La investigación: resultados empíricos sobre el estrés del cuidador

Desde que se introdujo el concepto de carga del cuidador, muchos han sido los estudios realizados y variados sus resultados. De hecho, los modelos teóricos postulados para explicar el proceso de estrés del cuidador se han desarrollado a la par en un intento de darle una explicación teórica al gran bagaje empírico que iba surgiendo. Por ello, hemos intentado organizar los resultados empíricos sobre la carga del cuidador siguiendo la estructura del modelo que más influencia ha tenido en este campo, el Modelo de Pearlin descrito. Sin embargo, consideramos oportuno iniciar previamente este apartado describiendo la investigación existente respecto a las consecuencias de la carga o estrés del cuidador, dado que nos permitirá situarnos respecto a la envergadura del fenómeno.

4.3.1. Las consecuencias de la carga del cuidador informal

La carga del cuidador, como proceso de estrés, puede tener importantes consecuencias sobre la salud física y mental del cuidador y sobre su bienestar. No obstante, no se debe concebir el impacto del cuidado sólo como una respuesta fisiológica y emocional del proveedor de cuidados al estrés sino que, también, es necesario considerar las importantes repercusiones negativas que puede tener un cuidador sobrecargado sobre la calidad y la continuidad de la asistencia suministrada a la persona dependiente. Ambas cuestiones se tratan a continuación.

4.3.1.1. *Repercusiones del cuidado sobre la salud física y mental del cuidador informal*

Los efectos negativos del cuidado sobre la salud y el bienestar de los cuidadores informales han sido documentados ampliamente (George y Gwyther, 1986; Gatz, Bengston y Blum, 1990; Schulz et al., 1995; Whitlatch y Noelker, 1996; Gallart y Connel, 1997; Zarit et al., 1998; Jenson y Jacobzone, 2000; Lyons et al., 2002; Yee y Schultz, 2000; Older's Women League, 2003), siendo además objeto de preocupación por su fuerte impacto negativo sobre el cuidador (Snyder et al., 1985; Pruchno et al., 1990; Havens, 1999b). Estos resultados de la investigación han llevado a etiquetar este conjunto de repercusiones con el término de "síndrome del cuidador" como si de una patología clínica se tratara (Pérez, Abanto y Labarta, 1996; Muñoz et al., 2002; García, Mateo y Maroto, 2004). De hecho, se ha llegado a afirmar que las secuelas físicas y mentales generadas por la provisión de asistencia a una persona dependiente pueden provocar que el propio cuidador demande cuidados de larga duración (Family Caregiver Alliance, 2003).

Los efectos sobre la ***salud mental*** en forma de trastornos psicopatológicos aparecen de forma más frecuente e intensa que las enfermedades físicas (García, Mateo y Gutiérrez, 1999; Mateo et al., 2000). Los trastornos depresivos (Zarit, Reever y Bach-Peterson, 1980; Gallagher et al., 1989; Pearlin, 1991; Noonan y Tennstedt, 1997; Family Caregiver Alliance, 2001, 2003; Dettinger y Clarkberg, 2002; Marks, Lambert y Choi, 2002; Press Release, 2002), la ansiedad (Dettinger y Clarkberg,

2002; Press Release, 2002; Family Caregiver Alliance, 2003); y la ira y la hostilidad (Anthony-Bergstone, Zarit y Gatz, 1988; Gallagher et al., 1989; Marks, Lambert y Choi, 2002) aparecen de forma repetida como efectos mentales y emocionales del cuidado en los estudios y encuestas realizados con población de cuidadores informales (Pagel, Becker y Coppel, 1985; Howell, 1986; Jerrom, Mian y Rukanyake, 1993; Cheng et al., 1994; Kissane et al., 1994; Kristjanson y Ashcroft, 1994; Gómez-Busto et al., 1999; Montoro, 1999; Tárraga y Cejudo, 2001).

Se ha constatado que los cuidadores tienen un mayor riesgo de experimentar malestar psicológico (George and Gwyther, 1986; Whitlatch et al., 1991) y muestran tasas más elevadas de depresión y ansiedad así como niveles de estrés incrementados cuando se comparan con la población general (Cassileth et al., 1985; Baungarten, 1989; Wallsten, 1993; Hinton, 1994; McMillan, 1996; Nijboer, 1998; Weitzner, McMillan y Jacobsen, 1999; International Psychogeriatric Association, 2002; Grunfeld et al., 2004). Algunos estudios han encontrado que las mujeres que cuidan a sus padres enfermos tienen el doble de probabilidad de sufrir malestar psicológico, síntomas depresivos y ansiosos que aquellas que no son cuidadoras (George and Gwyther, 1986; Whitlatch et al., 1991; Press Release, 2002; Family Caregiver Alliance, 2003). Asimismo, Grunfeld y colaboradores (2004) hallaron que, en una muestra de cuidadores familiares de enfermos terminales de cáncer de mama, la carga del cuidador era el predictor más importante de los altos niveles de ansiedad y depresión que presentaban. Los hallazgos de este estudio evidencian lo que ya habían destacado diferentes autores con cuidadores de otros colectivos de personas dependientes (Chappell y Penning, 1996; Raveis, Karus y Pretter, 1999): aunque los factores emocionales y físicos del paciente atendido predicen el malestar emocional del cuidador, la carga percibida es el determinante más importante para la aparición de trastornos del estado de ánimo en el cuidador (Grunfeld et al., 2004).

Asimismo, se ha estimado, a través de diferentes estudios de ámbito internacional, que aproximadamente la mitad de los cuidadores están clínicamente deprimidos (Gallagher et al., 1989; Cohen et al., 1990; Family Caregiver Alliance, 2000; Family Caregiver Alliance, 2001). En España, según una encuesta sobre el cuidado informal de personas mayores dependientes (CIS, 1998), alrededor del 50% de los cuidadores informales informan de cansancio habitual, y en torno a un tercio manifiesta sentirse deprimido (Defensor del Pueblo, SEGG y Asociación Multidisciplinaria de Gerontología, 2000). La prevalencia de la depresión entre cuidadores de pacientes con demencia oscila entre el 14 y el 47% (Lawton et al., 1991; International Psychogeriatric Association, 2002), mientras que para el caso de los trastornos de ansiedad las tasas van del 10% (Dura et al., 1991) al 17,5% (Cochrane, Goering y Rogers, 1997).

La mayor incidencia de los trastornos de salud mental se ve corroborada por el mayor uso de medicación psicotrópica entre los cuidadores (Zarit, Reever y Bach-Peterson, 1980; Pearlin, 1991; Grafstrom et al., 1992; Noonan y Tennstedt, 1997). Así, la investigación indica que la frecuencia de prescripción de fármacos para la depresión, la ansiedad y el insomnio es entre 2 y 3 veces mayor entre los cuidadores que en el resto de la población (George y Gwyther, 1986; Family Caregiver Alliance, 2001). Además, Schulz y colaboradores (1995) observaron en su estudio que entre el 7 y el 31% de los cuidadores de enfermos con demencia estaba tomando medicación psicotrópica; tasas que eran ligeramente superiores a las que pueden encontrarse en la población general. De forma similar, se han realizado estudios para analizar el posible abuso del alcohol entre los cuidadores informales, pero su incidencia sigue siendo incierta (Mockus Parks y Novielli, 2000), a pesar de que los datos disponibles aludan, en general, a una ausencia de esta adicción entre los cuidadores. Por ejemplo, Baumgarten y colaboradores (Baumgarten et al. 1994) señalaron un menor consumo de alcohol entre los cuidadores que en la población general, mientras que Kiecolt-Glaser y colaboradores (1991) no encontraron diferencias significativas en la cantidad de ingesta de alcohol entre cuidadores y no cuidadores.

Por otro lado, las repercusiones del cuidado sobre la salud mental del cuidador son diferentes en función de su sexo. Así, los resultados de la investigación realizada en este sentido aluden a una mayor probabibilidad de desarrollar trastornos del estado de ánimo —ansiedad y depresión— y síntomas asociados con el estrés entre las cuidadoras frente a los cuidadores hombres (Schultz y Williamson, 1991; Yee y Schulz, 2000; Family Caregiver Alliance, 2001; Dettinger y Clarkberg 2002). En diferentes estudios las cifras indican que aproximadamente la mitad de mujeres cuidadoras frente a un tercio de varones cuidadores experimentan depresión como resultado del cuidado. Igualmente, entre los cónyuges cuidadores, el 21-25% de los maridos y el 50-52% de las esposas están deprimidas (Gallagher et al., 1989; Cohen et al., 1990; Family Caregiver Alliance, 2000, 2001). No obstante, algunos autores no han encontrado esta relación entre sexo femenino y mayor probabilidad de una mala salud mental (Hawranik y Strain, 2000) mientras que otros señalan que los varones experimentan un mayor incremento en la sintomatología depresiva desde el inicio del cuidado que las cuidadoras (Schultz y Williamson, 1991).

En línea con lo que hemos comentando en el apartado referido a las características de los cuidados de larga duración informales, Dettinger y Clarkberg (2002) justificaron esta relación entre trastornos del estado de ánimo y sexo afirmando que la asunción de las responsabilidades asistenciales son distintas entre los sexos, con un mayor compromiso del cuidado permanente en el domicilio por parte de la mujer cuidadora. Parece por lo tanto, según afirman estos autores, que el determinante de la salud mental del cuidador es en mayor medida el grado de responsabilidad asumido por el cuidador sobre la asistencia a suministrar que el sexo del proveedor de cuidados.

De forma muy relacionada con la asunción de una mayor responsabilidad para desempeñar las tareas del cuidado, aparecen como predictores del mantenimiento o deterioro de la salud mental del cuidador, algunas características del cuidado como el número de horas semanales de atención proporcionada a la persona dependiente (Press Release, 2002; Moral et al., 2003). Se ha observado de hecho un marcado incremento en el riesgo de padecer algún trastorno en la salud mental de las mujeres que proveen más de 35 horas por semana de cuidados a su cónyuge, identificándose estas cifras como el umbral de tiempo a partir del cual la probabilidad de aparición de consecuencias negativas sobre la salud mental incrementa rápidamente (Press Release, 2002).

Asimismo, los niveles de ansiedad y depresión se han relacionado con el grado de deterioro del receptor de cuidados (Segura et al., 1998; Roca et al., 2000; Gálvez et al., 2003; Moral et al., 2003). En concreto, en un estudio realizado con 215 cuidadores de pacientes atendidos en un servicio de hospitalización a domicilio, se encontró que los cuidadores mostraban un mayor riesgo de desarrollar síntomas de ansiedad y depresión cuanto más grave era el grado de dependencia física y de deterioro mental del paciente al que atendían (Moral et al., 2003).

En cuanto a los efectos sobre la **salud física**, podemos destacar dos repercusiones relevantes, una que se centra en el hallazgo de indicadores de enfermedad, y otra que sería la escasa adopción de conductas preventivas de salud.

Respecto a la primera, la investigación ha hallado que las situaciones estresantes de cuidado están relacionadas con diversas repercusiones negativas sobre la salud física y con el desarrollo de trastornos físicos. En concreto, los estudios señalan:

- Autoevaluaciones negativas de salud (Grafstrom et al., 1992; Thompson y Gallagher-Thompson, 1996; Health and Human Services, 1998; The Commonwealth Fund, 1999; Mateo et al., 2000; Langa et al., 2001; Lee et al. 2003). Diferentes fuentes de datos apuntan a que en torno al 30% de los cuidadores de personas dependientes cree que su salud se ha deteriorado a causa de la provisión del cuidado (CIS, 1998; Health and Human Services, 1998; Defensor del Pueblo, SEGG y Asociación Multidisciplinaria de Gerontología, 2000). Asimismo, un grupo de investigadores ha hallado, a través de un estudio realizado en Andalucía con una muestra de mujeres cuidadoras de personas dependientes, que casi el 50% opinaba que cuidar tenía consecuencias negativas sobre su propia salud y que cerca del 15% percibía este impacto con una intensidad muy elevada (García et al., 1999). Esta proporción se vió incrementada en un 72% cuando se estudió de forma aislada el grupo de cuidadoras de personas con enfermedades neurodegenerativas (Mateo et al., 2000).

• Presencia de síntomas psicosomáticos (Thompson y Gallagher-Thompson, 1996).

• Aparición de problemas cardiovasculares (Thompson y Gallagher-Thompson, 1996; Lee et al., 2003) como presión sanguínea elevada (Schulz, Vistainer, Williamson, 1990; Lee et al., 2003), mayor riesgo de hipertensión y de aparición de una enfermedad de corazón (Lee et al., 2003).

• Aparición de trastornos inmunológicos (Kiecolt-Glaser et al, 1987; Thomspon y Gallagher-Thompson, 1996; Mockus Parks y Novielli, 2000; Lee et al. 2003), como curación más lenta de las heridas (Lee et al. 2003). La investigación ha mostrado que, entre los cuidadores frente a sujetos control, las enfermedades virales tardan más tiempo en remitir y tres medidas de inmunidad celular son más bajas (Kiecolt-Glaser et al., 1991).

• Desarrollo de problemas de dependencia para realizar las actividades de la vida diaria. García y colaboradores (García, Mateo y Gutiérrez, 1999; García, Mateo y Maroto, 2004) señalan que la alta prevalencia de problemas crónicos y de síntomas no específicos de los cuidadores provoca la aparición de limitaciones en su capacidad funcional. Estudios realizados por estos investigadores señalan que más de un 20% de cuidadores de personas dependientes informan de dificultades para la realización de las actividades normales para su edad y que en el 6% de los casos la limitación es tan importante que el propio cuidador requiere ayuda para realizar algunas actividades cotidianas.

Parece notorio citar aquí que una de las variables que influye también de forma particular en el desarrollo de síntomas físicos asociados al cuidado es la edad del cuidador (García, Mateo y Gutiérrez, 1999; García, Mateo y Maroto, 2004). Como se ha plasmado de forma repetida, el grupo de personas dependientes se ve sobrerrepesentado por personas mayores, por lo que el cuidado puede también estar suministrado por personas que son a su vez mayores esto es, la "tercera edad" cuida de personas de la "cuarta edad" (Jenson y Jacobzone, 2000).

Además de las consecuencias físicas y emocionales del cuidado y del mayor riesgo para el desarrollo de enfermedades, los cuidadores tienen menos probabilidad de atender sus propias necesidades de salud. Esta cuestión se ha comprobado tanto en la adopción de hábitos de vida nocivos como en la no realización de conductas preventivas de salud.

En este sentido, un estudio evidenció que las mujeres que provén cuidados a un cónyuge discapacitado o enfermo tenían mayor probabilidad de fumar y de consumir una cantidad superior de grasas saturadas que las que no realizaban tareas de cuidado (Lee et al., 2003). Han aparecido además datos que indican hábitos de sueño y descanso inadecuados (International Psychogeriatric Association, 2002) y retraso en buscar ayuda médica cuando es necesario (The Commonwealth Fund, 1999; International Psychogeriatric Association, 2002). Un estudio mostró que los cuidadores tenían el doble de probabilidad de no haber acudido a consulta médica durante el año anterior cuando realmente lo precisaban (The Commonwealth Fund, 1999). Se ha sugerido que los cuidadores están tan centrados en su rol que desatienden sus propias necesidades de salud (Schulz y Beach, 1999; Coristine et al., 2003; Grunfeld et al., 2004).

Finalmente señalar que uno de los principales peligros de los problemas de salud es que incrementan el riesgo de mortalidad entre los cuidadores (Schulz y Beach, 1999; Lyons et al., 2002; Family Caregiver Alliance, 2003; Lee et al., 2003). De hecho, se ha sugerido que la combinación de estrés mantenido, demandas de cuidado físicas y una mayor vulnerabilidad biológica en cuidadores de edad más avanzada puede aumentar la probabilidad de desarrollar síntomas físicos y de mortalidad (García, Mateo y Maroto, 2004). Se ha visto que este mayor riesgo de mortalidad entre los cuidadores gira en torno a una probabilidad aumentada del 60% en el caso de cónyuges cuidadores de personas mayores dependientes frente a no cuidadores (Brown, Potter y Foster, 1990; Schulz y Beach, 1999).

4.3.1.2. Repercusiones de la carga del cuidador sobre el receptor del cuidado

La carga o estrés del cuidador, a través de sus repercusiones sobre la salud mental y física del proveedor de cuidados, puede tener efectos también sobre el receptor de la asistencia de larga duración. Las principales consecuencias que se han documentado en la bibliografía han sido la institucionalización prematura y los malos tratos hacia la persona dependiente.

En primer lugar, algunos estudios apuntan que los factores propios de la evolución de la enfermedad, tales como problemas de comportamiento (Coen et al., 1997; Gwyther, 1998), alteraciones cognitivas y deficiencias en las actividades de la vida diaria (Mangone, Sanguinetti y Baumann, 1993; Wackerbath, 1998) actúan como predictores de la institucionalización. Sin embargo, otras investigaciones, en las que se ha incluido tanto variables del paciente como del cuidador, han puesto de manifiesto que las variables del estado de salud del cuidador, tales como carga (Wackerbath, 1998), depresión (Logdon et al., 1999) e indicadores de salud física (Cohen et al., 1993; Wackerbath, 1998; Gaugler et al., 2000a), emergen como determinantes más potentes de la institucionalización que las variables del paciente (Gwyther, 1998). En este sentido, Jerrom y colaboradores (1993) señalaron que la salud deteriorada y los elevados niveles de malestar emocional experimentados por el cuidador aparecen como predictores de la continuidad de la asistencia informal a pacientes con demencia.

Otros autores informan que el sexo, la edad y el nivel socioeconómico están relacionados de forma significativa con la capacidad para continuar proporcionando los cuidados; y Hibbard y colaboradores (Hibbard, Neufeld y Harrison, 1996) demostraron que estas características son importantes para identificar a los cuidadores vulnerables (Havens, 1999a). Cabe pensar, como analizaremos más adelante, que las variables sociodemográficas del cuidador se relacionan con la posibilidad de institucionalización en cuanto que están asociadas con el desarrollo de la carga del cuidador.

El proceso de institucionalización se ha caracterizado por ser con frecuencia una decisión impulsiva y poco madurada. En concreto, como han explicado Tárraga y Cejudo (2001), los trastornos del estado de ánimo y el deteriorado estado de salud van incrementando la fragilidad del cuidador durante todo el proceso de cuidado, provocando a menudo sentimientos de derrota y claudicación. Desde la óptica del cuidador, la institucionalización aparece en este momento como la solución a su desfallecimiento, no como una medida reflexionada y contrastada. Así, los cuidadores verían el internamiento en un centro de cuidados de larga duración como una fuente de alivio a sus problemas (Colerick y George, 1986; Zarit, Todd y Zarit, 1986; Pruchno, Michaels y Potashnik, 1990; Gaugler et al., 2000a). No obstante, en línea con lo señalado en el Modelo de Proceso del Estrés de Pearlin y colaboradores (Pearlin et al., 1990; Pearlin, 1991; Aneshensel et al., 1995; Pearlin y Skaff, 1995; Gaugler, Zarit y Pearlin, 1999) respecto a las fases del proceso del cuidado de una persona dependiente, se ha observado que existe una cierta continuidad en la carga y el estrés del cuidador tras la institucionalización. Por ello se ha concluido que el ingreso cambia pero no elimina el estrés, y el malestar emocional desarrollado en la fase de cuidado domiciliario sigue influyendo en la fase de cuidado institucional (Pearlin et al.,

1990; Pearlin, 1991; Aneshensel et al., 1995; Pearlin y Skaff, 1995; Zarit, 1996; Gaugler, Zarit y Pearlin, 1999).

Al respecto, Zarit y Whitlach (1992, 1993) y Aneshensel y colaboradores (1995) han demostrado la continuidad del rol del cuidador y de los estresores asociados al proceso del cuidado en sus estudios sobre la transición del cuidado domiciliario al ingreso institucional. En esas investigaciones se estudiaron, por un lado, los cambios en un grupo de cuidadores de personas afectadas de demencia en dos momentos del proceso del cuidado: cuando suministraban los cuidados en el domicilio y cuando ya habían hecho efectivo el ingreso en un centro, y por otro lado se comparó este grupo con otro que mantuvo la asistencia en el domicilio. Los autores concluyeron que: 1) las familias permanecían implicadas en el cuidado tras el ingreso dado que visitaban a sus familiares de forma regular y les seguían proporcionando algunos cuidados, por lo que, funcional y emocionalmente, todavía eran cuidadores y 2) de acuerdo con el acercamiento multidimensional y dinámico de la carga del cuidador, el estrés estaba alterado pero no eliminado tras el ingreso. Cuando compararon los dos grupos de cuidadores — aquellos que ingresaron a su familiar con aquellos que continuaban asistiéndolos en la comunidad— hallaron que los primeros informaban de la presencia de un menor número de estresores directamente relacionados con las rutinas del cuidado, como son los sentimientos de sobrecarga o la cautividad de rol. No obstante, al mismo tiempo, emergieron nuevos estresores asociados a las presiones financieras debido al coste del centro, las visitas, la delegación del cuidado y la interacción con el personal de la residencia. En resumen, mientras que algunos estresores disminuían, otros emergían. Por ello, las medidas de bienestar emocional no cambiaron y, comparado con la muestra de cuidado continuado, las personas que ingresaron a sus familiares no mejoraron en promedio sus medidas de salud mental —depresión, ansiedad, etc.—

Por otro lado, la bibliografía sobre carga del cuidador ha denotado en algunos casos la posibilidad de episodios de malos tratos y abusos sobre el receptor de cuidados como consecuencia de la carga del cuidador (Benton y Marshall, 1991; Havens, 1999b). Si bien la incidencia de abuso en la diada paciente y cuidador no es muy elevada, se ha observado que los cuidadores con elevados niveles de sobrecarga pueden tener mayor potencial para el maltrato de la persona atendida (McGuire y Fulmer, 1997; Mockus Parks y Novielli, 2000).

De hecho, la ira y el resentimiento son emociones comúnmente sentidas por los cuidadores y en ocasiones pueden ser capaces de conducir al cuidador al punto de la violencia (International Psychogeriatric Association, 2002). En un estudio de 236 cuidadores familiares de pacientes con demencia, uno de cada cinco experimentó sentimientos de violencia y temió que pudiera perder el control sobre sus impulsos. De esta quinta parte, una tercera informó que estaban realmente implicados en una conducta violenta (Pillemer y Suitor, 1992).

4.3.1.3. Consecuencias positivas del cuidado informal

A pesar de los numerosos hallazgos sobre la evidencia de las consecuencias negativas del cuidado, han ido apareciendo también, a lo largo de la investigación sobre la carga del cuidador, algunas publicaciones que han reinvidicado la existencia de repercusiones positivas de la provisión de cuidados a las personas dependientes. En este sentido, Schulz y colaboradores (Schulz, Visintainer y Williamson, 1990) han afirmado que la expectativa de que el cuidado origina únicamente carga o consecuencias patológicas es incorrecta. No obstante, los estudios que prueban los beneficios del cuidado sobre el cuidador son escasos si los comparamos con la cantidad ingente de publicaciones sobre la carga del cuidador (Lawton et al., 1989; Friss, 2002).

En primer lugar, algunos autores han señalado que las dos consecuencias positivas del cuidado más importantes que puede experimentar un cuidador en su provisión de la asistencia son la satisfacción y la maestría. La satisfacción por el cuidado hace referencia a los sentimientos de placer por ayudar, saber que se está proporcionando la mejor asistencia, disfrutar del tiempo que se pasa junto al receptor del cuidado, y sentirse cercano a la persona atendida debido a la ayuda prestada (Lawton et al., 1989). De hecho, algunas investigaciones indican que algunos cuidadores informan que se sienten muy gratificados y más útiles, experimentan mejoras en la calidad de la relación con la persona dependiente y han adquirido mayor confianza y aceptación de sí mismos (Stone, Cafferata y Sangl, 1987; Schultz, Tompkins y Rau, 1988; Monteko, 1989; Hoyert y Seltzer, 1992; Marks, Lambert y Choi, 2002).

La maestría del cuidado representa la confianza que tiene el cuidador en sí mismo acerca de su capacidad para suministrar una asistencia eficiente, apropiada y de calidad a la persona dependiente (Pearlin y Schooler, 1978; Lawton et al., 1989). La maestría se reflejaría en sentimientos de competencia del cuidador para atender las necesidades de la persona cuidada, resolver problemas imprevistos y aprender las habilidades necesarias para asumir el rol de cuidador (Bass, 2002).

Por otro lado, existe un gran debate sobre la evidencia empírica que sugiere que los aspectos positivos equilibran o compensan los aspectos negativos del cuidado. Esta idea sería en parte consistente con los hallazgos de aquellos estudios que señalan que la mayoría de los cuidadores no informan de consecuencias negativas de cuidado sustanciales (Wright, Clips y George, 1993; Bass, 2002).

4.3.2. Variables asociadas a la carga del cuidador

Una vez descritas las consecuencias anteriores, procedemos a examinar la investigación existente respecto a las variables asociadas a la carga del cuidador. Por ello, realizamos esta revisión siguiendo la estructura de los grupos de variables defendidos por los modelos teóricos que hemos descrito anteriormente.

4.3.2.1. Factores contextuales

Entre las variables contextuales, aquellas que más atención han recibido en relación con el nivel de carga han sido las variables sociodemográficas del cuidador y las referidas a la relación entre el cuidador y la persona dependiente.

En primer lugar, respecto a las *variables sociodemográficas del cuidador*, la edad, el sexo, el nivel socioeconómico y la situación laboral se han asociado de forma significativa con la sobrecarga.

La *edad* joven del cuidador ha aparecido como un predictor de mayores niveles de carga (Gilleard, Boyd y Watt, 1982; Zarit, Todd y Zarit, 1986; Morris et al., 1988; Brodaty y Hadzi-Pavlovic, 1990; Vitaliano et al., 1991; Decima Research Inc. y Health Canada, 2002; International Psychogeriatric Association, 2002). Se ha justificado que específicamente en el caso de las mujeres cuidadoras, este hecho puede deberse a que las mujeres jóvenes pueden estar percibiendo un mayor coste de oportunidad asociado a cuidar, relacionado, por ejemplo, con los conflictos para compatibilizar empleo remunerado y asistencia de larga duración (Biurrun, Artaso y Goñi, 2003; García, Mateo y Maroto, 2004).

La sobrecarga también se ve modulada en función del *sexo* del cuidador. Diferentes estudios muestran que las mujeres cuidadoras presentan casi el doble de sobrecarga que los hombres cuidadores (Chappell y Reid, 2002; Navaies-Waliser, Spriggs y Feldman, 2002). Este resultado sugiere modelos diferentes de adopción del rol de cuidador entre hombres y mujeres (García, Mateo y Maroto, 2004). No obstante, algunos autores han evidenciado una ausencia de relación entre sexo del cuidador e indicadores de sobrecarga. En un estudio longitudinal, realizado en EE.UU, con cuidadores que prestaban asistencia a un familiar o amigo mayor en la comunidad, se estudiaron las diferencias de sexo de los cuidadores tomando tres medidas del estado de salud —salud autopercibida, depresión y carga del cuidador— en 1991/1992 y posteriormente en 1996/1997. Los resultados señalaron que el sexo del cuidador no era un predictor significativo de las variaciones del estado de salud —medido a través de los tres indicadores— entre los dos períodos de tiempo definidos (Hawranik y Strain, 2000).

Otro de los factores que repercute en una mayor percepción de sobrecarga del cuidador es el bajo *nivel de ingresos* (Zarit, Tood y Zarit, 1986; Zarit et al.; 1986; The Commonwealth Fund, 1999; AARP, 2001; Family Caregiver Alliance, 2001, 2003; Tárraga y Cejudo, 2001). Sin embargo, Tárraga y Cejudo (2001) han afirmado que la asociación entre ingresos y percepción de sobrecarga no sigue una relación lineal, sino que la capacidad económica del cuidador actúa ejerciendo un efecto umbral, de forma que, a partir de un determinado nivel de ingresos que el cuidador considera suficiente, esta relación desaparece o se vuelve poco evidente. Desde la Commonwealth Fund se defiende que la mayor carga experimentada por los cuidadores con bajos ingresos puede estar motivada por su menor posibilidad de acceso a recursos pagados de atención de larga duración. De hecho, hallaron que este grupo de proveedores de cuidado tenía la mitad de probabilidad de beneficiarse de atención formal domiciliaria pagada o de otros servicios de respiro que el grupo de cuidadores con mayores ingresos, lo que implicaba una dedicación semanal a la asistencia de la persona dependiente de 20 horas más que aquellos que recibían estos servicios formales adicionales (The Commonwealth Fund, 1999).

Respecto a la *condición laboral*, la participación del cuidador en el mercado de trabajo podría llevar a que las dos tareas —cuidado y trabajo remunerado— entraran en competencia, generando una mayor sobrecarga (Neal et al., 1993; Scharlach y Boyd, 1999; Bass, 2002). Un estudio longitudinal realizado en EE.UU con una amplia muestra de cuidadores de personas mayores halló que la mayor carga sólo se relacionaba con poseer un empleo cuando los cuidadores eran hijas, usaban al menos un servicio de atención formal domiciliaria y proveían ayuda para al menos una actividad instrumental de la vida diaria. Encontraron además que la condición laboral al inicio del estudio (1991/1992) predecía de forma significativa el nivel de carga al cabo de 5 años de cuidado (1996/1997) sólo en el caso de los hijos varones: los niveles de sobrecarga era significativamente más elevados entre los cuidadores que mantuvieron su condición laboral —trabajar o no trabajar— al inicio y al final del estudio. Para aquellos que modificaron esta situación entre los dos períodos de tiempo, no se encontraron diferencias significativas en los niveles de sobrecarga (Hawranik y Strain, 2000).

De las variables referidas a la **relación entre el cuidador y la persona cuidada**, que pueden afectar al nivel de carga, cabe destacar el **vínculo familiar** entre ambos. Existen diferencias en sentimientos de compromiso, afecto y obligación, dependiendo si el cuidador es el cónyuge, el hijo adulto, u otro familiar del paciente (Cohler et al., 1989). Parece que el cuidado de alguno de los padres o de un cónyuge genera mayores índices de sobrecarga que la asistencia a un hijo u otro tipo de pariente (Decima Research Inc. y Health Canada, 2002) y que, en general, es la pareja de la persona dependiente la que experimenta los mayores niveles de carga (Gilleard, Boyd y Watt, 1982; Zarit, Todd y Zarit, 1986; Morris et al., 1988; Brodaty y Hadzi-Pavlovic, 1990; Vitaliano et al., 1991; Tárraga y Cejudo, 2001; International Psychogeriatric Association, 2002). Gaugler y colaboradores (2000b) ofrecieron una posible explicación a este último hallazgo: la existencia de una mayor cercanía física e inversión emocional más intensa de los cónyuges frente a la experimentada por los hijos adultos u otros cuidadores. Además, esta investigación ha hecho patente la posibilidad de que estas consecuencias negativas se perpetúen y afecten a la capacidad de la pareja para seguir suministrando un adecuado cuidado domiciliario de larga duración.

Otros estudios han encontrado diferencias en la cantidad de carga y malestar emocional informado por los cuidadores cuando se tiene en cuenta el sexo del cónyuge o del descendiente (Fitting et al., 1986; Zarit, Todd y Zarit, 1986; Anthony-Bergstone, Zarit y Gatz, 1988; Deimling et al., 1989; Pruchno y Resch, 1989a). De acuerdo con las diferencias de sexo y de edad apuntadas arriba, los maridos informan en general de menos tensión y carga que las esposas y las hijas (Zarit, 1990a; Hawranik y Strain, 2000). Parece, por lo tanto, en línea con lo manifestado por Goodman y colaboradores (Goodman, Zarit y Steiner, 1994) que tanto las esposas como las hijas de las personas cuidadas, tienen, ambas, semejantes sentimientos de malestar emocional así como parecidos compromisos y sentimientos de obligación hacia el receptor de cuidados.

Asimismo, una variable muy relacionada con la anterior es la *forma de convivencia cuidador-receptor de cuidados*. En concreto, esto hace referencia a si la díada convive o no en el mismo hogar. Así, los datos indican que la convivencia contínua con la persona dependiente incrementa la percepción subjetiva de sobrecarga y los niveles de estrés (Gilleard, Boyd y Watt, 1982; Zarit, Todd y Zarit, 1986; Morris et al., 1988; Brodaty y Hadzi-Pavlovic, 1990; Vitaliano et al., 1991; International Psychogeriatric Association, 2002) —incluso depués de controlar el tipo de vínculo (Deimling et al., 1989)— y fomenta la probabilidad de sufrir depresión, aislamiento social y deterioros en la salud (Bass, 2002).

Como ha señalado Bass (2002), la mayor vulnerabilidad al estrés y la sobrecarga de los cuidadores que comparten una misma vivienda con la persona dependiente es debida fundamentalmente al mayor tiempo de cuidado que proporcionan y a su mayor compromiso en mantenerla en casa.

La *calidad de la relación anterior* a la situación de dependencia entre cuidador y persona cuidada también afecta a los niveles de sobrecarga, aunque todavía no está claro en qué sentido va esta relación. Algunos estudios han encontrado que una pobre relación premórbida con la persona dependiente puede contribuir al desarrollo de sentimientos de carga y de malestar psicológico (Gilleard, Boyd y Watt, 1982; Chenoweth y Spencer, 1986; Zarit, Todd y Zarit, 1986; Morris et al., 1988; Brodaty y Hadzi-Pavlovic, 1990; Williamson y Schulz, 1990; Vitaliano et al., 1991; International Psychogeriatric Association, 2002) mientras que en otros se ha obtenido un resultado contrario (Zarit, 1982; Jenkins, Parham y Jenkins, 1985). En este sentido, Zarit (1990b) ha señalado que esta variable puede tener implicaciones importantes sobre el cuidador y que los resultados dispares sobre esta relación pueden deberse en parte al uso de diferentes medidas y muestras.

Otro de los factores asociados con una menor carga ha sido considerar que el cuidado es una cuestión de *reciprocidad* (Goodman, Zarit y Steiner, 1994). A su vez se ha visto que uno de los predictores más significativos del estrés del cuidador es la falta de *elección en asumir la responsabilidad* de ser el proveedor principal de las tareas de cuidado (Decima Research Inc. y Health Canada, 2002).

Finalmente, señalar que otro grupo de variables englobadas en el contexto del cuidado, dentro del proceso de estrés del cuidado, son las *variables sociodemográficas de la persona dependiente*. Existen pocos estudios realizados en este sentido, dado que cuando se ha querido analizar la influencia de las características del receptor de cuidados sobre la carga del cuidador, la mayoría de la investigación ha preferido centrarse en aquellos factores asociados a la dependencia y la enfermedad —esto es, los estresores primarios objetivos—. Sólo algunos investigadores señalan de forma muy vaga que la edad joven (Decima Research Inc. y Health Canada, 2002; Gaugler et al., 2000b) y el sexo masculino de la persona cuidada (Gaugler et al., 2000b) podría estar relacionada con una mayor carga del cuidador.

4.3.2.2. Estresores primarios

Las demandas de cuidado asociadas a la dependencia para realizar las actividades de la vida diaria, los problemas de conducta y cognitivos así como la severidad de la enfermedad de los sujetos dependientes constituyen los estresores primarios en el desarrollo de la carga del cuidador (Zarit, 1998a). Aunque existe una variabilidad considerable en las reacciones emocionales y psicológicas, y en la adaptación a las demandas del cuidado, los hallazgos en la investigación han enfatizado que los estresores primarios —objetivos y subjetivos— se asocian con consecuencias negativas de salud mental entre los cuidadores, tal como la ira y la depresión (Aneshensel et al., 1995; Gaugler, Zarit y Pearlin, 1999).

En general, los problemas conductuales y cognitivos de la persona dependiente predicen en mayor medida altos niveles de sobrecarga que los problemas en capacidad funcional. Parece por lo tanto que los cuidadores de personas dependientes afectadas de demencia u otros trastornos psiquiátricos experimentarán grados de sobrecarga más elevados que aquellos cuidadores que atienden a personas dependientes sin trastornos en su cognición y conducta (Bikerl, 1987; Pearson, Verna y Nellet, 1988; Zarit, 1990a; Dunkin y Anderson-Haley, 1998; Hawranik y Strain, 2000).

Los estudios denotan que de forma particular son los trastornos conductuales los que en mayor medida se han visto relacionados con niveles altos de carga (Baumgarten et al., 1994; Zarit, 1998; Gaugler et al., 2000b; Mockus Parks y Novielli, 2000;), malestar emocional, fatiga física, aislamiento, pérdida de control (George y Gwyther, 1994; Talkington-Boyer y Snyder, 1994) y un riesgo incrementado a experimentar síntomas depresivos (Alspaugh et al., 1999). La investigación ha demostrado, por ejemplo, que las relaciones entre frecuencia de problemas conductuales y depresión en cuidadores familiares son más fuertes cuando se comparan con otras demandas de cuidado, tal como la dependencia para las actividades de la vida diaria (Schulz y Williamson, 1991; Majerovitz, 1995; Li, Seltzer y Greenberg, 1999; Gaugler et al., 2000b).

En esta línea, algunos estudios sugieren que, entre cuidadores de personas con demencia, ni el grado de deterioro funcional (Dunkin y Anderson-Haley, 1998) en la persona receptora de cuidados ni las pérdidas de memoria o la disfunción cognitiva (Deimling y Bass, 1986; Pruchno y Resch, 1989b; Novak y Guest, 1989; Baumgarten et al., 1994; Talkington-Boyer y Snyder, 1994; International Psychogeriatric Association, 2002) contribuyen de forma significativa a la carga del cuidador (Mockus Parks y Novielli, 2000). Por su parte, otros autores han relacionado los problemas de conducta con malestar emocional y salud mental negativa entre los cuidadores (Haley et al., 1987; Pruchno, Michaels y Potashnik, 1990; Teri et al., 1992; Bass et al., 1994; Gaugler et al., 2000b; Bass, 2002).

En concreto, los niveles de estrés son muy elevados en aquellos cuidadores familiares de pacientes con demencia, fundamentalmente debido a cambios conductuales —gritos, agresión física, discusiones, resistencia a la ayuda para la realización de las actividades de la vida diaria— y emocionales —depresión, llanto—, patrones de sueño variables (Schulz et al., 1995) y demandas del paciente (Gilleard, Boyd y Watt, 1982; Niederehe et al., 1983; Haley, Brown y Levine, 1987; Pruchno y Resch, 1989b; Brodaty y Hadzi-Pavlovic, 1990; Zarit, 1990; Teri et al., 1992; International Psychogeriatric Association, 2002). Estos síntomas son reconocidos como las razones más comunes para la referencia psiquiátrica de los cuidadores y la institucionalización prematura del receptor de cuidados (Green y Ondrich, 1990; Cohen et al., 1993; Kasper y Shore, 1994; Gaugler et al., 2000b; International Psychogeriatric Association, 2002).

Por su parte, los estudios han indicado que, en muestras de cuidadores de personas dependientes sin deterioro cognitivo, la provisión de la asistencia para la realización de las actividades básicas e instrumentales de la vida diaria tiene también un impacto particularmente importante sobre el estado de ánimo y la carga del cuidador (Hope et al., 1998; Logsdon et al., 1998; Gaugler et al., 2000a; Hawranik y Strain, 2000). En concreto, Hawranik y Strain (2000) han señalado que los cuidadores informales que asisten a su familiar (cónyuge o padre) en la realización de las actividades básicas de la vida diaria tienen una mayor probabilidad de desarrollar depresión y sobrecarga. No obstante, cuando consideraron los grupos de cuidadores por separado emergían diferencias en función del vínculo: la relación anterior sólo emergía en el caso de que el cuidador fuese el cónyuge. Por otro lado, se ha encontrado que la presencia de dependencia para determinadas actividades de la vida diaria que ocurren con mayor frecuente por la noche, como la incontinencia, son especialmente molestas para los cuidadores y por ello pueden originar altos niveles de malestar emocional y fatiga entre los proveedores del cuidado (Logsdon et al., 1998; Gaugler et al., 2000a). De hecho, la incontinencia ha aparecido como un importante predictor para el ingreso institucional (Hope et al., 1998).

Otros trabajos han señalado que el progresivo deterioro físico del paciente se relaciona con sobrecarga y depresión. Éste es el caso del estudio realizado por Grunfeld y colaboradores (2004) en el que encontraron que los cuidadores familiares de enfermos terminales de cáncer de mama experimentaron un incremento sustancial en los niveles de carga y depresión cuando el receptor de cuidados alcanzaba el estadio terminal de la enfermedad y se aproximaba a la muerte. De hecho, varios análisis longitudinales han evidenciado que el incremento en el número de actividades cotidianas con dependencia está asociado a mayor carga subjetiva, salud mental negativa y menor satisfacción con el cuidado (Zarit, Todd y Zarit, 1986; Aneshensel et al., 1995; Walker et al., 1996; Alspaugh et al., 1999; Gaugler et al., 2000b).

Está menos claro sin embargo cómo los cambios en las demandas de cuidado afectan al estado de salud mental a lo largo del tiempo. En este sentido, Aneshensel y colaboradores (1995) analizaron el impacto de varias demandas de cuidado (dependencia para las actividades de la vida diaria, gravedad del deterioro cognitivo y frecuencia de los problemas de conducta) sobre distintas dimensiones del estrés subjetivo, incluyendo la sobrecarga de rol y la cautividad del rol. Los incrementos en problemas conductuales y dependencia para las actividades de la vida diaria estaban asociados con mayores niveles en ambos indicadores subjetivos al cabo de un año. Sin embargo, sólo los incrementos en la conducta problemática estaban positivamente asociados con la sobrecarga de rol y cautividad de rol al cabo de tres años.

Por el contrario, algunos análisis longitudinales han encontrado que el mayor número de demandas de cuidado no tiene ningún impacto directo sobre cambios en depresión al cabo de períodos de 18 meses, 2 años o 3 años (Redinbaugh, McCallum y Kiecolt-Glaser, 1985; Schulz y Williamson, 1991; Aneshensel et al., 1995; Li et al., 1999). Gaugler y colaboradores (2000b) establecen que existen algunas limitaciones empíricas que deben ser tenidas en cuenta cuando se estudia el impacto longitudinal de las demandas de cuidado y que pueden estar influyendo sobre la veracidad de los resultados anteriores. En primer lugar, los estudios sólo han analizado dos medidas de salud mental de los cuidadores, lo que puede impedir apresar la naturaleza del cambio a largo plazo (Rogosa, 1996) e ignorar patrones de cambio individual (Gaugler et al., 2000b).

Por ello, estos mismos investigadores (Gaugler et al., 2000b) realizaron una investigación usando una metodología longitudinal amplia con 4 medidas temporales de los indicadores de carga de cuidadores de personas con demencia. Hipotetizaron que, entre las demandas de cuidado, los incrementos en problemas de conductas frente a la dependencia para las actividades de la vida diaria y el deterioro cognitivo, serían más potentes para predecir el estrés subjetivo (sobrecarga de rol y cautividad del rol) y la salud mental negativa del cuidador en un período de tres años. Los principales hallazgos de este trabajo demostraron que a) los incrementos en las demandas de cuidado sólo predecían de forma significativa aumentos en la sobrecarga de rol; b) el análisis por separado de las demandas de cuidado indicaba que el incremento en el nivel de dependencia para las actividades de la vida diaria y en la severidad de los problemas de conducta predecían incrementos en la sobrecarga de rol; c) no obstante, en este último caso, cuando se analizaron conjuntamente estas dos variables sólo el aumento en los problemas ccnductuales pronosticaban de forma significativa la sobrecarga de rol a lo largo del tiempo.

Gaugler y colaboradores (2000b) mostraron que la imprevisión de los problemas conductuales es probablemente la causante de los sentimientos de agotamiento y fatiga entre los cuidadores, así como de los efectos perjudiciales a largo plazo sobre su bienestar emocional. Tal como indicaron también Deimling y Bass (1986), estos autores señalan que las conductas socialmente aberrantes y disruptivas repetidas de forma sistemática son percibidas de forma más estresante que las características más previsibles y las demandas más regulares de la enfermedad como la discapacidad para las actividades de la vida diaria o el deterioro cognitivo.

Por otra parte, algunos autores han enfatizado que la relación entre el estrés y el bienestar del cuidador puede estar vinculada en mayor medida con valoraciones subjetivas de los estresores primarios por parte del cuidador que con las demandas objetivas de cuidado (Pearlin et al., 1990; Yates, Tennstedt y Chang, 1999; Aneshensel et al., 1995). A su vez, las valoraciones subjetivas de las demandas de cuidado han aparecido fuertemente asociadas con la institucionalización (Greene y Ondrich, 1990; Steinbach, 1992; Montgomery y Kosloski, 1994; Aneshensel et al., 1995; Gaugler et al., 2000b). En este sentido, según apuntan Aneshensel y colaboradores (1995), el componente subjetivo reflejaría las diferencias individuales existentes en la evaluación de la amenaza que supone el proceso del cuidado, convirtiéndose así en un mejor predictor de las consecuencias negativas de la asistencia de larga duración, tal como la depresión o el abandono de la situación de cuidado, que los estresores primarios objetivos.

Sin embargo, Zarit (1996, 1998a) ha destacado la importancia limitada de los estresores primarios en la determinación de los niveles de sobrecarga y sus consecuencias. En este sentido, reconoce que poseen cierta relevancia en cuanto que conforman el contexto en el que el estrés del cuidador se desarrolla (Thompson y Gallagher-Thompson, 1996; Zarit, 1996, 1998a), pero en general dan cuenta de una sorprendentemente pequeña proporción de la varianza de la presión subjetiva y de los cambios en el bienestar a lo largo del tiempo (Aneshensel et al., 1995; Zarit, Todd y Zarit, 1996). Así, para este autor, las demandas del cuidado se convierten en estresantes a través de su interacción con otras dimensiones o factores de la vida del cuidador, afirmación elemental a la hora de plantear intervenciones dada la muy reducida capacidad de cambio de la dependencia del receptor de cuidados frente al potencial modificable de los determinantes personales y sociales del estrés (Zarit, 1996, 1998a).

4.3.2.3. Estresores secundarios

El impacto de la situación de cuidado en otras áreas de la vida del cuidador ha sido documentado de forma amplia en la investigación. El cuidado permanente provoca problemas laborales y económicos, perjucios sobre el tiempo de ocio y la vida relacional así como conflictos familiares. En España, según los últimos datos disponibles sobre cuidadores de personas dependientes se puede observar que casi la mitad de los cuidadores ha visto suprimidas sus relaciones sociales y sus actividades de ocio, casi un 25% su vida familiar y el trabajo doméstico, y aproximadamente un 15% su actividad laboral y/o sus estudios (INE, 2002; IMSERSO, 2003). Desarrollamos en los apartados siguientes las repercusiones en diferentes ámbitos de la vida del cuidador.

A) Proliferación del estrés del cuidado sobre el tiempo libre, el ocio y las relaciones sociales y familiares del cuidador

La responsabilidad y la implicación en el cuidado de una persona dependiente conllevan un coste temporal, el cual repercute asimismo en la disponibilidad para realizar actividades de ocio y mantener relaciones sociales. Estas restricciones se materializan en una disminución de salidas con amigos; de relación con los familiares; de recibir o realizar visitas a amigos, vecinos y familiares; menos disponibilidad temporal para ir de vacaciones, para dedicarlo a otras responsabilidades o para disponer libremente de él (INSERSO, 1995; Roca et al., 2000;

Decima Research Inc. y Health Canada, 2002; IMSERSO, 2002; García, Mateo y Eguiguren, 2004). En este sentido, las encuestas realizadas para medir los perjuicios en esta áreas de la vida de los cuidadores indican que, por ejemplo, en España un 64,1% de los cuidadores de personas mayores dependientes ha sufrido una reducción sensible de su tiempo de ocio, el 48% ha dejado de ir de vacaciones y el 39% no tiene tiempo para frecuentar amistades (CIS, 1998; Defensor del Pueblo, SEGG y Asociación Multidisciplinaria de Gerontología, 2000; IMSERSO, 2004).

Por un lado, la investigación ha señalado que la percepción de falta de tiempo para uno mismo es un factor importante en el aumento de la sobrecarga percibida de los cuidadores (Chappell y Reid, 2002; García, Gutiérrez y Maroto, 2004). Asimismo, la limitación en las relaciones sociales se ha relacionado también con una mayor probabilidad de perder apoyo social (Yanguas, Leturia y Leturia, 2001), tan relacionado como explicaremos más adelante con el estrés, la salud y la sobrecarga.

Por otro lado, los conflictos familiares son una de las posibles consecuencias negativas más comunes que el cuidado de una persona dependiente puede ocasionar sobre la vida del cuidador. Semple (1992) identificó, en una muestra de cuidadores de personas con demencia, que los conflictos entre los miembros de la familia podían manifestarse de las siguientes formas: 1) problemas respecto a la definición de la enfermedad y a las decisiones sobre las formas de proveer el cuidado; 2) dificultades para establecer el número de cuidadores familiares secundarios así como en el modo de distribuirse la tarea de cuidado; y 3) las formas de apoyo al cuidador principal. Otros autores han revelado también conflictos respecto a la existencia de crisis en el seno de la familia cuando se deben tomar decisiones importantes relacionadas con la provisión del cuidado, como realizar o no tratamientos médicos, la continuidad del cuidado después de un período de hospitalización y traslados de la persona dependiente entre diversos domicilios, etc. (Aneshensel et al., 1995).

Asimismo, una carga excesiva de tareas de cuidado es una fuente de riesgo de conflictos matrimoniales, los cuales se han relacionado con consecuencias negativas del cuidado, especialmente con sentimientos de depresión e ira. No obstante, se ha encontrado que los problemas familiares son más comunes entre entre hijos/as cuidadores que entre los cónyuges (Semple, 1992; Aneshensel et al., 1995).

B) Proliferación del estrés del cuidado en el ámbito laboral

Las repercusiones del cuidado en el área laboral son múltiples. El cuidado y el trabajo son a menudo necesidades que entran en conflicto para los cuidadores informales (Stone y Short, 1990; Havens, 1999b; Jenson y Jacobzone, 2000; Eurostat, 2003) y son frecuentemente percibidas como un factor de sobrecarga (García, Mateo y Maroto, 2004). Pencavel (1986) y Killingsworth y Heckman (1986) han postulado un marco teórico de análisis de los efectos generales de las responsabilidades de cuidado sobre la participación en el mercado laboral de los cuidadores. Estos autores afirman que, ante la necesidad de proporcionar cuidados, existen dos posibles efectos contrarios sobre la toma de decisión individual respecto al trabajo: *a) un efecto de sustitución*, en el que las necesidades de tiempo para proveer el cuidado informal reduce la participación del cuidador en el mercado de trabajo a través de un abondono total del mundo laboral o bien de una reducción de horas de trabajo; o *b) un efecto de ingresos,* en el que el alto coste económico que implica para el cuidador la provisión de los cuidados a una persona dependiente le induce a incrementar su participación en el mercado de trabajo para obtener ingresos suficientes que puedan compensar los gastos ocasionados.

Además de este marco teórico estándar, la bibliografía apunta hacia dos efectos adicionales (Carmichael y Charles, 1998): *c) el trabajo como una necesidad de respiro:* la participación en el mercado de trabajo puede ser percibida como una forma de obtener un respiro de la labor asistencial y de la presión mental asociada, lo que podría incrementar la demanda del trabajo a media jornada; *d) un efecto depresor sobre los salarios* para aquellos que han de continuar realizando un trabajo remunerado. En este último caso se ha visto que las personas que cuidan están en desventaja en el mercado de trabajo debido a que la atención de una persona dependiente lleva a una alta tasa de absentismo laboral, dificultad para atender las sesiones de formación de la empresa y la necesidad de ser confinados a trabajos de menor valía para poder compaginar el trabajo con sus responsabilidades como cuidadores (Jenson y Jacobzone, 2000).

En general, la mayoría de los estudios sugiere que el principal efecto del cuidado informal sobre la condición laboral es la reducción del número de horas trabajadas, más que la retirada de la participación en el mercado de trabajo (Jenson y Jacobzone, 2000), a través fundamentalmente de las siguientes acciones: coger permisos de trabajo no pagados, reducir la jornada laboral y reorganizar el horario de trabajo para compaginar el cuidado con la ocupación laboral (Stone y Short, 1990; Decima Research Inc. y Health Canada, 2002; Morris, 2002). Aunque, por otro lado, algunas investigaciones en España señalan que el porcentaje de cuidadores de personas mayores dependientes que reducen su jornada laboral debido al cuidado y aquellas que abandonan su trabajo es casi equiparable —en torno al 11-12% de todos los cuidadores— y además que un considerable porcentaje de cuidadores no puede plantearse buscar un trabajo (26%) (CIS, 1998; Defensor del Pueblo, SEGG y Asociación Multidisciplinaria de Gerontología, 2000; IMSERSO, 2004).

Por ello, algunos autores han comentado que los efectos del cuidado sobre el nivel de participación en el mercado de trabajo pueden verse modulados por la variable intensidad del cuidado proporcionado. De hecho, se ha demostrado que cuando el cuidado es proporcionado en una intensidad moderada, el grado de participación en el mercado de trabajo sólo mengua ligeramente, mientras que para aquellos cuidadores con fuertes responsabilidades, tanto el número de horas trabajadas como el salario se ven reducidos (Holzman Jenkis, 1998; Carmichael y Charles, 1998). Carmichael y Charles (1998) fijaron el umbral a partir del cual aparecían estos efectos negativos del cuidado en una intensidad de 20 horas de asistencia semanales y Holzman Jenkis (1998) en 13 horas por semana. Corrobora en parte estos datos el hecho de que varios estudios hayan manifestado repetidamente que una parte importante de cuidadores han experimentado un impacto adverso sobre su empleo, en particular durante el periodo terminal del cuidado de personas dependientes afectadas por una enfermedad terminal (Cranswick, 2001) u oncológica (Addington-Hall et al. 1992; Stommel, Given y Given, 1993; Covinsky, Goldman y Cook, 1994; Philp, McKee y Meldrum, 1995; Hayman, Langa y Kabeto, 2001; Grunfeld et al., 2004), período que coincide con la necesidad de proveer más horas de cuidado.

Por otro lado, Kniesner y colaboradores (Kniesner y Losasso, 1999) observaron el "efecto de ingresos", tal y como ha sido definido anteriormente, en una muestra de hijas adultas cuidadoras de sus padres dependientes. En concreto, hallaron que el ingreso en una residencia forzaba a las cuidadoras a incrementar su participación en el mercado de trabajo en un 20%, al mismo tiempo que se crearon unas responsabilidades de cuidado adicionales asociadas con la estancia de los padres en el centro.

Son también habituales entre los cuidadores las pérdidas económicas provocadas bien por el abandono del mercado laboral, la reducción de la jornada de trabajo, el absentismo laboral (Muurinen, 1986; Family Caregiver Alliance, 2003), o la jubilación anticipada (MetLife Mature Market Institute, National Alliance for Caregiving y The National Center on Women and Aging, 1999; Family Caregiver Alliance, 2003).

Asimismo, los cuidadores informan de efectos sobre la promoción de su carrera (Morris, 2002). Entre un grupo de cuidadores de personas mayores dependientes, el 17% informó que su promoción laboral se había visto perjudicada por sus responsabilidades de cuidado (Jenson y Jacobzone, 2000).

Además, algunos efectos en el área laboral se acentúan más en función de determinadas variables sociodemográficas y de salud de la persona cuidadora. Por ejemplo, algunos estudios han apuntado que los cambios realizados sobre el propio trabajo para equilibrar las demandas laborales y las de cuidado se dan con mayor frecuencia entre las mujeres, las personas más mayores (Muurinen, 1986; Stone y Short, 1990), y los cuidadores con peor estado de salud (Stone y Short, 1990). Asimismo, las personas más jóvenes y con mayor nivel educativo que cuidan a una persona dependiente tienen mayor probabilidad de tener un empleo (Stone y Short, 1990). Otros factores importantes a la hora de determinar un mayor impacto del cuidado sobre el mercado laboral, han sido la imposición del rol de cuidador —esto es, no haber elegido libremente asumir el desempeño de este rol— así como la atención de larga duración a un discapacitado mental (Decima Research Inc. y Health Canada, 2002).

El sexo es una variable muy determinante a la hora de sufrir las repercusiones del cuidado sobre el mercado de trabajo e implica un coste de oportunidad para las mujeres. Como se ha mencionado anteriormente, el cuidado ha quedado de forma tradicional relegado a la mujer y son las que en mayor medida asumen la decisión de realizar cambios sobre su condición laboral (Family Caregiver Alliance, 2003). En esta línea, Mears (1998) halló que sólo el 18% de las hijas y el 2% de las esposas consideraron que su participación en el mercado de trabajo no se había visto afectada por las responsabilidades de cuidado, mientras que el 22% de las primeras y 35% de las segundas fueron trabajadoras "excluidas" del mundo laboral. En consonancia con estos datos, García y colaboradores (García, Mateo y Gutiérrez, 1999; García, Mateo y Maroto, 2004) en un estudio realizado con una muestra de cuidadoras en Andalucía concluyeron que la proporción de cuidadoras apartadas del mercado de trabajo ascendía a un 46% si se contabilizaban también las exclusiones temporales.

Además, en las últimas décadas, las tasas de participación femenina en el mercado de trabajo han ido incrementando para todas las edades (Garcés, Ródenas y Sanjosé, 2003), lo que genera un aumento del número de mujeres enfrentadas al conflicto de tener que compaginar dos necesidades contrapuestas, trabajo remunerado y cuidado. Esta situación implica un mayor problema si añadimos que, en el caso del cuidado de personas mayores dependientes, la edad en la que estas mujeres tienen que cuidar de sus madres o padres coincide a menudo con el apoyo a grupos de generaciones más jóvenes (sus hijos) que retrasan su vida independiente debido a las dificultades del mercado de trabajo (Esping-Andersen, 1997; Saraceno, 1997). Es lo que Rosenthal (1997) ha denominado "efecto o generación sándwich": como resultado de los patrones de género, muchos proveedores de cuidado se encuentran oprimidos entre el trabajo remunerado y un doble trabajo de cuidado —atender a los hijos y cuidar a familiares mayores dependientes—. Además, el cuidado como barrera de entrada al mercado de trabajo se ha hallado en particular entre las mujeres (INSERSO, 1995; García, Mateo y Gutiérrez, 1999; García, Mateo y Eguiguren, 2004). Todos estos hechos tienen consecuencias sobre el desarrollo personal, la autoestima y el apoyo social de las mujeres, a la vez que repercusiones económicas (García, Mateo y Eguiguren, 2004).

La convivencia también es un factor que influye sobre la decisión laboral cuando surge la necesidad de atender a una persona dependiente. Ettner (1995, 1996) encontró que entre hijas cuidadoras que convivían con su padre o madre dependiente, la asistencia informal implicaba una reducción significativa de la jornada laboral.

C) Proliferación del estrés del cuidado en el ámbito económico

Uno de los principales efectos del cuidado en el ámbito económico ha quedado ya patente en el punto anterior cuando hablábamos de la reducción de los ingresos por los ajustes a realizar sobre el trabajo remunerado.

Además habría que añadir el coste que implica en sí mismo el cuidado generado por los gastos de la adquisición de medicamentos (National Forum on Health, 1997; Decima Research Inc. y Health Canada, 2002; Family Caregiver Alliance, 2003; Grunfeld et al., 2004), de ayudas técnicas —silla de ruedas, rampas, etc.— (Family Caregiver Alliance, 2003), consulta médica, comida o ropa especial, transporte y adaptaciones de la vivienda (García, Mateo y Maroto, 2004). Grunfeld y colaboradores encontraron que la prescripción de medicación era, en promedio, el componente más significativo de la carga financiera de los cuidadores (Grunfeld et al., 2004).

Por otro lado, la dimensión subjetiva de los estresores secundarios ha sido objeto de un menor número de investigaciones que las tensiones de rol o estresores secundarios objetivos. En concreto, el estudio de las tensiones intrapsíquicas —en particular, la maestría, la autoestima y la competencia— se ha dirigido en mayor medida a analizar su utilidad como estrategia de afrontamiento para contrarrestar o mediar el estrés del cuidador, así como su efectividad en los programas de intervención para reducir la carga del cuidador. Los pocos trabajos que disponemos sobre esta dimension han encontrado disminuciones en los niveles de maestría en cuidadores informales (Skaff, Pearlin y Mullan, 1996; Marks, Lambert y Choi, 2002) y menor autoaceptación (Marks, Lambert y Choi, 2002).

4.3.2.4. Variables mediadoras

Algunos factores asociados con el estrés o la carga del cuidador son modificables. Por ello, la investigación se ha centrado en identificar aquellas variables moduladoras del estrés, señalando las estrategias de afrontamiento y el apoyo social —según la terminología del Modelo del Proceso del Estrés— como las fuerzas potenciales que pueden compensar o proteger a los cuidadores frente a las consecuencias negativas del cuidado (Zarit et al., 1980; Niederehe y Frugé, 1984; Pratt et al., 1985; Zarit, Todd y Zarit, 1986; Haley, Brown y Levine, 1987; Niederehe y Funk, 1987; Stephens et al., 1988; Pearlin, Turner y Semple, 1989; Vitaliano et al., 1989; Zarit, 1996, 1998a; Yanguas, Leturia y Leturia, 2001; Bass, 2002;). Para Bass (2002) el apoyo social —el apoyo formal y los servicios informales— se englobaría dentro de las estrategias de afrontamiento (Bass, 2002).

No obstante, si bien la investigación ha señalado que las variables mediadoras en general disminuyen o amortiguan la carga y el malestar emocional del cuidador, algunos estudios han apuntado que es necesario que los cuidadores los perciban como adecuados a sus necesidades para que surtan estos efectos beneficiosos (Pearlin, 1994; Aneshensel et al, 1995; Yanguas, Leturia y Leturia, 2001) y que incluso podrían tener efectos adversos si la asistencia ofrecida es poco fiable, de poca calidad o no se ajusta a las necesidades de los cuidadores y de los receptores de cuidado (Silver y Wortman, 1980; Kahana, Biegel y Wylde, 1994; Bass, 2002).

A continuación, revisaremos la investigación generada hasta la actualidad sobre el impacto de las dos principales mediadoras del cuidado (las estrategias de afrontamiento y el apoyo social) sobre la carga del cuidador, y así delimitar de forma concreta sus repercusiones en el proceso del estrés del cuidador.

A) El afrontamiento

La investigación respecto a la efectividad de las estrategias de afrontamiento para afrontar las dificultades del cuidado indica unos resultados más complejos que los que señalan los postulados teóricos (Zarit, 1998a). De hecho, existe poco consenso respecto a si algunas estrategias de afrontamiento son inherentemente más o menos efectivas (Silver y Wortman, 1980), no estando clara la relación directa entre la adopción de determinadas estrategias de afrontamiento y la mayor o menor carga (Bass, 2002).

En línea con los modelos teóricos, se ha sugerido que un afrontamiento centrado en el problema es más efectivo que un afrontamiento focalizado en la emoción. De hecho, diversas investigaciones realizadas en el marco del cuidado informal de personas dependientes han demostrado que el afrontamiento de tipo cognitivo y la resolución de problemas están relacionados con un menor nivel de malestar emocional, mientras que las estrategias de afrontamiento centradas en la emoción están asociadas con mayores niveles de malestar psicológico (Haley et al., 1987; Vitaliano et al., 1991; Yanguas, Leturia y Leturia, 2001).

En esta línea, se ha señalado la efectividad de determinadas estrategias de afrontamiento de tipo cognitivo sobre la carga del cuidador. De forma específica, los estudios han identificado que la puesta en marcha de estrategias activas de afrontamiento por parte del cuidador, como la redefinición de la situación de cuidado y de sus consecuencias, son especialmente útiles para reducir los niveles de carga y de depresión del cuidador (Zarit, 1990a; Pearlin y Skaff, 1995; Saad et al., 1995; Mockus Parks y Novielli, 2000). Estas estrategias activas harían referencia a aquellas relacionadas con el significado de la enfermedad y pueden incluir la construcción de un amplio sentido a la enfermedad por parte del cuidador, la reestructuración cognitiva del significado de los estresores, y la convicción de que se trata de un proceso asociado al envejecimiento (Zarit, 1990; Saad et al., 1995). Para Pearlin y Skaff (1995), este tipo de afrontamiento podría ser más eficaz cuando los estresores no son fácilmente modificables.

No obstante, algunos estudios han identificado que el afrontamiento de tipo cognitivo no siempre da lugar a los mejores resultados en la reducción del impacto de la demanda del cuidado sobre los cuidadores (Zarit, 1990a, 1998a). En concreto, la maestría del cuidador, que indica una predilección por un afrontamiento más activo, se ha relacionado con un mayor bienestar de los cuidadores y una reducción de sus percepciones de amenaza (Bookwala y Schultz, 1998), pero parece que este efecto sólo se obtiene cuando el cuidado se suministra en el hogar y que surge el efecto contrario después de la institucionalización de la persona dependiente (Aneshensel et al., 1995; Zarit, 1998a).

En la misma línea, Pruchno y Resch (1989b) mostraron que las diferentes estrategias de afrontamiento tienen efectos diferenciales sobre distintas emociones. Para estos autores, el uso de estrategias de afrontamiento centradas en la emoción median el impacto del estrés sobre la ansiedad y la depresión, mientras que las estrategias centradas en el problema están asociadas con un mayor afecto positivo.

De forma similar, Williamson y Schulz (1993) encontraron, en una muestra de cuidadores de enfermos de Alzheimer, que las diferentes estrategias de afrontamiento estaban relacionadas con el nivel de depresión del cuidador en función del estresor primario implicado. En concreto, estos autores tras identificar la presencia de tres estresores primarios objetivos más frecuentes (déficits de memoria, pérdida de capacidad para comunicarse y el declive gradual del ser querido), hallaron que: 1) en el caso de los déficits de memoria, las actuaciones directas e impulsivas con el paciente estaban relacionadas con altos niveles de depresión mientras que la relajación se asoció con menores índices de este trastorno del estado de ánimo; 2) la aceptación para tratar con las dificultades de comunicación de la persona dependiente determinó un menor afecto depresivo 3) el estoicismo así como la aceptación del deterioro y la búsqueda de apoyo social en respuesta al declive de la persona querida fueron las estrategias que se relacionaron con mayores y menores niveles depresión, respectivamente.

Basándose en las investigaciones anteriores, Zarit (1998a) sugirió que la eficacia de las estrategias de afrontamiento dependería por lo tanto de la naturaleza de los estresores. En este sentido, este mismo autor ha señalado en diferentes ocasiones que muchas de las medidas de afrontamiento utilizadas en la actualidad son demasiado generales y no apresan los efectos específicos del manejo individual de los estresores por parte de los cuidadores. Defiende así la necesidad de crear y desarrollar medidas específicas de afrontamiento que amplíen el conocimiento científico y la comprensión sobre el modo en que las respuestas de afrontamiento de los cuidadores alteran el impacto de los estresores sobre su bienestar (Zarit, 1996, 1998a).

Finalmente señalar que la importancia del afrontamiento queda patente si tenemos en cuenta la relación recíproca que mantiene con los estresores: los estresores ponen en marcha el afrontamiento ante una situación determinada, a la vez que los esfuerzos efectivos para manejar situaciones estresantes pueden hacer que disminuya la frecuencia con que estas situaciones no deseadas aparezcan. En cambio un afrontamiento no efectivo puede aumentar los problemas conductuales y emocionales en la persona cuidada (Yanguas, Leturia y Leturia, 2001).

B) Apoyo social

La idea de que el apoyo social es un medio para aminorar los efectos del estrés y que mantiene una relación positiva con la salud física y mental en la situación del cuidado de personas dependientes, ha sido ampliamente analizada. Entre los efectos principales destaca la existencia de una relación significativa entre el apoyo social percibido y la menor carga subjetiva en cuidadores informales de personas dependientes. Además, los altos niveles de apoyo social se han asociado con una menor probabilidad de problemas de salud física y de sintomatología depresiva (Kiecolt-Glaser et al., 1990) y menor nivel de estrés crónico (Commissaris et al., 1995; Yanguas, Leturia y Leturia, 2001), a la vez que permite combatir el aislamiento que con frecuencia sufre el cuidador como proliferación del estrés sobre sus relaciones sociales y su tiempo libre (Havens, 1999a). Se ha encontrado también que el acceso a una red de apoyo social es predictor del mantenimiento del rol de cuidador y de la asistencia a la persona dependiente en la comunidad (Wilson et al., 1990; Commissaris et al., 1995; Havens, 1999a, 1999b).

Por el contrario, algunos estudios no han hallado beneficios del apoyo social en cuidadores de personas dependientes (Stommel, Given y Given, 1990; Cossette y Lévesque, 1993). Estos hallazgos contradictorios han llevado a algunos autores a afirmar que el área del apoyo social en su relación con la carga del cuidador es compleja, y que las simples tendencias acerca de la influencia positiva de esta dimensión sobre la carga del cuidador no pueden confirmarse (Zarit, 1996, 1998a). Por todo ello, vamos a revisar la investigación al respecto.

De forma específica, el apoyo social en el ámbito del cuidado informal puede provenir de la red informal o formal del cuidador. En el primer caso, *el apoyo de familiares y amigos* se ha relacionado de forma positiva y significativa con menores niveles de carga y de salud mental negativa. En concreto, diversos autores han señalado que las visitas frecuentes por parte de otros miembros de la familia así como la presencia de una fuerte red social determinan niveles más bajos de carga del cuidador (Zarit, Reever y Bach-Peterson, 1980; Dunkin y Anderson-Hanley, 1998; Mockus Parks y Novielli, 2000).

Por otro lado, se ha evidenciado que la asistencia instrumental y emocional proporcionada por familiares o amigos alivia el estrés, la depresión y la carga relacionada con el cuidado de una persona dependiente (Creasey et al., 1990; Suitor y Pillemer, 1992; Thompson et al., 1993; Aneshensel et al., 1995; Franks y Stephens, 1996; Gaugler et al., 1999; Gaugler et al., 2000b). Sin embargo, ambos tipos de apoyo son complementarios cuando se analizan sus repercusiones sobre los sentimientos de sobrecarga y de bienestar independiente. Así, la asistencia instrumental disminuiría la sobrecarga pero no influiría sobre el bienestar de la persona cuidadora, mientras que el apoyo emocional tendría un efecto inverso: mejoraría el bienestar pero no tendría ningún efecto respecto a la sobrecarga (Aneshensel et al., 1995).

No obstante, algunas investigaciones han sugerido que los beneficios del apoyo instrumental y emocional de los familiares al cuidador principal pueden verse a menudo eclipsados por la presencia de conflictos familiares. De hecho, Semple (1992) y

MaloneBeach y Zarit (1995) han mostrado que el conflicto entre el cuidador principal y otros miembros de la familia tiene repercusiones sobre el bienestar y sobre las interacciones familiares. El cuidador principal puede tener dificultad para aceptar el apoyo de otros miembros de la familia, al tiempo que puede percibir una falta de apoyo por parte de éstos (Mockus Parks y Novielli, 2000).

Asimismo, la mayoría de la investigación sugiere que *la asistencia a través de recursos formales* es beneficiosa como mediador del proceso del estrés para disminuir la carga del cuidador informal (Callahan, 1989; Lawton, Brody y Saperstein, 1989; Bass, Noelker y Rechlin, 1996; Bass y Noelker, 1997; Zarit, 1996; Family Caregiver Alliance, 2003) y por lo tanto para retrasar y prevenir la institucionalización del receptor de cuidados (Callahan, 1989; Lawton, Brody y Saperstein, 1989; Yanguas y Pérez, 1997; International Psychogeriatric Association, 2002). En concreto, los estudios señalan que el uso de los servicios formales reduce de forma significativa la tensión y el malestar emocional del cuidador (Johnson y Catalano, 1983; Zarit et al., 1998). Por ejemplo, McKinlay y colaboradores (McKinlay, Crawford y Tennstedt, 1995) hallaron que cuidadores que informaron de repercusiones negativas sobre distintas áreas de sus vidas debido al cuidado (sobre el sueño, la salud, el tiempo libre, la privacidad, la situación financiera, y la gestión de las tareas) experimentaron una reducción significativa de estas consecuencias al cabo de un tiempo de estar utilizando varios servicios formales.

Desde la perspectiva de la provisión de apoyo social formal para aliviar la carga del cuidador, la investigación se ha centrado especialmente en estudiar y probar la efectividad de dos tipos de intervenciones para reducir el estrés del cuidador: los servicios de respiro y las intervenciones psicoeducativas o psicosociales. Los primeros engloban a aquellas intervenciones que se centran en proporcionar nuevos recursos para aliviar al cuidador de la realización de sus actividades asistenciales diarias, y las segundas incluyen programas diseñados para mejorar o incrementar las habilidades del cuidador para manejar adecuadamente las situaciones de cuidado o las demandas de la persona dependiente (Zarit, 1990b).

Dado que el estudio de la efectividad del apoyo social formal sobre la carga del cuidador es uno de los objetivos específicos de este trabajo, estudiaremos ambos tipos de programas de intervención de forma más amplia en el siguiente apartado.

5. PROGRAMAS DE INTERVENCIÓN PARA ALIVIAR LA CARGA DEL CUIDADOR

5.1. Los servicios de respiro y los programas psicosociales

La investigación se ha centrado especialmente en aquellos programas que utilizan servicios formales que permiten mantener a la persona dependiente en la comunidad, en cuanto que la evidencia disponible sugiere que tanto familias y miembros de redes informales que atienden a personas dependientes como estas últimas prefieren permanecer en sus casas y en su comunidad para recibir los cuidados de larga duración (Havens, 1999a; John et al., 2001) y que la permanencia en el hogar se ha vinculado con una mayor longevidad y calidad de vida de la persona dependiente (Bowers, 1987). En este sentido, los servicios de apoyo formales para aliviar la carga de los cuidadores informales que más atención han recibido como programas específicos de intervención, han sido los denominados *servicios de respiro* (Zarit, 1990b; Knight, Lutzky y Macofsky-Urban, 1993; Jarrot y Zarit, 1995; Zarit, 1996; Yanguas y Pérez, 1997; Zarit, Gaugler y Jarrot, 1999; International Psychogeriatric Association, 2002).

La finalidad de los programas formales de respiro es aliviar al cuidador de forma periódica o temporal de su responsabilidad y de las demandas de cuidado, generadas por la asistencia a la persona dependiente. Este descanso permite al cuidador pasar algún tiempo solo y realizar otras actividades o atender otras obligaciones (Gatz et al., 1990; International Psychogeriatric Association, 2002; Whittier, Coon y Aaker, 2002).

Los estudios corroboran que la intervención a través de la provisión de servicios de respiro influye sobre el bienestar del cuidador aliviando o disminuyendo su sobrecarga (Zarit, 1990b; Fernández-Ballesteros y Díez, 2001; International Psychogeriatric Association, 2002; Whittier, Coon y Aaker, 2002). Por esta razón, favorecen la continuidad de la asistencia del cuidador informal en el domicilio y evitan la institucionalización prematura del receptor de cuidados (Yanguas y Pérez, 1997; International Psychogeriatric Association, 2002; Whittier, Coon y Aaker, 2002). Además, estos servicios permiten que el receptor de cuidados mejore sus problemas de conducta (Burdz, Eaton y Bond, 1988), su salud (Gilleard, Boyd y Watt, 1982), su estado de ánimo, su satisfacción con la vida y su bienestar (Zarit et al., 1999).

Los servicios de respiro disponibles para aliviar el estrés del cuidador son de tres tipos: 1) servicio de ayuda domiciliaria; 2) centro de día; y 3) respiro residencial o nocturno.

De forma general, el *servicio de ayuda a domicilio (SAD)* consiste en recibir asistencia periódica para cuidar a la persona dependiente durante una duración determinada de tiempo, mientras el cuidador principal se ausenta o se dedica a otras tareas (Havens, 1999a; Whittier, Coon y Aaker, 2002). Son ejemplos del tipo de cuidados que proporciona el servicio a domicilio: las tareas del hogar, el cuidado físico, la supervisión y acompañamiento de la persona dependiente, etc. (Kropf, 2000; Zarit, Gaugler y Jarrot, 2000).

Por su parte, el *centro de día* implica que la persona dependiente acude a un centro supervisado y estructurado durante el día en el que se le proporciona asistencia social y sanitaria, mientras que el cuidador tiene su tiempo libre para realizar otras actividades o descansar (Gutman et al., 1993; Zarit et al., 1996; Gelfand, 1999; Havens, 1999a; Zarit et al., 1999; Kropf, 2000; Zarit, 2002). Son una forma de ayuda domiciliaria colectiva o grupal que facilita el contacto social para la persona dependiente habitualmente aislada de la comunidad (Gutman et al., 1993; Watanabe et al., 1994).

En cuanto al ***respiro residencial o nocturno***, éste implica el ingreso de la persona dependiente en una residencia, hospital u otro tipo de centro institucional durante las 24 horas del día, por un período que puede oscilar desde una noche hasta varias semanas en función de las necesidades del cuidador principal y en el que recibirá los cuidados de larga duración (Havens, 1999a; Whittier, Coon y Aaker, 2002).

Los servicios de respiro en relación a sus efectos sobre las repercusiones negativas del cuidado han sido objeto de numerosas investigaciones. La institucionalización temporal ha sido quizás el recurso menos estudiado y cuya relación con la carga del cuidado no es del todo clara (Whittier, Coon y Aaker, 2002). Los trabajos han señalado que este tipo de servicio de respiro puede reducir la carga física y mental del cuidador (Scharlach y Frenzel, 1986; Burdz, Eaton y Bond, 1988), pero consiguiendo sólo un alivio temporal (Zarit et al., 1999).

Por el contrario, la ayuda domiciliaria y los centros de día han aparecido en mayor medida en la bibliografía asociados de forma significativa con un mayor bienestar físico y psicológico del cuidador. Así, los resultados de la investigación señalan que los cuidadores usuarios de estos servicios de respiro experimentan menores niveles de estrés percibido, carga, ansiedad y depresión, un menor número de enfermedades somáticas, y menores sentimientos de ira y más sentimientos positivos (Jarrot y Zarit, 1995; Bourgeois, Schultz y Burgio, 1996; Zarit, 1996; Biegel y Schultz, 1998; Zarit et al., 1998; Lyons y Zarit, 1999; Zarit et al., 1999; Hawranik y Strain, 2000; Zarit, 2002). Asimismo, se han relacionado con el menor aislamiento social y emocional del cuidador, y con mayores niveles de autoestima, asertividad, de control sobre sus propias vidas (Bourgeois, Schultz y Burgio, 1996) y de satisfacción general (Lawton, Brody y Saperstein, 1989). Se ha encontrado que este mayor bienestar del cuidador se debe a que ambos recursos, en particular los centros de día, facilitan la reestructuración del tiempo de cuidado, reducen la cantidad de tiempo que el receptor de cuidados pasa solo, es un sustituto a la vez que un complemento de los cuidados informales, y permite a los cuidadores con una ocupación laboral desplazar la asistencia a un recurso formal durante un mayor número de horas y días (Jarrot y Zarit, 1995).

A pesar de ello, **en la actualidad,** también en este caso, **la relación entre uso de recursos sociales formales y menor carga del cuidador es todavía compleja,** fundamentalmente porque: a) el uso de servicios formales de respiro también se ha vinculado con una mayor tensión y depresión del cuidador (Morris, Morris y Britton, 1989), la persistencia de la sintomatología depresiva (Bourgeois, Schultz y Burgio, 1996; Biegel y Schultz, 1998; Zarit et al., 1998; Lyons y Zarit, 1999; Zarit et al., 1999; Hawranik y Strain, 2000), mayor conflicto familiar generado por desacuerdos sobre los servicios a recibir y/o el tratamiento del receptor del cuidado (Mullan, 1993; Mockus Parks y Novielli, 2000), y tensión negativa en la relación (Biegel et al., 1993); y b) otros autores han encontrado resultados ambiguos llegando a la conclusión que los cuidados de respiro tienen un impacto variado sobre la carga del cuidador (Lawton, Brody y Saperstein, 1989; Forde y Pearlman, 1999). Se ha llegado incluso a afirmar que el servicio de ayuda a domicilio es un tipo de asistencia importante para los cuidadores familiares, pero que no alcanza un papel tan predominante como para ser capaz de reducir el estrés que los cuidadores experimentaban en la provisión de las tareas de cuidados (Decima Research Inc. y Health Canada, 2002).

Asimismo, si bien el uso del centro de día ofrece al cuidador una disminución real de la sobrecarga y una mejora en su salud autopercibida derivadas de un descanso diario continuo de las tareas asistenciales a la persona dependiente (Tárraga et al., 2000), se ha visto que este efecto tiende a desaparecer cuando el cuidador se habitúa a recibir este tipo de apoyo, volviendo a percibir al tiempo niveles de sobrecarga más importantes (Jones, 1992).

En otro caso se ha observado, al comparar cuidadores usuarios de servicios de respiro con no usuarios de este tipo de servicios, durante un período superior a tres meses, una disminución significativa de la sobrecarga de rol. Sin embargo, aquellos estresores primarios anclados al rol de cuidador como son la cautividad de rol y la preocupación acerca de diferentes aspectos de la implicación de uno como cuidador no experimentaron cambio alguno (Zarit, 1996).

Los resultados disponibles **que ponen en duda la efectividad de la asistencia formal como mediador del proceso del estrés del cuidado** sugieren que existe una serie de factores que pueden afectar bien al recurso en sí mismo bien a la persona cuidadora, no teniendo por ello las repercusiones positivas esperadas sobre la carga del cuidador. Haremos a continuación una revisión de estos aspectos.

En primer lugar, el uso de apoyo formal puede tener efectos adversos si la asistencia ofrecida carece de fiabilidad, calidad o no se ajusta a las necesidades de los cuidadores y de los receptores de cuidado (Silver y Wortman, 1980; MaloneBeach, Zarit y Spore, 1992; Kahana, Biegel y Wylde, 1994; Bass, 2002). En este sentido, Hawranik y Strain (2000) encontraron que los hijos cuidadores de personas mayores que utilizaban ayuda domiciliaria tenían mayores niveles de sobrecarga. Los autores justificaron que estos resultados podían deberse a que las demandas de cuidado de los mayores dependientes eran tan elevadas que incluso con el uso de los servicios formales, los niveles de carga no disminuían.

En segundo lugar, en muchas ocasiones se ha observado una infrautilización de los servicios formales (George et al., 1986; Mullan, 1993; Zarit, 1996). Así, los cuidadores informales utilizan servicios mínimos de asistencia formal, por lo que esta ayuda les proporciona poco alivio (Aneshensel et al., 1995).

Otra de las explicaciones a los resultados contradictorios encontrados respecto a la utilidad de los servicios de respiro en la reducción de la sobrecarga es que los cuidadores informales solicitan este tipo de recursos cuando ya se encuentran en situaciones de crisis y de sobrecarga excesiva (Rodríguez, 1999). Los cuidadores esperarían demasiado tiempo antes de usar un

servicio de respiro, y lo demandarían cuando la persona dependiente se encuentra ya en un proceso avanzado de la enfermedad (Knight, Lutzky y Macofsky-Urban, 1993; Zarit, 1996). De
hecho, tras revisar varios estudios sobre el impacto del uso de
servicios de respiro sobre la carga del cuidador, Knight y
colaboradores (Knight, Lutzky y Macofsky-Urban, 1993) hallaron sólo un efecto moderado de los servicios de respiro sobre el
alivio de la carga del cuidador. Por esta razón, se ha sugerido
que se obtienen mejores resultados en relación a la carga del
cuidador cuando el servicio de respiro es utilizado de un modo
preventivo. De este modo, el recurso formal prevendría el
colapso del cuidador en lugar de ser una simple medida de
emergencia que se utiliza cuando el cuidador está exhausto
(International Psychogeriatric Association, 2002). Se ha demostrado de hecho que la intervención temprana alivia en
mayor medida el estrés del cuidador y otras consecuencias
negativas del cuidado (Lyons y Zarit, 1999).

En este sentido, se han investigado las razones que parecen
explicar la demora en la búsqueda de ayuda formal, señalándo-
se varias. Por ejemplo, se ha visto que los cuidadores retrasan
utilizar un servicio formal porque piensan que podrán proporcionar todo el cuidado ellos solos (Zarit, 1996) y porque tienen
preocupaciones acerca de la calidad y fiabilidad del servicio
formal (Zarit, MaloneBeach y Spore, 1988; Noelker y Bass,
1989) o bien inquietudes por el coste a largo plazo del servicio
que les podría impedir la institucionalización de la persona
dependiente en caso necesario (Zarit, MaloneBeach y Spore,
1988; Noelker y Bass, 1989; Zarit, 1996). En cuanto a este
último aspecto, los cuidadores preferirían ahorrar para tener
disponibilidad económica cuando el cuidado se hiciera insostenible. Finalmente incluso se ha observado un rechazo por parte
de los cuidadores a recibir ayuda formal de los servicios de
respiro (Gottlieb y Johnson, 2000).

Por otro lado, otras justificaciones halladas a la disparidad
de resultados del efecto de los servicios de respiro sobre la carga
del cuidador es que estos recursos proveen alivio insuficiente a

sus cuidadores (Berry, Zarit y Rabatin, 1991; Jarrot y Zarit, 1995). Por un lado, los recursos de respiro no aportan al cuidador tiempo adecuado para descansar de su tarea de cuidado (Berry, Zarit y Rabatin, 1991; Zarit, 1996). El estrés del cuidador es sustancial y relativamente resistente al cambio. Así, si se ofrece pocas horas de respiro, no se puede esperar un gran efecto sobre la carga del cuidador (Zarit, 1996). Además, los cuidadores aprovechan este momento para realizar otras tareas para sus familiares (Berry, Zarit y Rabatin, 1991). En este sentido, Zarit (1994) ha señalado que la expectativa de que los cuidadores descansarán o se implicarán en actividades placenteras durante el respiro para recuperar sus recursos psicológicos es incorrecta.

Por último, se ha observado que los resultados contradictorios de la eficacia de los servicios de respiro sobre el cuidador puedan deberse a que no se realiza una evaluación previa adecuada del cuidador. Así, se ha señalado que la evaluación para el diseño de intervenciones con cuidadores informales requiere establecer en primer lugar los objetivos del programa con el fin de determinar posteriormente los resultados esperados y los instrumentos de medida correspondientes para su valoración (Friss, 2002). Se ha defendido que es esencial entender el papel del cuidador, los múltiples estresores involucrados y la situación particular del cuidador familiar para diseñar cualquier plan de cuidados (Baxter, 2000; Gaugler, Kane y Langlois, 2000; Friss, 2002).

Otro tipo importante de intervención que ha demostrado cierta efectividad en el alivio de la carga del cuidador, además de los programas de respiro, han sido los ***programas psicosociales o psicoeducativos*** (Zarit, 1990b; Yanguas y Pérez, 1997; Losada et al., 2004). Este tipo de intervención está diseñado de forma general para mejorar o incrementar las habilidades del cuidador para manejar las situaciones de cuidado o atender al paciente (Zarit, 1990b). Sus objetivos generales son, por un lado, disminuir la carga, el estrés y el malestar que experimentan los cuidadores, y por otro lado, mejorar la calidad de los cuidados que reciben las personas dependientes (Montorio, Díaz e Izal, 1995).

Estos programas emplean una variada gama de procedimientos, estrategias y formatos de intervención: grupos de apoyo, autoayuda y ayuda-mutua, entrenamientos en técnicas cognitivo-conductuales tales como solución de problemas, de manejo de estrés, etc. En general se basan, como más adelante se comentará, en la información, aprendizaje de habilidades y apoyo emocional. Así, podríamos decir que este tipo de intervención incluye el aprendizaje de estrategias de afrontamiento para manejar las circunstancias específicas de la situación de cuidado así como el apoyo social en forma de ayuda de la red de apoyo informal (Zarit, 1990b; Yanguas y Pérez, 1997).

Se han diseñado algunos programas de intervención que aglutinan diferentes elementos interventivos (Toseland y Rossiter, 1989; Brodaty, 1992; International Psychogeriatric Association, 2002), a saber:

a) Las intervenciones psicológicas como: la ventilación de las emociones, el sentimiento de pertenencia a un grupo, la formación y el apoyo mutuo; el counseling, la terapia cognitiva, el entrenamiento en relajación y la gestión del estrés a través del aprendizaje y el desarrollo de medidas efectivas para afrontar el estrés; el autocuidado; y la comunicación y las relaciones interpersonales.

b) Las intervenciones educativas centradas en la provisión de información; la mejora de las habilidades de cuidado domiciliario; el desarrollo de habilidades terapéuticas, la resolución de problemas, las técnicas conductuales; la planificación de asuntos urgentes, financieros y legales. La investigación al respecto ha evidenciado que es muy importante el entrenamiento de la familia o de un familiar para desarrollar y utilizar habilidades para la solución de problemas en sus parientes dependientes (Houts et al., 1996).

Los trabajos sobre la eficacia de las intervenciones psicosociales así como sobre diferentes técnicas son todavía muy escasos si los comparamos con la investigación suscitada en el marco de las consecuencias del cuidado informal (Zarit y Leitsch, 2001). Tradicionalmente, uno de los principales exponentes de este tipo de programas han sido los grupos de apoyo (Zarit, 1990b) y han sido ampliamente investigados junto a otras intervenciones psicosociales similares en la reducción de los sentimientos de sobrecarga (Haley, Brown y Levine, 1987; Zarit, Anthony y Boutselis, 1987; Gallagher, Lovett y Zeiss, 1989; Toseland, Rossiter y Labrecque, 1989; Mockus Parks y Novielli, 2000). En general, hay estudios que confirman los resultados positivos de su aplicación (Teri et al., 1997; Sánchez, Mouronte y Olazarán, 2001; Gallagher-Thomspon et al., 2003) frente a trabajos que indican su efecto limitado (Zarit, 1990b; Knight, Lutzky y Macofsky-Urban, 1993; Sörensen, Pinquart y Duberstein, 2002).

En general, el uso de diferentes componentes psicosociales tiene efectos diferenciales sobre los indicadores de sobrecarga y salud mental (Losada et al., 2004). La investigación ha encontrado, por ejemplo, que el counseling y los grupos de apoyo, en combinación con servicios de respiro, tienen efectos directos positivos sobre la adopción de conductas de salud (Gallart y Connell, 1998) y ayudan a los cuidadores a permanecer en su rol de cuidador durante más tiempo, estar menos estresados y más satisfechos (Mittleman et al., 1996). En este sentido, Mittleman y colaboradores (1996) hallaron que la combinación de intervenciones que incluían sesiones de counseling grupal e individual así como la participación obligatoria en grupos de apoyo retrasaba la necesidad de institucionalización de la persona dependiente en un promedio de 329 días.

En muestras de cuidadores de personas afectadas de demencia, la investigación se ha centrado de forma especial en estudiar la potencial eficacia de los componentes educativos, dado que se ha evidenciado que la conducta de los cuidadores hacia la persona con demencia tiene un impacto directo y significativo sobre el paciente. En concreto, la eficacia de estas estrategias podría estar fundamentada en el hecho de que la reacción del cuidador frente a los síntomas de la persona dependiente puede ser igual de importante, en el desarrollo de la carga, que la propia patología del receptor de cuidados. Se ha visto al respecto que algunas de las conductas de los cuidadores de personas afectadas de demencia —como crear cambios repentinos e inesperados en la rutina y el ambiente del paciente o ser excesivamente críticos con él— pueden exacerbar los síntomas psicológicos y conductuales de esta enfermedad, tan relacionados con la carga del cuidador. Estas conductas se fundamentan en que muchos cuidadores creen que los síntomas psicológicos y conductuales de la demencia están bajo el control de la persona, interpretando el olvido del paciente como irresponsabilidad, la irascibilidad como una falta de aprecio, el cuestionamiento repetitivo como un intento deliberado de molestar; desarrollando así mayor probabilidad de expresar criticismo u hostilidad hacia el paciente, generando cierto malestar emocional en el mismo. Por ello, las intervenciones sobre la conducta del cuidador a la hora de interactuar con el paciente pueden prolongar la capacidad del cuidador para proporcionar cuidado domiciliario y asegurar la calidad de vida de ambas partes (International Psychogeriatric Association, 2002).

Sirvan de ejemplo los estudios de Niederehe y colaboradores (Niederehe et al., 1983; Niederehe y Funk, 1987) quienes demostraron el impacto de las interacciones conductuales entre cuidador y receptor de cuidados. Sus resultados mostraron que aquellos cuidadores que utilizaban en sus interacciones con la persona cuidada respuestas autoritarias o evitativas informaron de mayores sentimientos de carga y malestar psicológico que aquellos cuyas respuestas apoyaban y estimulaban a la persona dependiente.

Por su parte, Haley (1997) reveló que el apoyo educativo era más beneficioso para los cuidadores cuando se centraba en intervenciones de modificación de conducta. No obstante, otros estudios ha puntualizado la ausencia de efectividad de este tipo de programas sobre la carga subjetiva (Demers y Lavoie, 1996;

Losada et al., 2004) y la sintomatología depresiva del cuidador (Zarit, Zarit y Reever, 1982) y han destacado la importancia de las intervenciones cognitivas para corregir los pensamientos irracionales asociados al cuidado (Losada et al., 2004). Así, Losada y colaboradores (2004) compararon un grupo de cuidadores de familiares afectados de demencia que recibían un programa de intervención cognitivo-conductual para modificar su pensamiento disfuncional sobre el cuidado, con otro grupo que recibió entrenamiento en resolución de problemas para modificar los problemas conductuales de sus familiares. Ambos grupos fueron comparados con un grupo control. Los autores de este trabajo hallaron que, tras la intervención, los cuidadores que realizaron el programa cognitivo-conductual informaron de menor estrés percibido, menores problemas conductuales en sus familiares y menos pensamientos irracionales que los otros dos grupos. Se ha argumentado que este resultado puede ser debido a que los cambios conductuales puestos en práctica para cambiar la conducta del familiar con demencia pueden generar cierto malestar en el cuidador (Fiore et al., 1983), en cuanto que pueden ser más conscientes de la limitación del receptor de cuidados (Zarit, Zarit y Reever, 1982) o bien porque tienen un efecto indirecto sobre la carga (Zarit, 1990b).

También se han encontrado ciertas **limitaciones a los programas psicosociales** que podrían reducir su eficacia sobre la carga del cuidador. En primer lugar, se ha señalado que los programas psicosociales van dirigidos de forma exclusiva al cuidador, y no contemplan al receptor de cuidados ni a la interacción entre ambos. Estas intervenciones se han diseñado para restringir, aminorar y controlar las consecuencias negativas del cuidado en el cuidador, así como para intervenir sobre algunos comportamientos modificables de las personas dependientes que exacerban los niveles de carga del cuidador, para reducirlos; sin embargo, no tienen en cuenta los deseos y valores de la persona dependiente (Yanguas y Pérez, 1997).

En segundo lugar, los programas de intervención incluyen un número excesivo de contenidos, por lo que el tiempo límite recomendado por algunos autores para la intervención con cuidadores —entre 8 y 10 sesiones— (Gallagher-Thomspon et al., 2000) impide un entrenamiento exhaustivo en todas las habilidades incorporadas a un programa. Además, los instrumentos utilizados para probar la eficacia de las intervenciones suelen recoger medidas globales de carga o estrés. Sin embargo, se sabe que el proceso de carga del cuidador es multidimensional, y que una intervención que ha de ser breve no puede conseguir cambios en todas y cada una de sus dimensiones (Zarit, 1990b).

Por último, un elevado número de cuidadores rechaza participar en programas dirigidos a reducir su malestar psicológico (Losada et al., 2004), porque consideran que no necesitan ayuda (Caserta et al., 1987) o bien porque no disponen de tiempo suficiente para asistir a las sesiones de intervención (Gallagher-Thomspon et al., 2000).

En este sentido, dado que, como hemos visto, las contradicciones en los resultados de las intervenciones de respiro y psicosociales se deben principalmente a problemas metodológicos en el diseño de las investigaciones, Zarit (1990b, 1994) ha propuesto las siguientes consideraciones y recomendaciones que pueden ser útiles para diseñar y medir la eficacia de ambos tipos de intervenciones en la investigación:

1) Es necesario especificar los objetivos y las variables a evaluar en la investigación sobre la carga del cuidador. En concreto:

- Una intervención debe tener en cuenta un único aspecto de la carga del cuidador, ya que no puede producir un cambio en todas las áreas. Por ello es necesario seguir tres pasos en la planificación de la evaluación de la carga en la investigación: 1) identificar las múltiples dimensiones de la carga del cuidador; 2) especificar a qué tipo de problema se va a dirigir la intervención; y 3) determinar el tipo de evaluación o medida.

- Es necesario identificar los objetivos de la intervención así como diferenciar entre los objetivos principales y secundarios del tratamiento.

- Hay que estimar la duración de la intervención, dado que una intervención demasiado larga —esto es, entre 16 y 20 semanas— no puede tener los efectos esperados debido principalmente a la incapacidad o rechazo de los cuidadores a participar durante mucho tiempo en tales programas. Una posible solución planteada para ello por Toseland y colaboradores (Toseland, Rossiter y Labrecque, 1989) sería que el cuidador dispusiera de una persona que estuviera con el receptor de cuidados mientras él asiste a las reuniones de grupo.

2) Es necesario comprobar hasta qué punto el tratamiento propuesto se está implementando de forma adecuada. En esta línea, hay variables que son capaces de influir en la efectividad de un tratamiento. Desde la perspectiva de las intervenciones psicosociales, un grupo de apoyo puede no obtener reducciones en la carga debido a que los mecanismos del grupo son inapropiados para tratar el problema o porque los procesos terapéuticos del grupo no han sido bien implementados. Para el caso de los servicios de respiro, recordemos las limitaciones listadas arriba respecto a la infrautilización de los servicios o la realización de otras actividades alternativas asistenciales por parte del cuidador.

3) Es recomendable determinar las razones por las que un cuidador se somete a una intervención con el fin de dirigir de forma precisa el objetivo del programa. Esto serviría para evitar la disparidad entre la meta de la intervención y la meta del cuidador a la hora de someterse a éste. Desde la perspectiva de la investigación, estas actuaciones podrían realizarse de la siguiente forma: 1) usar medidas centradas en el objetivo; 2) formar grupos de intervención específicos centrados en una consecuencia concreta del cuidado; 3) establecer los grupos de intervención en función de los objetivos generales planteados por los participantes en el programa (aliviar los síntomas, prevenir situaciones, etc.).

4) Existen amenazas que afectan a la validez interna y externa en función de los grupos controles utilizados para

analizar los efectos del tratamiento. Estas amenazas se centran principalmente en:

- La aplicabilidad limitada de la asignación al azar en los estudios de campo.

- La falta de credibilidad de los grupos placebo en cuanto que las personas son más reticentes a participar en un estudio en el que no obtienen una ayuda tangible.

- La larga duración de las intervenciones incrementa la probabilidad que los sujetos en lista de espera, usados en la investigación como grupos controles, obtengan asistencia de otro modo.

- La dificultad para crear grupos controles de larga duración. Los estudios con grupos de apoyo tienen sesiones reducidas (8-10 sesiones), por razones que ya hemos señalado, pero para que la intervención psicoeducativa sea efectiva es necesario programas de mayor duración.

Zarit (1994) plantea en este sentido la posibilidad de utilizar alguno de los tres siguientes diseños alternativos: a) diseños de caso único con múltiples líneas base, b) examinar la relación entre las variables del proceso del tratamiento y los resultados; y c) diseños cuasiexperimentales. Éste último sería, según el criterio de este autor, el más adecuado en cuanto que ofrece muchas de las ventajas de la asignación al azar sin los problemas de los estudios de campo, permite comparar los efectos a largo plazo de los tratamientos y disminuye la probabilidad de los sesgos de selección en el reclutamiento y la asignación diferencial a los grupos de tratamiento y controles ya que los sujetos no conocen la condición experimental y no se sienten desfavorecidos por no recibirla.

5) Las muestras de cuidadores son muy heterogéneas lo que puede afectar a la respuesta al tratamiento. En general, los cuidadores se diferencian por: la edad, el vínculo familiar, si comparte o no la misma vivienda, si el receptor de cuidados vive en la comunidad o no, el nivel socioeconómico, la gravedad de la dependencia del paciente y la salud del cuidador. Las soluciones

a estos problemas serían por ejemplo: seleccionar grupos sólo con una determinada característica y utilizar un diseño de caso único.

Tras esta amplia revisión de los programas utilizados en la investigación para aliviar la carga del cuidador, podemos inferir que ambos tipos de programas son de gran utilidad para ayudar al cuidador a afrontar el estrés de la situación de cuidado. No obstante, existen una serie de limitaciones que no dejan claro todavía el papel del apoyo social formal en relación a la sobrecarga y que plantean por ello la necesidad de un mayor número de investigaciones en este sentido.

Dado que uno de los objetivos de nuestro trabajo se centra en analizar el papel de un servicio de respiro concreto, el Servicio de Ayuda a Domicilio, sobre la carga de los cuidadores de personas dependientes, desarrollaremos a continuación un breve análisis de los trabajos publicados en este ámbito.

5.2. El servicio de ayuda a domicilio

En la actualidad, la atención domiciliaria se ha erigido como un recurso asistencial presente en todos los países desarrollados (Casado y López, 2001), dado que siguiendo las recomendaciones sobre dependencia del Consejo de Europa (1998) constituye una de las fórmulas idónea de actuación para abordar el problema de los cuidados de larga duración a las personas dependientes.

En este apartado, haremos primero una breve reseña sobre los inicios del cuidado a domicilio en el ámbito europeo, para después centrarnos de forma más específica sobre el Servicio de Ayuda a Domicilio como servicio social público en España.

5.2.1. Antecedentes, orígenes y delimitación del cuidado domiciliario

En la mayoría de los países europeos, los primeros servicios de ayuda domiciliaria empezaron a aparecer en el período de postguerra de la II Guerra Mundial, principalmente en los países nórdicos, Gran Bretaña y Holanda, como correlato del triunfo de las ideas acerca del Estado del Bienestar propugnadas por Beveridge y Keynes y dentro de un contexto amplio de seguridad social (Godfrey et al., 2000; Rodríguez, 2000a). De hecho, los únicos cuidados de larga duración formales que existían en los distintos países hasta ese momento eran los dispensados en residencias y hospitales (Kalish, Aman y Buchele, 1998). Este tipo de recurso surgió principalmente como un servicio familiar cuyos objetivos eran mantener la estabilidad del mercado laboral y aliviar a las amas de casa en el cuidado de enfermos y niños.

Durante la década de los 60 y 70 el servicio domiciliario se fue desarrollando en la mayoría del resto de los países desarrollados en los que fueron apareciendo normas sobre su implantación, para pasar, posteriormente, a una extensión generalizada del recurso (Rodríguez, 2000a).

Hacia finales de la década de los 70 y durante los años 80, se conjugaron tres fenómenos auténticos precursores de la expansión de la ayuda a domicilio en Europa y Norteamérica (Hennessy, 1995; Jenson y Jacobzone, 2000; Godfrey et al., 2000; Casado y López, 2001), a saber:

1) La presencia de varios fenómenos sociodemográficos tales como el aumento de la participación de las mujeres en el mercado laboral, los cambios en las estructuras de los hogares y en las formas de vida y el número creciente absoluto y relativo de personas mayores —en particular de más de 80 años— en la estructura de la población, lo que incrementó notablemente la demanda de servicios formales. Estos mismos cambios también sirven para explicar hoy la elevada demanda.

2) El declive del crecimiento económico acontecido en los años 70 tras la expansión económica sostenida en la época de posguerra de la II GM provocó que, durante la década de los 80, las políticas sociales para el cuidado de larga duración de personas dependientes se reorientaran hacia la atención domi-

ciliaria para reducir y/o prevenir el ingreso institucional de larga estancia. Esta política se basaba en la asunción de que la atención domiciliaria conformaría una opción asistencial mucho menos costosa que seguir proporcionando los cuidados de larga duración, como se venía haciendo hasta entonces, en hospitales y residencias.

3) A finales de la década de 1970 surgió en Europa y en EE.UU. un amplio movimiento defensor y precursor de la prestación de cuidados de larga duración basada en la comunidad. La idea fundamental era similar entre los países y se asentó, de forma consensuada, sobre la conveniencia de mantener e integrar a las personas dependientes en su casa y su entorno el mayor tiempo posible.

En general, si bien las definiciones sobre la ayuda a domicilio difieren entre los estudios y entre los países debido fundamentalmente a disparidades en la financiación destinada a este recurso en las diferentes estados, los objetivos generales de la ayuda domiciliaria en la actualidad se centran en prevenir, diferir y sustituir el cuidado hospitalario agudo, la asistencia institucionalizada de larga estancia, con el objetivo de mantener a la persona dependiente en su propio domicilio y en la comunidad así como evitar la sobrecarga de los familiares de las personas dependientes a través de la prestación de cuidados de calidad, adecuados y eficientes (Havens, 1999a; Navarro et al., 2001).

Asimismo, aunque en los últimos años ha habido un ligero incremento de usuarios del servicio domiciliario del colectivo de jóvenes adultos dependientes, todavía un elevado porcentaje de los beneficiarios de la asistencia domiciliaria son las personas mayores[17], en particular las de más de 75 años. La media

---

[17] Como veremos a lo largo de este apartado, los grandes beneficiarios de este tipo de servicios son las personas mayores, lo que a su vez condiciona la disponibilidad de los datos. La información disponible en la bibliografía hace especial referencia a este grupo, obviando con frecuencia otros

europea de cobertura a las personas mayores de 65 y más años es igual al 12% (De Andrés, 2004) y como indica la tabla 9,en Austria y Dinamarca más del 20% de personas mayores de 65 años reciben este servicio, el 17% en Noruega, el 14% en Finlandia, el 12% en los Países Bajos, el 11,2% en Suecia y el 9,6% en Alemania, frente a tasas de cobertura muy inferiores para otros países de área meridional (Jacobzone, 1999; Casey et al., 2003).

Actualmente, en muchos países se está produciendo una ralentización en la extensión del servicio de ayuda a domicilio, a favor de una mejora técnica en su prestación. En este sentido, se está intentando responder a la heterogeneidad de la deman-da de los usuarios, en cuanto que la amplitud, la frecuencia y la intensidad de sus necesidades asistenciales varían en función de su grado de dependencia, del tiempo, de la cantidad de apoyo social e informal disponible y de sus características de salud mental individual y de personalidad (Godfrey et al., 2000). El modelo nórdico es el más avanzado en la extensión de la protección social en general y del servicio de ayuda a domicilio en particular (Rodríguez, 2000a), mientras que España ocupa uno de los últimos lugares.

Tabla 9. Porcentaje de personas de 65 y más años que reciben ayuda a domicilio en diferentes países

País	Porcentaje del total
Austria	24
Dinamarca	20,3
Noruega	17
Finlandia	14
Países Bajos	12
Suecia	11,2

sectores poblacionales de personas dependientes beneficiarias también de la ayuda a domicilio. Es por ello que en esta sección expondremos muchas veces sólo información referente a los mayores dependientes.

Tabla 9. Porcentaje de personas de 65 y más años que reciben ayuda a domicilio en diferentes países

País	Porcentaje del total
Alemania	9,6
Francia	6,1
Reino Unido	5,5
Bélgica	4,5
Irlanda	3,5
España	3,14[1]
Italia	2,8
Grecia	nd
Portugal	nd

Fuentes: Jacobzone, 1999; Casey et al., 2003. [1] Ministerio de Trabajo y Asuntos Sociales —MTAS—, 2005. nd= no hay datos disponibles.

5.2.2. El Servicio de Ayuda a Domicilio en España

En España, el inicio del servicio domiciliario bajo el apelativo de SAD o Servicio de Ayuda a Domicilio aconteció con posterioridad a los otros países, debido al retraso de España en la entrada del modelo bienestarista europeo y a la vertebración familista de la sociedad española, que implica asumir desde el apoyo informal los problemas relacionados con la dependencia. Con carácter general se sitúa su andadura a partir de la formación de los primeros ayuntamientos democráticos, que tuvo lugar con las elecciones municipales de 1979, aunque su extensión en todo el territorio español no se haría efectiva hasta bien entrados los años 80 (INSERSO, 1990). Desde entonces, ha ido experimentando un importante crecimiento (Dirección General de Acción Social, del Menor y de la Familia y FEMP —DGASMF—, 2000; IMSERSO, 2003).

Los inicios se vieron marcados fundamentalmente por una asistencia casi específica a la población mayor, con prestaciones centradas en la atención doméstica y, en menor medida, en atenciones personales y psicosociales. Durante la segunda parte de la década de los 80 se produjo un asentamiento y consolidación de esta prestación, a la vez que se inició una diversificación de la población a atender. A finales de los años 80 y principios de los 90 apareció la regulación del servicio y a los agentes participantes en la prestación pública se sumaron las entidades sociales y privadas.

5.2.2.1. Definición del Servicio de Ayuda a Domicilio

El Servicio de Ayuda a Domicilio (SAD) ha sido definido de forma genérica como un "*programa individualizado de carácter preventivo y rehabilitador, en el que se articulan un conjunto de servicios y técnicas de intervención profesionales consistentes en atención personal, doméstica, de apoyo psicosocial y familiar y relaciones con el entorno, prestados en el domicilio de una persona dependiente en algún grado*" (Rodríguez, 1997).

Asimismo, dado que nuestro trabajo se basaba en el estudio de SAD en la Comunidad Valenciana, es interesante hacer una referencia literal a la definición del Servicio de Ayuda a Domicilio en la Comunidad Valenciana. Así, según el artículo 11 de la Ley de 5/1997, de 25 de junio, de la Generalitat Valenciana, por la que se regula el Sistema de Servicios Sociales Generales, el Servicio de Ayuda a Domicilio queda definido como "un servicio para prestar atención de carácter doméstico, psicológico, rehabilitador, social, personal y educativo, cuando la situación individual o familiar sea de especial necesidad, promoviendo la permanencia de la persona en su núcleo familiar o de convivencia de origen". Esta definición defendería sobre todo un abordaje multidisciplinar de la ayuda a domicilio en el que la intervención psicológica sería un componente primordial y necesario dentro de los servicios de la ayuda a domicilio.

5.2.2.2. Objetivos

El objetivo general de los servicios de ayuda a domicilio se centra en proporcionar una asistencia de alta calidad, adecuada y eficiente para favorecer el máximo nivel de independencia, calidad de vida y dignidad posible de las personas dependientes así como apoyar a sus cuidadores dentro de su entorno comunitario y en compañía de los miembros de su red social (DGASMF y FEMP, 2000; Rodríguez, 2000b). Así, en nuestro contexto, el Servicio de Ayuda a Domicilio estaría destinado a posibilitar que las personas dependientes permanezcan en su propio domicilio ofreciéndoles ayuda en actividades domésticas, personales, educativas, etc. (Garcés, 2000).

Por lo tanto, según se puede encontrar en las revisiones de la bibliografía sobre SAD (Medina et al., 1998; Garcés, 2000; Defensor del Pueblo, SEGG y Asociación Multidisciplinaria de Gerontología, 2000; Rodríguez, 2000b; Tobaruela, 2002), el cuidado a domicilio se dirigirá a la consecución de los siguientes objetivos específicos:

- Mantener a la persona dependiente en su propio domicilio y en su entorno vital.
- Incrementar la autonomía y conseguir cambios conductuales de la persona dependiente.
- Facilitar la realización de tareas y actividades para las que presentan dependencia, sin interferir en su capacidad de decisión.
- Fomentar el desarrollo de hábitos saludables.
- Adaptar la vivienda a las necesidades de la persona atendida a través de reparaciones, adaptaciones y/o instalación de ayudas técnicas.
- Potenciar, en la medida de lo posible, el desarrollo de actividades cotidianas en la vivienda y en la comunidad.
- Incrementar la seguridad personal.
- Potenciar las relaciones sociales y paliar posibles problemas de aislamiento y soledad.
- Mejorar el equilibrio personal del individuo, de su familia y de su entorno mediante el refuerzo de los vínculos sociofamiliares.

• Favorecer la prevalencia de sentimientos positivos ante la vida, desterrando actitudes nihilistas y autocompasivas.

5.2.2.3. Programas y servicios

Como aparece en la definición del Servicio de Ayuda a Domicilio este recurso constituye un programa individualizado. Por ello, no puede asumirse como una prestación estándar o un conjunto de servicios homogéneos a suministrar de forma indistinta a todas las personas dependientes. Es necesario, por lo tanto, planificar individualizadamente cada caso, adaptándolo con flexibilidad a las peculiaridades concretas del ámbito en el que se interviene y de las circunstancias que rodean a cada individuo en su contexto sociofamiliar (Rodríguez, 2000b).

Los servicios que oferta la ayuda a domicilio son muy variados (Defensor del Pueblo Andaluz, 1995; IMSERSO/FEMP, 1998; Rodríguez y Sancho, 1999; Defensor del Pueblo, SEGG y Asociación Multidisciplinaria de Gerontología, 2000) y pueden ser agrupados en las siguientes categorías:

a) Servicios de atención personal. Se refieren a la provisión de los cuidados básicos a la persona dependiente asociados a las actividades básicas de la vida diaria como el aseo personal, vestirse/desvestirse, las ayudas para levantarse, las movilizaciones, las transferencias, etc. Incluyen también la provisión de actividades de compañía y vigilancia nocturna, conversación y escucha activa, y los paseos.

b) Servicios domésticos como la limpieza de la casa, la compra de alimentos, la preparación de las comidas, el lavado y planchado de la ropa, realizar pequeñas reparaciones, etc. Se trata en conjunto de tareas relacionadas la dependencia para la realización de actividades asociadas con el mantenimiento del hogar.

c) Servicios de apoyo psicosocial que consisten en la estimulación de la actividad de la persona dependiente, su implicación en las relaciones sociales y contacto social a través de técnicas de modificación de conducta y de habilidades sociales. Estas intervenciones más especializadas al igual que la terapia ocupacional y la fisioterapia son todavía de uso muy escaso.

d) Servicios de apoyo familiar. Implican el refuerzo de la cohesión familiar y la programación de sesiones informativas, formativas, de control de estrés, etc. para los cuidadores informales. Sería en el caso que nos ocupa de especial relevancia la provisión dentro de los servicios de respiro, desarrollar y extender el uso de los servicios de intervención psicológica dentro de la cartera de servicios ofertados por el SAD para aliviar la carga del cuidador.

e) Servicios de relación con el entorno, que incluyen el apoyo en las actividades cotidianas dentro y fuera del hogar como gestiones, acompañamiento a visitas, apoyo para acudir a la consulta del médico, transporte al centro de día, etc. Se trata de actividades relacionadas con la falta de movilidad del usuario.

f) Ayudas complementarias. Se incluyen en este apartado todas aquellas prestaciones relacionadas con las reparaciones o adaptaciones de las viviendas, la instalación de aparatos o ayudas técnicas, el servicio de teleasistencia domiciliaria, el servicio de comidas o de lavandería a domicilio, entre otros.

Los estudios realizados señalan que, en general, los servicios domésticos son los suministrados con más frecuencia (IMSERSO, 2003; Observatorio de personas mayores, 2004; MTAS, 2005) — Tabla 10—. Les siguen en importancia los servicios personales y las tareas de interacción con el entorno, mientras que las prestaciones restantes conforman apenas el 1% de las actividades provistas por el servicio domiciliario (Medina et al., 1998). No obstante, parece que existen ciertas diferencias en el tipo de servicios recibido en función del tipo de usuario. En concreto, las personas mayores dependientes reciben con mayor frecuencia servicios domésticos y menor apoyo en las relaciones con el entorno, mientras que las personas discapacitadas y con problemas sociofamiliares se caracterizan por una menor frecuencia relativa de la atención a las tareas domésticas y una mayor frecuencia del apoyo a las relaciones con el entorno (IMSERSO/ FEMP, 1998).

Tabla 10. Distribución de los servicios del SAD en España por CC.AA. Enero de 2004

Ámbito Territorial	% Tareas domésticas	% Cuidados
Andalucía	——	——
Aragón	80%	30%
Asturias	70%	59%
Baleares	——	——
Canarias	80%	20%
Cantabria	——	——
Castilla-León	——	——
Castilla-La Mancha	——	——
Cataluña	24%	76%
Comunidad Valenciana	——	——
Extremadura	80%	20%
Galicia	60%	40%
Madrid	66%	34%
Murcia	75%	25%
Navarra	20%	80%
País Vasco	31%	69%
La Rioja	46%	54%
Ceuta	67%	33%
Melilla	67%	33%
Media España	59%	44%

Fuente: MTAS, 2005.

La teleasistencia y la adaptación de viviendas están adquiriendo asimismo una importancia creciente. De forma particular, la teleasistencia y el servicio de ayuda a domicilio están estrechamente vinculados en la medida en que se dirigen, en gran parte, a los mismos grupos de la población. Por su parte, la adaptación de las viviendas de las personas con problemas de movilidad —mediante la habilitación de interior y su accesibilidad— es fundamental para que éstas puedan ser mantenidas en sus domicilios, o para que puedan habitar el espacio doméstico con menos obstáculos o de acuerdo con criterios más exigentes de calidad de vida.

En cuanto a la intensidad y periodicidad de los servicios, las diferentes investigaciones realizadas sobre el servicio domiciliario indican una intensidad que varía entre 3 y 5 horas a la semana, con una media de atención entre 4 y 4,7 horas semanales (Fundación Pfizer, 2001; IMSERSO, 2003; Observatorio de personas mayores, 2004; MTAS, 2005). Se ha observado asimismo que el 16% del total de usuarios se benefician de una atención de más de 7 horas semanales, aunque un porcentaje superior al 25% de los beneficiarios del servicio domiciliario no llegan a recibir una atención superior a tres horas semanales (IMSERSO/FEMP, 1998). De hecho la intensidad semanal del servicio casi nunca superan las 10 horas (Defensor del Pueblo, SEGG y Asociación Multidisciplinaria de Gerontología, 2000; Fundación Pfizer, 2001). Estos datos son muy similares a los encontrados en otros países de Europa (Tabla 11).

Por otro lado, los usuarios de la ayuda domiciliaria reciben el servicio con un promedio de uno o dos días por semana, periodicidad que reúne al 31,3% del total de usuarios (Observatorio de personas mayores, 2004; MTAS, 2005).

Tabla 11. Intensidad horaria mensual del SAD en España y en algunos países de Europa

Ámbito Territorial	Intensidad horaria (Número medio de horas al mes por usuario)
Media España[1,a]	**16,43**
Andalucía	8
Aragón	10
Asturias	13
Baleares [b]	12,8
Canarias	10
Cantabria	20,53
Castilla-León	19
Castilla-La Mancha	19,24
Cataluña	14
Comunidad Valenciana	10,82
Extremadura	22
Galicia	29

Tabla 11. Intensidad horaria mensual del SAD en España y en algunos países de Europa

Ámbito Territorial	Intensidad horaria (Número medio de horas al mes por usuario)
Madrid	16,85
Murcia	17
Navarra	8,76
País Vasco	25
La Rioja	13
Ceuta	22
Melilla	21,20
Otros países de Europa[2]	
Dinamarca	20
Suecia	24
Finlandia	6
Holanda	15,2
Reino Unido	20
Francia	11,2

Fuentes: [1] MTAS, 2005; [2] Cálculo propio a partir de datos de Rostgaard y Fridberg, 1998. **Nota.** [a] Datos a enero de 2004; [b] Dato a enero de 2003.

Respecto al coste aproximado del servicio de ayuda a domicilio (Tabla 12), los últimos datos a enero de 2004 señalan un promedio de 10,83 euros/hora —lo que representa unos 173 euros mensuales—, con algunas Comunidades Autónomas que establecen fórmulas de copago del orden de 8% al 18% de la cuantía total de la prestación domiciliaria (MTAS, 2005).

Tabla 12. Coste del Servicio de Ayuda a Domicilio en España por CC.AA. Enero de 2004

Ámbito Territorial	Coste/hora.	Coste medio mensual/usuario	% Copago
Andalucía	11,03 euros	88,24 euros	——
Aragón	8,00 euros	80,00 euros	15,00%
Asturias	10,44 euros	135,72 euros	8,00%
Baleares [a]	8,40 euros	107,52 euros	——
Canarias	16,00 euros	160,00 euros	——

Tabla 12. Coste del Servicio de Ayuda a Domicilio en España por CC.AA. Enero de 2004

Ámbito Territorial	Coste/hora.	Coste medio mensual/usuario	% Copago
Aantabria	7,32 euros	150,28 euros	———
Castilla-León	10,74 euros	204,06 euros	11,07%
Castilla-La Mancha	8,75 euros	168,35 euros	———
Cataluña	10,42 euros	145,88 euros	———
C.Valenciana	10,05 euros	108,74 euros	———
Extremadura	5,56 euros	122,32 euros	———
Galicia	7,60 euros	220,40 euros	21,00%
Madrid	11,07 euros	186,53 euros	8,94%
Murcia	8,29 euros	140,93 euros	———
Navarra	20,40 euros	178,70 euros	5,50%
País Vasco [b]	15,01 euros	375,25 euros	12,86%
La Rioja	9,44 euros	122,72 euros	18,42%
Ceuta	9,18 euros	201,96 euros	0,00%
Melilla	18,08 euros	383,30 euros	0,00%
Media España	10,83 euros	172,68 euros	

Fuente: MTAS, 2005. **Nota.** [a] Dato a enero de 2003. [b] Datos relativos a Álava y Guipúzcoa.

5.2.2.4. Los usuarios

El Servicio de Ayuda a Domicilio nace en España con propósito universalista, sin embargo, y en realidad, está destinado a ciertos grupos que por su situación socioeconómica son más proclives a ser destinatarios de su cartera de servicios, a saber: las personas mayores con dependencia para las actividades de la vida diaria y en condiciones de desventaja social y los personas discapacitadas.

Así, el grupo más importante de beneficiarios del recurso de ayuda domiciliaria es, al igual que en el resto de los países europeos, el de las personas mayores. Este grupo representa el 85% del total de los usuarios frente al 9% de personas discapacitadas, el 5% de familias desestructuradas con hijos y el 1% de otros usuarios no clasificables en estos colectivos (IMSERSO/FEMP, 1998).

El número de personas mayores usuarias del Servicio de Ayuda a Domicilio se ha incrementando de forma importante desde la década de los 90 y en la actualidad hay unas 230.000 personas de 65 y más años receptoras de este servicio. Dentro de ese grupo de personas mayores, el perfil es el siguiente: mujeres que tienen más de 80 años (Tobaruela, 2002; IMSERSO, 2003; Observatorio de personas mayores, 2004).

Respecto al grupo de personas discapacitadas, predominan los usuarios con discapacidad física (MTAS, 2005) entre los cuales una mayoría supera los 49 años y casi una quinta parte es menor de 18 años. Destacan entre sus receptores discapacitados las mujeres y las personas que viven con su familia o pareja. El perfil típico de las familias usuarias del SAD es de tipo conyugal, aunque casi un tercio de ellas son familias monoparentales (IMSERSO/FEMP, 1998).

La evolución de la cobertura social del SAD ha seguido un proceso consecuente con el de su difusión geográfica y ha crecido de forma importante en nuestro país. Entre 1990 y 1995 el número de usuarios del SAD se había casi duplicado pasando de 40.728 a 74.656 (IMSERSO/FEMP, 1998). En 1999 el número de personas mayores de 64 años usuarias de la ayuda a domicilio representó una cobertura del 1,8% (IMSERSO, 2003) y en 2004 había ya 228.812 usuarios mayores dependientes —una cobertura de 3,14%— (MTAS, 2005) —Tabla 13—.

Tabla 13. SAD: Número de usuarios mayores de 64 años e índice de cobertura por CC.AA.

Ámbito Territorial	Nº usuarios	Índice de cobertura
Andalucía	39.266	3,48
Aragón	8.064	3,07
Asturias	7.750	3,26
Baleares	2.784	2,09
Canarias	6.135	2,69
Cantabria	2.025	1,92
Castilla-León	17.805	3,12
Castilla-La Mancha	17.460	4,87

Tabla 13. SAD: Número de usuarios mayores de 64 años e índice de cobertura
por CC.AA.

Ámbito Territorial	Nº usuarios	Índice de cobertura
Cataluña	44.472	3,87
Comunidad Valenciana	12.363	1,67
Extremadura	15.415	7,41
Galicia	11.220	1,91
Madrid	28.024	3,37
Murcia	3.153	1,76
Navarra	3.675	3,56
País Vasco	6.793	1,77
La Rioja	1.894	3,41
Ceuta	283	3,44
Melilla	231	3,15
España (Total)	228.812	3,14

Fuente: MTAS, 2005.

Estas cifras, si bien alentadoras, representan un retroceso
frente a la previsión del 8% de cobertura prevista en el Plan
Gerontológico para el año 2000 (INSERSO, 1993) y como hemos
visto al principio de este apartado en comparación con otros
países de Europa.

5.2.2.5. Condiciones de acceso

El acceso al Servicio de Ayuda a Domicilio público viene
determinado por una serie de criterios fijados por las Administraciones autonómicas relacionados con la situación personal,
familiar y socioeconómica del beneficiario. En general, la concesión de la prestación del servicio domiciliario viene precedida
por un estudio de las necesidades del demandante que incluye
las siguientes variables: situación personal, ayudas familiares,
grado de dependencia para las actividades cotidianas, estado de
salud, nivel de renta familiar y estado de la vivienda, etc.
(Defensor del Pueblo Andaluz, 1995; Tobaruela, 2002).

Uno de los criterios más relevantes para la concesión del SAD
es la percepción de un nivel máximo de ingresos a partir del cual

se asume que el individuo no puede acceder al servicio público. Esta cuantía límite oscila entre 660 y 901 euros mensuales. Los solicitantes del servicio, una vez formulada su solicitud, pasan a formar parte de una lista de espera, dado que por ahora la Administración no puede atender de manera inmediata todas las demandas. Se ha estimado que del conjunto de las listas de espera más del 90% son personas mayores, el 6% son discapacitados y el 4% restante son personas que pertenecen al colectivo de familia/infancia u "otros" (IMSERSO/FEMP, 1998).

5.2.2.6. Los profesionales del Servicio de Ayuda a Domicilio

Las prestaciones del Servicio de Ayuda a Domicilio son realizadas esencialmente por personal que se ha denominado de muy diversas maneras en función de cada Comunidad Autónoma, a saber: trabajadoras familiares, auxiliares de geriatría, auxiliares de hogar o de ayuda a domicilio. Se trata, en general, de profesionales con formación profesional que reciben diversa formación con desigual calidad, impartida en la mayoría de los casos por la institución que suministra el servicio (DGASMF y FEMP, 2000; Fundación Pfizer, 2001).

Por otro lado, la organización y coordinación del Servicio de Ayuda a Domicilio suele estar a cargo de los trabajadores/as sociales, aunque, en algunos casos es un equipo multiprofesional el que se responsabiliza de su funcionamiento (Defensor del Pueblo, SEGG y Asociación Multidisciplinaria de Gerontología, 2000). De cualquier forma, las Administraciones públicas están asumiendo desde ya hace algún tiempo la fórmula de externalización de la gestión a través de empresas privadas.

5.2.2.7. Tipos de gestión

Inicialmente, el Servicio de Ayuda a Domicilio era prestado por personal contratado por la Administración. Posteriormente, la prestación pasó a depender de cooperativas surgidas frecuentemente con apoyo de los ayuntamientos. En la actualidad, el suministro de este recurso domiciliario ha sido absorbido en gran parte por empresas de mayor tamaño capacitadas para ofrecer una mayor calidad de servicio en los respectivos concursos públicos. Se trata, por lo tanto, de asociaciones no lucrativas, empresas mercantiles o cooperativas de trabajo asociado que gestionan servicios de titularidad pública siendo la Administración la que regula las condiciones de prestación y selecciona a los beneficiarios (DGASMF y FEMP, 2000; Fundación Pfizer, 2001).

Por ello, pueden existir los siguientes tipos de gestión del Servicio de Ayuda a Domicilio: a) una gestión directa en la que la entidad pública es la titular del servicio, realiza las prestaciones con personal propio y la selección de los usuarios; b) una gestión concertada con entidades privadas con o sin ánimo de lucro —al que hemos hecho referencia arriba— en la que la titularidad y la selección de usuarios es de la entidad pública, que concede la gestión a una entidad privada que contrata al personal y suministra el servicio. Asimismo, existen, aunque en menor medida, los siguientes tipos de gestión: c) subvenciones a entidades privadas sin ánimo de lucro en la que la entidad pública subvenciona totalmente o parte del servicio prestado por la empresa titular del servicio, que además tiene su propio personal y selecciona a los usuarios, todo ello bajo regulaciones de la Administración; d) Prestación económica individual, ayudas, cheques, etc. En este caso, la entidad pública, titular del servicio, concede una prestación económica al usuario a través del cual paga el importe de la prestación (DGASMF y FEMP, 2000).

5.2.2.8. *Factores implicados en la calidad y eficiencia de los servicios de ayuda a domicilio*

Actualmente no sólo se atiende ya al tipo de gestión y la amplitud de la cartera de servicios del SAD, sino que la atención se centra en la calidad de la prestación. Por ello es preciso revisar los hallazgos obtenidos en las investigaciones sobre calidad de los cuidados domiciliarios. En este caso, es de utilidad una investigación financiada por el Fondo Social Europeo sobre *"Calidad percibida de las personas que reciben atención domiciliaria y residencial"* realizada por Garcés y colaboradores (1998, citado en Garcés, 2000) en la que los investigadores analizaron los variables que componen la satisfacción y la calidad percibida del SAD.

En concreto, los factores de calidad y satisfacción percibida de atención domiciliaria por parte del usuario que emergieron en este estudio estaban relacionados con (Tabla 14):

a) La importancia de la calidad de la realización de tareas de cuidado personal, es decir, que el auxiliar cuide de la higiene y el aseo personal del usuario dependiente, le ayude a vestirse, le corte el pelo y le peine, y le corte y pinte las uñas.

b) La adecuada estructura del servicio centrada fundamentalmente en que el auxiliar sea puntual en su hora de llegada al domicilio, que suministre un mayor número de horas y días de dedicación al servicio, y que haga partícipe al usuario de las decisiones sobre los servicios a recibir.

c) Actividades asociadas con el mantenimiento del hogar: los usuarios evaluaron como variables de calidad del servicio que los auxiliares estuvieran informados sobre si faltaba algo en la casa, que les ayudara en las tareas extradomésticas, fueran competentes para resolver problemas imprevistos, que conocieran sus medicamentos así como el modo y periodicidad en su toma.

d) Servicios de apoyo psicológico y social. Los usuarios valoraron positivamente para una mayor calidad y satisfacción con las preocupaciones y el interés de los auxiliares por su estado de ánimo, que les escucharan y les hicieran compañía, les apoyaran en sus decisiones, les dieran consuelo en momentos de crisis y problemas, y les posibilitaran las relaciones sociales.

e) Buenas relaciones profesional/cliente. Las personas dependientes usuarias del SAD valoraron fundamentalmente
que el auxiliar fuera una persona de confianza, cuyo trato fuera
respetuoso y amable.

**Tabla 14. Listado de los factores de calidad y satisfacción percibida de los servicios
de atención domiciliaria propuestos por Garcés y colaboradores (1998)**

Factores de calidad y satisfacción percibida en el ámbito europeo
• La calidad de la realización de las tareas de cuidado personal. • La adecuada estructura del servicio. • La calidad de los servicios relacionados con el mantenimiento del hogar. • La disponibilidad de servicios de apoyo psicológico y social. • La existencia de buenas relaciones profesional/cliente.

Fuente: Garcés et al., 1998 citado en Garcés, 2000.

En este sentido, otros autores también han destacado la
importancia de la calidad de los servicios de limpieza y de
labores de la casa tanto para la satisfacción de los cuidadores
como de los usuarios de servicio de ayuda a domicilio (Edelbak,
Samuelson e Ingvad, 1995; Clark, Dyer y Horwood, 1998;
Davies et al., 1998). También los estudios han evidenciado la
relevancia de las buenas relaciones entre usuario y auxiliar, la
competencia de los profesionales del servicio, la amabilidad y
buen estado de ánimo de los profesionales y la seguridad sobre
la continuidad del servicio asociados con la satisfacción y la
percepción de calidad de la ayuda a domicilio (Edelbak,
Samuelson e Ingvad, 1995; Clark, Dyer y Horwood, 1998;
Davies et al., 1998; Herbert, Moore y Johnson, 2000).

5.2.2.9. Evaluación

Al igual que en otros países europeos (Jamieson, 1991;
Gough y Thomas, 1994; FNADAR, 1995; Palau, 1996; Fior,
1997; Joël y Martín, 1997), los efectos positivos potenciales del
cuidado domiciliario han sido documentados en nuestro país

(Defensor del Pueblo, SEGG y Asociación Multidisciplinaria de Gerontología, 2000; Garcés, 2000; Rodríguez, 2000a). Por un lado, la investigación ha destacado el impacto considerable del cuidado domiciliario en la disminución de los costes asistenciales debido a: a) la reducción de las estancias hospitalarias y de las listas de espera, b) la menor demanda de plazas en residencias y c) el menor coste del SAD frente a otras alternativas asistenciales (en general, cuidados institucionales). En concreto, Garcés hace especial hincapié en que una amplia cobertura de este recurso domiciliario se conforma como "*un mecanismo eficaz y eficiente para prevenir la institucionalización de los mayores en residencias alejadas de su entorno vital y, por consiguiente, un importante ahorro público en plazas residenciales y hospitalarias*" (Garcés, 2000). Por otro lado, el retraso de la institucionalización de la persona dependiente se ha vinculado con un aumento en su calidad de vida y su bienestar (Bowers, 1987; Tinker, 1994; Sancho, 1994). Asimismo, el Servicio de Ayuda a Domicilio implica un apoyo al cuidador informal, si bien es éste un tema que necesita ser estudiado con mayor profundidad (Sundströn, 1994; Rodríguez, 1995; Rodríguez, 2000a).

De estas argumentaciones se podría colegir que la implementación del SAD no sólo es rentable y favorece el bienestar material y psicológico de sus usuarios, sino que es una fuente generadora de empleo, capaz de acoger un número importante de personas que, en la actualidad, tiene especialmente difícil el acceso al mundo del trabajo, en particular los parados de larga duración (Defensor del Pueblo, SEGG y Asociación Multidisciplinaria de Gerontología, 2000).

Así y todo el SAD no está exento de críticas. En su contra se afirma que: 1) ha fracasado en alcanzar la cobertura propuesta en el Plan Gerontológico; 2) la calidad de la atención peligra debido a la falta de una adecuada formación de los auxiliares del servicio; 3) la heterogeneidad en las formas de prestación que existe en el Estado, requerirá dictar normas básicas que establezcan requisitos, formas de acceso y contenido del servicio

(Defensor del Pueblo, SEGG y Asociación Multidisciplinaria de Gerontología, 2000); 4) como señala Jacobzone (1999), la atención domiciliaria sólo constituye una mejor alternativa en los casos en los que los receptores tienen un grado moderado de dependencia; y 5) los servicios del SAD se centran principalmente en la prestación de ayuda para la realización de actividades instrumentales para la persona dependiente (cuidado personal y tareas domésticas), habiéndose detectado la relevancia de organizar recursos de respiro y servicios psicológicos para los cuidadores informales principales (Garcés, 2000).

6. INSTRUMENTOS DE EVALUACIÓN DE LA CARGA DEL CUIDADOR

La evaluación del cuidador y de las consecuencias que tiene la asistencia a una persona dependiente sobre el proveedor de cuidados se inició en la década de 1960, en el marco de los estudios pioneros sobre familiares de personas dependientes llevados a cabo por Grad y Sainsbury (1963), Lowenthal y Berkman (1967) y Panting y Merry (1972) (Zarit, 1990a,b; Friss, 2002). No obstante, no fue hasta el año 1980 con la publicación de la Burden Interview de Zarit y colaboradores (Zarit, Reever y Bach-Peterson, 1980) que comenzaron a aparecer las primeras medidas específicas de la carga del cuidador. Se trataba inicialmente de pruebas unidimensionales, aunque entre finales de los años 80 y principios de los 90, de acuerdo con la evolución teórica del concepto de carga, se empezaron a crear medidas que iban más allá de la dimensión única de carga y que enfatizaban las múltiples dimensiones del impacto del cuidado (Haley, 1989; Montgomery y Borgatta, 1989; Zarit, 1990a; Mittleman et al., 1995; Friss, 2002).

Varios investigadores han realizado diferentes revisiones sobre los instrumentos de evaluación de la carga del cuidador existentes en la actualidad, entre las que se pueden destacar las efectuadas por Chou y colaboradores (2003) en el campo de las pruebas dirigidas de forma específica a cuidadores de enfermos mentales y personas mayores dependientes; y las de Kinsella y colaboradores (1998) que revisa además los instrumentos de carga en cuidadores informales de enfermos terminales.

Los instrumentos de evaluación de la carga serán clasificados en función de la medida que se obtenga de ellos: a) una única medida de la carga del cuidador —pruebas unidimensionales—; b) dos medidas —pruebas bidimensionales—; o c) varias dimensiones de la carga —pruebas multidimensionales—. Asimismo, dentro de cada una de estas tres categorías anteriores, se estructurarán los instrumentos en función de la población de personas dependientes que los suscitaron, dado que los instrumentos de carga del cuidador revisados y disponibles en la actualidad se han originado en el campo de la investigación sobre la carga del cuidador de personas mayores dependientes, por un lado, así como a partir del estudio de las repercusiones negativas del cuidado de enfermos terminales, por otro.

6.1. Medidas unidimensionales de la carga del cuidador

6.1.1. Medidas unidimensionales de la carga del cuidador originadas a partir de investigaciones con muestras de cuidadores de personas mayores dependientes

a) **Burden Interview** —BI— (Zarit, Reever y Bach-Peterson, 1980; Zarit, Orr y Zarit, 1985; Zarit, Cheri y Boutselis, 1987)

Se trata de un instrumento diseñado dentro del marco de la teoría general del estrés y que fue desarrollado por sus autores a partir de su experiencia clínica con cuidadores y de la investigación realizada en este campo (Chou et al., 2003).

Esta escala, originalmente formada por 29 ítems (Zarit, Reever y Bach-Peterson, 1980), fue revisada y reducida posteriormente a 22 ítems (Zarit y Zarit, 1982; Zarit y Zarit, 1983; Zarit, Orr y Zarit, 1985). Representa una combinación de estresores secundarios —tensión y conflicto de rol— y valoración secundaria según el Modelo del Proceso del Estrés. En concreto, mide los sentimientos de los cuidadores respecto a su relación con los receptores del cuidado y el impacto que la asistencia tiene sobre su salud, su economía, su vida social y sus relaciones interpersonales (Zarit, Reever y Bach-Peterson, 1980). El cuidador indica el grado de molestia que le provoca la ocurrencia de un ítem particular y evalúa cada ítem en una escala likert de 5 puntos que oscila entre 0 (nunca) y 4 (casi siempre). La suma de las respuestas a cada uno de los ítems da lugar a una puntuación total entre 0 y 88, en la que cuanto más elevada es la puntuación, mayor es la carga experimentada por el cuidador. El tiempo de administración va de 20 a 25 minutos.

Disponemos en la actualidad de esta escala validada y adaptada a nuestro medio por Martín y colaboradores (1996) con el nombre de Escala de Sobrecarga del Cuidador.

Dado que este instrumento ha sido utilizado en nuestro estudio, sus propiedades psicométricas serán ampliamente detalladas en el apartado de metodología de este trabajo. Por ello, aquí sólo se harán valoraciones sobre la bondad psicométrica de la BI, refiriendo al lector para mayor información a dicho apartado.

Entre las ventajas del uso de la BI encontramos que:

- Se ha configurado como una de las medidas más utilizadas, estudiadas y difundidas para valorar la sobrecarga del cuidador (Hassinger, 1986; Gubrium y Lynott, 1987; Whitlatch, Zarit y von Eye, 1991; García, Mateo y Gutiérrez, 1999; Chou et al., 2003; García, Mateo y Maroto, 2004) e incluso como prueba de base para el desarrollo de nuevos instrumentos (Gerritsen y van der Ence, 1994).

- Como han señalado Chou y colaboradores (2003), esta escala valora la percepción subjetiva del cuidador a cada uno de los ítems e incluye aquellos estímulos situacionales considerados como fuentes de carga.

- Se ha comprobado que los cuidadores con mayor nivel de sobrecarga, evaluada mediante este instrumento, muestran peor autopercepción de salud, más probabilidad de tener problemas emocionales y manifiestan deseos de transferir su responsabilidad de cuidar a otros en mayor medida que los cuidadores con menor sobrecarga (Kinsella et al., 1998; García, Mateo y Gutiérrez, 1999; García, Mateo y Maroto, 2004). Además, la puntuación de carga obtenida en esta escala resulta ser mejor predictor de institucionalización que el estado mental o los problemas de conducta del receptor de los cuidados (Brown, Potter y Foster, 1990).

- Ha demostrado en diversos estudios una adecuada fiabilidad en términos de consistencia interna (Gallagher, 1985; Hassinger, 1986; Thompson, Futterman, Gallagher-Thompson y Lovett, 1993; Arai y Washio, 1995; Martín et al., 1996; Montorio et al., 1998) y fiabilidad test-retest (Gallagher, Lovett y Leiss, 1985; Martín et al., 1996).

- Tiene una adecuada validez de contenido, dado que los ítems se derivan de la experiencia investigadora y clínica con cuidadores de individuos con demencia (Vitaliano, Young y Russo, 1991). Además, Pratt et al. (Pratt, Schmall y Wright, 1986) informaron que las puntuaciones de la BI correlacionaban negativamente con la moral —esto es, un estado de ánimo optimista y entusiasta— y positivamente con las horas pasadas proporcionando el cuidado, lo que evidencia validez de constructo.

Las principales limitaciones del uso de esta escala hacen referencia a:

- Chou y colaboradores (2003) comentan que su naturaleza unidimensional genera que no se alcance la misma riqueza de datos que con aquellas escalas que enfatizan los aspectos multidimensionales de la carga del cuidador. No obstante, algunos autores han analizado la estructura factorial de este instrumento y han hallado la existencia de dos factores (Hassinger, 1986; Whitlatch, Zarit y Von Eye, 1989), aunque en ninguno de los dos casos se especifica la metodología seguida para la realización del análisis factorial. Para el instrumento adaptado a nuestro medio se identificaron tres dimensiones de la carga del cuidador (Martín et al., 1996; Montorio et al., 1998), que serán expuestos en el apartado de metodología de este trabajo.

• No existen investigaciones hasta el momento que hayan valorado la validez discriminativa de la escala (Chou et al., 2003).

b) *Caregiver Strain Index* —CSI— (Robinson, 1983)

El CSI, diseñado a partir de análisis cualitativos de entrevistas con cuidadores adultos de padres mayores, está formado por 13 ítems de respuestas dicotómicas —si/no— sobre reacciones de los cuidadores a la discapacidad y al impacto objetivo y subjetivo de la tarea de cuidado. Se trata de un instrumento breve y fácilmente administrable que identifica de forma simple la carga de proveedores informales de cuidado (Robinson, 1983).

La escala está dotada de un nivel de consistencia interna satisfactorio, con valores de coeficientes alpha de Cronbach igual a 0,82 (Schumacher, Dodd y Paul, 1993) y 0,86 (Robinson, 1983) en función de los estudios. Hay asimismo datos disponibles que evidencia que el CSI tiene validez de constructo, ya que señalan asociaciones significativas del CSI con el nivel de discapacidad física y mental del receptor de cuidados, la salud emocional de los cuidadores, las percepciones del cuidador de la situación de cuidados (Robinson, 1983) así como correlaciones moderadas con el nivel funcional de pacientes con cáncer medido con la Karnofsky Performance Scale (Schumacher, Dodd y Paul, 1993).

No obstante, como han remarcado Kinsella y colaboradores (1998), la utilidad del CSI en el marco de la investigación con cuidadores de enfermos terminales puede ser limitada, fundamentalmente porque la escala refleja los estresores asociados con la asistencia a pacientes tras una hospitalización aguda.

c) *Caregiver Perceived Burden* —CPB— (Strawbridge y Wallhagen, 1991)

Es un instrumento compuesto por 22 ítems que reflejan, en una única medida, la magnitud con la que los cambios físicos, emocionales y de actividad, debidos al cuidado, son percibidos como problemas o preocupaciones (Strawbridge y Wallhagen, 1991). Cada ítem se puntúa en una escala de 5 puntos que va desde "ningún problema o preocupación" hasta "siempre es un problema o una preocupación".

Pocos son los indicadores identificados sobre la bondad psicométrica de la escala. Los propios autores de la prueba hallaron una fiabilidad interna satisfactoria igual a 0,94 (Strawbridge y Wallhagen, 1991).

6.1.2. Medidas unidimensionales de la carga del cuidador originadas a partir de investigaciones en cuidados paliativos

a) *Caregiver Tasks* (Stetz, 1986)

Stetz propuso en 1986 este inventario para valorar los niveles objetivos de la carga del cuidador informal de personas con cáncer avanzado. Está compuesto por un listado de 15 actividades de cuidado en las que el sujeto ha de contestar en una escala de valoración dicotómica si las realiza o no. Si bien se trata de un instrumento con una administración relativa-mente simple, la interpretación puede ser más problemática en cuanto que no se proporciona justificación conceptual para la selección de los ítems, la escala es medida como una puntuación acumulativa de todos sus elementos, y no se valora la carga subjetiva del cuidado (Kinsella et al., 1998).

Esta escala fue modificada posteriormente por Wallhagen (1988) a través de la combinación de varios ítems e introduciendo una escala de respuesta de frecuencia de 6 puntos de "nunca" a "diariamente". La consistencia interna de la prueba revisada, medida a través del coeficiente alpha de Cronbach, ha sido de 0,85 (Strawbridge y Wallaghen, 1991). No se han encontrado otros indicadores sobre la bondad psicométrica de esta prueba.

b) *Caregiver Load Scale* —CLS— (Oberst et al., 1989)

La CLS objetiva las demandas de cuidado a través de la evaluación del tiempo y energía dedicados a 10 actividades comunes de cuidado, que incluyen el cuidado personal, el apoyo emocional, los tratamientos médicos/de enfermería, y el transporte. Los ítems se puntúan en una escala likert de 5 puntos que va desde "poca o ninguna energía" a "una gran cantidad de tiempo o energía". La suma de todos los ítems da lugar a la puntuación total de carga del cuidador.

Los autores de la CLS demostraron que la escala estaba dotada de una buena consistencia interna y validez de constructo (Oberst et al., 1989). En concreto, obtuvieron un coeficiente alpha de Cronbach igual a 0,87 y se asoció de forma significativa con la dependencia del paciente, la duración del tratamiento del paciente y el tipo de residencia.

Kinsella y colaboradores (1998) han destacado que la utilidad de este instrumento puede ser limitada dado que proporciona sólo un índice resumen total de la conducta del cuidado sin un apoyo analítico factorial y no mide la carga subjetiva.

c) *Caregiver Burden Tool* (Ferrel et al., 1995)

Este instrumento se desarrolló para modificar el Caregiver Strain Index (CSI) —de Robinson (1983)— descrito más arriba con el propósito de investigar el impacto de la formación sobre dolor oncológico en 50 cuidadores familiares de personas mayores con cáncer. Los autores modificaron el CSI reformulando y añadiendo algunos ítems en los que se valoraba el impacto percibido del dolor de los receptores del cuidado así como de otros síntomas asociados al dolor (como por ejemplo las molestias que genera en el sueño del paciente o los desajustes emocionales que provoca) sobre la carga del cuidador. La prueba, formada finalmente por 14 ítems, incluyó una escala de 0 (carga extrema) a 5 (ninguna carga) para sustituir el formato de respuestas dicotómicas (sí/no) del CSI.

No hay datos específicos disponibles son la fiabilidad y validez de esta escala.

6.2. *Medidas bidimensionales*

6.2.1. Medidas bidimensionales de la carga del cuidador originadas a partir de investigaciones con muestras de cuidadores de personas mayores dependientes

a) *Montgomery's Burden Scale* (Montgomery, Goneya y Hooyman, 1985)

Esta escala fue desarrollada por Montgomery y colaboradores (Montgomery, Goneya y Hooyman, 1985) a partir de su propuesta sobre la distinción entre dimensiones objetivas y subjetivas de la carga, y con el fin de valorar su relación con la experiencia de cuidado. Así, este inventario permitió ampliar la conceptualización y la medida de la carga (Vitaliano, Young y Russo, 1991).

La Burden Scale está formada por dos escalas: la medida de carga objetiva y la de carga subjetiva, que se corresponden con la valoración de los estresores secundarios y la valoración secundaria del Modelo del Proceso del Estrés (Zarit, 1990a). La subescala de carga objetiva está compuesta por un inventario de 9 ítems en el que se pregunta a los cuidadores que informen sobre la magnitud en la que sus actividades asistenciales han repercutido sobre áreas de su vida. Las respuestas a los ítems se puntúan a través de una escala tipo likert de 5 puntos. La puntuación total de la subescala de carga objetiva puede oscilar entre 9 y 45, en la que las puntuaciones más altas indican una mayor carga objetiva.

La medida de carga subjetiva fue diseñada a partir de la Burden Interview de Zarit (Zarit, Reever y Bach-Peterson, 1980). Está formada por una escala de 13 ítems relacionados con sentimientos y actitudes del cuidador hacia la situación de cuidado, y cada uno de sus ítems se puntúa en una escala likert de 5 puntos que señalan la frecuencia con la que experimentan cada afirmación, pudiendo oscilar la puntuación total entre 13 y 65 puntos. Las puntuaciones más altas son indicativas de mayor carga subjetiva.

La fiabilidad de ambas escalas ha sido examinada en estudios previos (Montgomery, Goneya y Hooyman, 1985; Montgomery y Borgatta, 1989; Robinson, 1990) señalando una adecuada consistencia interna con coeficientes alpha de Cronbach entre 0,70 y 0,94 para la subescala de carga objetiva e iguales a 0,86 (Montgomery, Goneya y Hooyman, 1985), 0,73 (Montgomery y Borgatta, 1989) y 0,66 (Robinson, 1990) para la de carga subjetiva. No existe información disponible sobre la fiabilidad test-rest y la de formas paralelas (Chou et al., 2003).

Asimismo, se trata de un instrumento con validez de contenido dado que ha sido diseñado en parte a partir de la BI de Zarit. Respecto a la validez de constructo, la medida de carga subjetiva ha mostrado asociaciones significativas con características del cuidador tal como la edad y la relación con la persona mayor (Montgomery, Goneya y Hooyman, 1985) así como con el ajuste marital (Robinson, 1990) y la carga objetiva se ha relacionado con el tipo de tareas asistenciales realizadas (Montgomery, Goneya y Hooyman, 1985) y con el estado de salud del cuidador (Schott-Baer, 1993). Se han hallado además correlaciones significativas entre las dos subescalas, compartiendo ambas un 12% de varianza común

(Montgomery, Goneya y Hooyman, 1985). No se han examinado otros tipos de validez.

Finalmente, si bien este instrumento ha contribuido de forma importante a la evolución teórica del concepto de carga, se trata de un inventario no publicado y con el que sólo se ha llevado a cabo una investigación mínima (Chou et al., 2003).

b) *Screen for Caregiver Burden* —SCB— (Vitaliano et al., 1989)

Vitaliano y colaboradores (1989) desarrollaron este instrumento en 1989 con el objetivo de rectificar las debilidades que habían emergido en las escalas desarrolladas anteriormente (Chou et al., 2003), proponiendo una medida de la carga que combinara características de valoración primaria y evaluación subjetiva de estresores secundarios (Zarit, 1990).

La SCB es una escala de 25 ítems diseñada inicialmente para valorar la carga subjetiva y objetiva entre los cuidadores de enfermos de Alzheimer (Vitaliano, Young y Russo, 1991) en la que se pide a los cuidadores que señalen el grado de malestar que experimentan en cada ítem. La parte de la carga objetiva fija la ocurrencia de una afirmación y se puntúa con un 0 (no ocurrencia) o un 1 (ocurrencia), pudiendo alcanzar un máximo de 25 puntos. Cuanto más elevada es esta puntuación, mayor es la carga objetiva experimentada por el proveedor de cuidados. La parte de la carga subjetiva es igual al malestar total informado para los 25 ítems o experiencias valoradas entre 0 (ningún malestar) y 3 (malestar grave). Así, la puntuación total de la parte subjetiva puede alcanzar un valor máximo de 75, y a mayor puntuación mayor carga subjetiva.

El instrumento de Vitaliano ha alcanzado valores alpha de Cronbach satisfactorios —0,85 y 0,88 para la carga objetiva y subjetiva, respectivamente— así como elevadas fiabilidades test-retest iguales a 0,64 y 0,70 para la carga objetiva y subjetiva, de forma respectiva, a lo largo de un período de 15 a 18 meses. No hay información disponible sobre la fiabilidad con formas paralelas y sobre correlaciones entre ítems y con la puntuación total (Bausell, 1986; Chou et al., 2003).

Mediante estudios realizados por los autores del instrumento (Vitaliano, Russo y Young, 1991), se ha comprobado la validez convergente y divergente de la escala a través del hallazgo de asociaciones significativas con variables del cuidador, siendo más fuertes estas correlaciones con la carga objetiva. En general, las variables del receptor de cuidados compartían mayor varianza con la carga objetiva que con la subjetiva. Por su parte, la validez de constructo ha sido apoyada a través de la identificación de relaciones significativas del funcionamiento cognitivo y conductual del paciente con la carga objetiva y el distrés del cuidador así como de variables de personalidad con la carga subjetiva. Los investigadores demostraron también la validez de criterio de la prueba (Brodaty et al., 2002).

Se ha encontrado además que la SCB tiene cierta sensibilidad al cambio de la carga objetiva y subjetiva en cuanto que sus puntuaciones incrementan con el tiempo, a la vez que se modifican con las variaciones de factores relacionados con el cuidador —depresión, ansiedad y moral— y con el receptor de cuidados —estado mental y funcional— (Chou et al., 2003).

Si bien esta escala está dotada de buenas propiedades psicométricas y ha demostrado su utilidad clínica (Chou et al., 2003) también ha sido criticada principalmente por la inclusión de afirmaciones subjetivas en la medida de carga objetiva y consecuentemente la ausencia de una distinción clara entre las dimensiones objetivas y subjetivas de la carga. Asimismo, la capacidad de generalización de los resultados se ve limitada por la naturaleza predominantemente caucasiana y no aleatorizada de la muestra, aunque esta escala ha sido utilizada con éxito en Alemania (Brodaty et al., 2002).

6.3. Medidas multidimensionales de la carga del cuidador

6.3.1. Medidas multidimensionales de la carga del cuidador originadas a partir de investigaciones con muestras de cuidadores de personas mayores dependientes

a) *Kosberg and Cairl's Cost of Care Index*—CCI— (Kosberg y Cairl, 1986)

El CCI fue diseñado como una herramienta de gestión de casos para identificar las consecuencias adversas existentes y potenciales del cuidado de personas mayores dependientes sobre los cuidadores informales (Chou et al., 2003).

El CCI contiene 20 ítems medidos con una escala likert de 4 puntos. Está compuesta por 5 factores, correspondiendo bloques de 4 ítems a cada una de las siguientes 5 dimensiones: restricciones sociales y personales, problemas emocionales y físicos, costes económicos, implicación moral en la tarea de cuidado, y percepción del receptor de cuidados como un provocador. Las puntuaciones de cada subescala van del rango de 4 a 16, y una puntuación elevada indica una mayor sobrecarga en la dimensión en cuestión. Además, se obtiene una puntuación total, entre 20 y 80 puntos, en la que a mayor puntuación mayor sobrecarga del cuidador.

Los autores del instrumento han demostrado que la consistencia interna alcanza un coeficiente de alpha igual a 0,91, pero no proporcionan datos sobre fiabilidad test-retest y formas paralelas. Han demostrado asimismo su validez de contenido a través del hallazgo de correlaciones significativas entre su puntuación total y varios componentes de la carga con algunas características del cuidador (género, nivel de estudios, y vivir con el paciente), funcionamiento del cuidador (psicopatología, salud mental y salud física), consecuencias del cuidado (problemas debidos a la dependencia y a la conducta del paciente), y funcionamiento del paciente (discapacidad cognitiva y conductual).

Las diferentes dimensiones de la carga que identifica este instrumento la convierte en especialmente útil para la dirección específica de intervenciones sobre la carga del cuidador. No obstante, las altas intercorrelaciones halladas entre 4 de las 5 subescalas llevan a cuestionar su independencia. Por otro lado, existen ciertos problemas para la generalización de sus respuestas a otros grupos de cuidadores dado que los estudios realizados con esta escala han utilizado una muestra no aleatorizada de sujetos (Chou et al., 2003).

b) *Caregiver Burden Inventory* —CBI— (Novak y Guest, 1989)

Novak y Guest (1989) desarrollaron un instrumento multidimensional que medía el impacto de la carga de los cuidadores a partir de su experiencia con los cuidadores de demencia y a partir de escalas de sobrecarga del cuidador previamente publicadas (Zarit, Reever y Bach-Peterson, 1980; Poulshock y Deimling, 1984; Moryez, 1985; Robinson, 1990).

El CBI está formado por 24 ítems, repartidos en 5 subescalas —carga dependiente del tiempo, carga de desarrollo, carga física, carga social, y carga emocional—. La puntuación de cada ítem va de 0 (nada descriptivo) a 4 (totalmente descriptivo), de la que se obtiene una puntuación total que oscila entre 0 y 96 puntos así como una puntuación para cada subescala. Una mayor puntuación indica una mayor sobrecarga.

Aunque esta escala tiene propiedades psicométricas limitadas, los autores encontraron una consistencia interna satisfactoria para cada uno de los factores (alpha de Cronbach igual a 0,85, 0,85, 0,86, 0,73 y 0,77, respectivamente), aunque la fiabilidad test-retest y la fiabilidad de formas paralelas no han sido examinadas.

Por otro lado, el CBI tiene validez de contenido al haber sido desarrollado a partir de otros instrumentos de sobrecarga y su validez de constructo ha quedado demostrada a través de un análisis factorial de componentes principales con rotación varimax ortogonal del que emergieron 5 factores. Estos 5 factores dan cuenta del 66% de la varianza y cada factor explicó entre el 9 y el 12% de la varianza (Novak y Guest, 1992).

c) *Questionnaire on Resources and Stress*—QRS—(Holroyd, 1987)

El QRS consiste en 285 ítems de verdadero/falso y 15 subescalas relacionadas con el estrés en personas que asisten a familiares discapacitados o con una enfermedad crónica. Se ha reducido también a un instrumento de 11 subescalas de 6 ítems cada una a través de análisis factorial.

La consistencia interna de la puntuación total de la escala es igual a 0,96 y a 0,85 con la versión corta. Las fiabilidades para cada subescala van del rango de 0,23 a 0,88 y de 0,23 a 0,80 para la versión corta. El QRS también tiene validez de contenido, dado que los ítems fueron seleccionados de un conjunto de 556 ítems por 12 expertos durante el desarrollo de la escala. Además, varios estudios han demostrado que el QRS puede distinguir de forma fiable entre poblaciones que difieren en diagnóstico, grado de discapacidad, características familiares, acceso a los recursos comunitarios, y residencia del receptor de cuidados (Holroyd, 1987). Se ha planteado, sin embargo, la necesidad de estudios para fijar la fiabilidad test-retest, evaluar la sensibilidad de la medida al cambio y relacionar la medida con modelos conceptuales del estrés del cuidado familiar (Kinsella et al., 1998).

d) *Caregiver Appraisal Scale* (Lawton et al., 1989)

Este instrumento fue desarrollado a partir del modelo cognitivo del estrés (Lazarus y Folkman, 1984) y asume que las valoraciones de los eventos de una persona, incluyendo sus valoraciones cognitivas y afectivas y sus reevaluaciones del estresor potencial así como la eficacia de su habilidad de afrontamiento, son importantes determinantes de la carga. La medida incluye 5 dimensiones hipotetizadas de evaluación del cuidador y comprobadas vía análisis factorial: a) la carga subjetiva del cuidador, b) su satisfacción con el cuidado, c) el impacto sobre cuidador, d) su maestría en el cuidado, y e) la reevaluación cognitiva. Las dimensiones de carga subjetiva, impacto del cuidado y reevaluación cognitiva se corresponderían de forma respectiva con la valoración secundaria, los estresores secundarios y las estrategias de afrontamiento de Modelo del Proceso de Estrés (Zarit, 1990a).

Cada uno de sus 47 ítems son puntuados utilizando una de los dos escalas de 5 puntos de "nunca" a "casi siempre verdad" o "muy de acuerdo" a "muy en desacuerdo".

Se ha proporcionado algún apoyo para la presencia de 5 dimensiones a través de un análisis factorial, utilizando dos muestras de cuidadores informales de personas con demencia. Esta investigación informó que la consistencia interna de las subescalas iba del rango de 0,65 a 0,87. Se ha indicado también evidencia de validez de constructo en relación con estados afectivos, calidad de las relaciones interpersonales con los receptores de cuidado, y carga emocional, aunque los autores reconocen que se necesitan estudios más profundos para una mejor validación psicométrica y análisis de la estructura factorial.

e) *Bass's Model* (Bass y Bowman, 1990)

Este cuestionario obtiene, a través de 8 ítems, las valoraciones que efectúan los cuidadores sobre la dificultad de la situación del cuidado (3 ítems), de las consecuencias negativas individuales (3 ítems) y familiares (2 ítems) del cuidado.

Los valores del alpha de Cronbach para las tres subescalas son de 0,67, 0,66 y 0,96, respectivamente. No se han realizado otras valoraciones psicométricas.

6.3.2. Medidas multidimensionales de la carga del cuidador originadas a partir de investigaciones en cuidados paliativos

a) *Appraisal of Caregiving Scale* —ACS— (Oberst et al., 1989)

Reconociendo la incapacidad de la CLS (Caregiver Load Scale, mencionada anteriormente) para valorar la carga subjetiva, los propios autores desarrollaron la ACS como una medida para cuantificar la magnitud con la que las demandas de cuidado son percibidas como molestas o "sobrecargantes" (Oberst et al., 1989).

Se trata de un instrumento de 53 ítems, basado en la teoría de Lazarus y Folkman (1984), que recoge las valoraciones de los cuidadores sobre la experiencia de cuidado. Sus ítems se puntúan sobre una escala de 5 puntos (1 —muy incierto— a 5 —muy cierto—) y recoge varios aspectos del cuidado, incluyendo las tareas de cuidado, el estilo de vida, la salud física y emocional, las relaciones y el apoyo interpersonal, y el impacto personal. La puntuación de la ACS se realiza sobre 4 subescalas, cada una representa una dimensión de valoración: (a) daño/pérdida (15 ítems); b) amenaza (15 ítems), c) reto (15 ítems), y d) beneficio (8 ítems). Las mayores puntuaciones de cada escala indican una mayor intensidad para esa dimensión.

Los autores de la prueba (Oberst et al., 1989) hallaron una adecuada consistencia interna para las 4 escalas, con niveles de alpha de Cronbach del rango de 0,72 a 0,91.

Además, Oberst y colaboradores (1989) encontraron que la ACS tiene una validez de contenido satisfactoria e informaron asimismo de validez de constructo. De hecho, cada una de las 4 subescalas se ha relacionado de forma significativa con variables del estado de salud y de la enfermedad del receptor de cuidados, factores sociodemográficos del cuidador y características relacionales entre persona cuidada y cuidador. Asimismo, se han identificado correlaciones moderadas pero significativas entre las subescalas de amenaza y daño/pérdida con el nivel de demanda del cuidado. No obstante, existe cierta preocupación por parte de los creadores del instrumento respecto a las elevadas correlaciones existentes entre las subescalas de amenaza y daño/pérdida (r = 0,85) y entre las subescalas de reto y beneficio (r = 0,64), que indican que estas medidas pueden solapar constructos. Kinsella y colaboradores (1998) han recomendado por ello realizar un análisis factorial para mejorar la estructura de la escala, una evaluación psicométrica más extensa de la ACS que demuestre su sensibilidad y su fiabilidad test-restest, y considerar su acortamiento dado que la longitud del instrumento puede ser considerado como un factor limitante.

b) *Caregiver Reaction Assessment* —CRA— (Given et al., 1992)

Este instrumento, compuesto por 24 ítems, ha sido utilizado para medir las reacciones del cuidador a la experiencia de la prestación de asistencia a personas mayores con discapacidad física y mental y enfermedad oncológica.

Se divide en 5 subescalas distintas: a) impacto sobre la programación diaria de tareas del cuidador, b) estima del cuidador, c) falta de apoyo familiar, d) impacto sobre la salud, y e) impacto sobre la economía. Cada uno de los 24 ítems se puntúa en una escala de puntos que va de "muy de acuerdo" a "muy en desacuerdo".

Los coeficientes de consistencia interna de las 5 subescalas van de 0,80 a 0,90. Los autores han proporcionado también evidencia de la validez de constructo mediante el hallazgo de correlaciones modestas entre las puntuaciones de la escala y medidas de dependencia y depresión.

c) *Modified Caregiver Appraisal Scale* (Hughes y Caliandro, 1996)

Sus autores (Hughes y Caliandro, 1996) modificaron la Caregiving Appraisal Scale (Lawton et al., 1989) para adaptar este instrumento a la carga percibida de cuidadores de niños afectados por VIH/SIDA. Seleccionaron así 28 ítems de la medida original que representan las siguientes subescalas: (a) carga: sentimiento de estar al final de la cuerda con preocupación y frustración, b) satisfacción: el cuidado lleva al reconocimiento de beneficios y a la autoestima, c) impacto: sentimiento de que uno ha perdido el control sobre su vida y que ha infringido su estilo de vida, y d) maestría: sentimiento de competencia en el desempeño del papel de cuidador.

Los coeficientes de consistencia interna para la subescalas fueron: 0,55 (maestría), 0,76 (satisfacción), 0,78 (impacto), y 0,83 (carga). Para la puntuación total de la escala fue igual a 0,88 (Hughes y Caliandro, 1996).

6.4. Otras medidas de la carga del cuidador

Existe, por otro lado, una tendencia a evaluar la sobrecarga del cuidador utilizando otras medidas no específicas —como instrumentos de evaluación de la depresión, la calidad de vida, la morbilidad psicológica, el apoyo social y el aislamiento, el estado de salud físico, etc.—, que fue suscitada por las críticas de George y Gwyther (1986) a las medidas de carga (Zarit, 1990a, 1990b). En concreto, estos autores (George y Gwyther, 1986) argumentaron que los estudios sobre la carga del cuidador debían centrarse en medidas de bienestar en lugar de en instrumentos de carga, debido fundamentalmente a tres motivos: 1) Las medidas de la carga del cuidador no están confeccionadas para ser administradas a la población general por lo que impiden comparar los resultados obtenidos en las muestras de personas dependientes, 2) Los instrumentos de valoración de la carga del cuidador requieren que los cuidadores asocien el cuidado con sus efectos, lo que confunde los estresores con los resultados[18], y 3) El uso de puntuaciones totales de carga impide identificar otras dimensiones de la carga.

---

[18]   Esta afirmación también fue apuntada por Moritz y colaboradores (Moritz, Kasl y Bekman, 1989) que expresaron que las medidas

No obstante, nos hemos ceñido de forma específica en este apartado a los instrumentos que miden la carga del cuidador, asumiendo los contraargumentos que Zarit (1990a, 1990b) desarrolla ante las críticas de George y Gwyther (1986):

a) Las comparaciones de grupos de cuidadores de personas dependientes con la población general se pueden realizar a través de medidas indirectas de la carga, como son los indicadores de salud mental y física, dado que se han encontrado correlaciones entre medidas específicas de la carga y medidas de salud (Anthony-Bergstone, Zarit y Gatz, 1988).

b) La puntuación total de los instrumentos de carga del cuidador representan una simplificación del impacto del cuidado dada su naturaleza multifacética. Sin embargo, puede predecir en mayor medida las repercusiones negativas del cuidado que los índices separados de cada medida.

c) Si bien la distinción entre estresor y resultado pueda ser deseable a un nivel abstracto, los cuidadores evalúan su situación en términos de cómo perciben que el estresor está afectando su vida. Esta valoración es un elemento de la situación que no es apresado por medidas de bienestar y que es crítica para entender las decisiones que los cuidadores hacen. Además, el uso de medidas de bienestar está basado en la asunción de que los cuidadores experimentarán algún descenso en su bienestar respecto a la población general. No obstante, en función de su nivel anterior en el indicador de bienestar utilizado, este declive relativo puede o no causarles diferencias respecto a las muestras normativas. Por tanto, mientras que las medidas de bienestar son importantes para examinar el impacto del cuidado con respecto a otras poblaciones, las valoraciones de la carga del cuidador proporcionan dimensiones diferentes y útiles para conocer el impacto de la situación de cuidado sobre el cuidador.

---

específicas reflejaban atribuciones potencialmente inexactas de causa.

III. METODOLOGÍA

1. OBJETIVOS E HIPÓTESIS

1.1. Objetivos

El objetivo general de este trabajo es analizar las variables asociadas con la sobrecarga en cuidadores informales de personas dependientes, con especial referencia a la influencia del Servicio de Ayuda a Domicilio (SAD) en dicha carga. En este sentido, esta investigación plantea un análisis exhaustivo de las personas dependientes, el cuidado informal, el SAD y la carga del cuidador. Por ello, se plantearon los objetivos específicos de este trabajo atendiendo a cuatro niveles, tal y como se presenta a continuación:

1. Objetivos específicos respecto a las personas dependientes.

1.1. Estudiar las características sociodemográficas de las personas dependientes.

1.2. Analizar las características de salud física y mental así como la situación social y familiar de las personas dependientes.

2. Objetivos específicos respecto al cuidado informal.

2.1. Describir el perfil sociodemográfico de los cuidadores informales de personas dependientes.

2.2. Analizar las principales características de la provisión del cuidado informal.

3. Objetivos específicos respecto al Servicio de Ayuda a Domicilio.

3.1. Describir las características objetivas de los servicios prestados por el SAD y de su atención a la dependencia para las actividades de la vida diaria.

3.2. Analizar las características subjetivas del SAD: estudiar la satisfacción con sus servicios, la relación emocional con sus profesionales y el impacto de este recurso sobre la calidad de vida de los usuarios y los cuidadores.

4. Objetivos específicos respecto a la carga del cuidador.

4.1. Analizar la estructura factorial y la validez psicométrica de la Escala de Sobrecarga del Cuidador en la muestra de cuidadores informales.

4.2. Evaluar el nivel de carga de los cuidadores informales de personas dependientes.

4.3. Determinar el papel modulador del SAD sobre la carga de los cuidadores informales de personas dependientes.

4.4. Evaluar la relación del nivel de carga de los cuidadores informales con las características del cuidado informal y de los cuidadores informales.

4.5. Evaluar la relación entre el nivel de carga de los cuidadores informales y las características de salud y sociofamiliares de las personas dependientes.

4.6. Establecer las variables predictoras de la sobrecarga de los cuidadores informales desde una perspectiva multivariada.

4.7. Plantear orientaciones de intervención dirigidas a aliviar la carga de los cuidadores informales.

1.2. Hipótesis

Tras la revisión teórica realizada, nos planteamos en esta investigación comprobar las siguientes hipótesis en relación a los objetivos fijados:

Hipótesis 1: Las personas dependientes serán en general mujeres mayores con un bajo nivel socioeconómico que tienen un pobre estado de salud —caracterizado fundamentalmente por una capacidad funcional disminuida, deterioro cognitivo, pluripatología y enfermedades crónicas— así como con problemas sociales y familiares en su entorno próximo.

Hipótesis 2: Las personas dependientes serán atendidas para sus cuidados por un único cuidador informal cuyo perfil se ajustará al de un familiar del sexo femenino de mediana edad, cónyuge o hija del receptor de cuidados, con un bajo nivel de estudios y sin actividad laboral. La provisión de los cuidados será muy intensa y con poca e insuficiente ayuda por parte de otras personas.

Hipótesis 3: El SAD proporcionará sus servicios durante aproximadamente 5 horas a la semana repartidos en una media de dos días a la semana, y proporcionará principalmente servicios domésticos y de cuidados personales, y atenderá de forma suficiente a los usuarios para la realización de las actividades de la vida diaria para las que indican dependencia. Estarán suministrados por profesionales con poca formación en ayuda a domicilio. Los usuarios de este servicio de respiro y sus cuidadores estarán satisfechos con los cuidados que suministra, tendrán buena relación con sus profesionales y percibirán una mejora en su calidad de vida gracias a la atención recibida a través de sus prestaciones.

Hipótesis 4: La carga del cuidador es multidimensional. El análisis factorial de la Escala de Sobrecarga del Cuidador, en línea con otros estudios realizados en muestras españolas, arrojará tres factores con buena consistencia interna.

Hipótesis 5: El SAD tendrá un efecto modulador sobre la sobrecarga de los cuidadores informales. En concreto, los cuidadores de personas dependientes no usuarias del SAD frente a los cuidadores de usuarios del SAD percibirán mayor sobrecarga.

Hipótesis 6: Una mayor sobrecarga de los cuidadores se asociará positivamente con una mayor periodicidad e intensidad semanal de los cuidados, ser la pareja de la persona dependiente, no recibir la ayuda de otras personas de la red informal para el desempeño de la tarea de cuidado u obtener poco apoyo por parte de ellas. Asimismo, los cuidadores de edad avanzada, mujeres, con bajo nivel de instrucción y que trabajan mostrarán niveles más elevados de sobrecarga.

Hipótesis 7: Una mayor sobrecarga de los cuidadores informales se asociará positivamente con un mayor nivel de dependencia para las actividades básicas e instrumentales de la vida diaria —ABIVD—, un mayor número de ABIVD con dependencia, el deterioro cognitivo, un peor estado de salud, y con una situación sociofamiliar negativa del receptor de cuidados.

2. SELECCIÓN DE LA MUESTRA

Para analizar los objetivos y probar las hipótesis planteadas, necesitamos dos muestras de personas dependientes y sus cuidadores, usuarias y no usuarias de SAD. Para ello, se firmó un convenio de colaboración entre la Universitat de València y las Consellerías de Sanidad y de Bienestar Social de la Generalitat Valenciana.

La muestra de personas dependientes usuarias del SAD se seleccionó a partir de la población de personas que estaban utilizando este recurso en la Comunidad Valenciana y que habitaban en localidades registradas y controladas por las Memorias anuales de Servicios Sociales Generales en las que se incluye el SAD y que constaban en los archivos de la Consellería de Bienestar Social de la Generalitat Valenciana y en los de las Diputaciones Provinciales de Castellón, Valencia y Alicante durante el año 2001.

Para la estimación del tamaño de la población de usuarios del SAD en un año, se sumó, a partir de los datos recogidos en las memorias anuales citadas, la cantidad de usuarios promedio atendidos de forma simultánea para cada localidad en un momento determinado del tiempo. Este criterio se siguió debido a que la población atendida por el SAD en cada localidad o mancomunidad cambia con el tiempo, por lo que la cantidad total de personas atendidas en un año es mayor que la cantidad de personas que están siendo atendidas de forma simultánea en promedio. A partir de esta estimación, se fijó el tamaño de la población usuaria del SAD en la Comunidad Valenciana, en un momento dado del tiempo, en 8.000 personas atendidas simultáneamente.

La muestra de sujetos dependientes no usuarios del SAD se seleccionó a partir de las listas de espera de solicitantes del SAD en el mismo conjunto de localidades de la Comunidad Valenciana de las que se había reclutado el grupo beneficiario de este servicio de respiro. La estimación del tamaño poblacional de solicitantes del SAD no se podía realizar de modo directo por dos motivos: 1) la cifra total de personas pendientes de ser atendidas por este recurso social varía ampliamente con el tiempo, al ser atendidas las solicitudes continuamente a lo largo del año y 2) en general, las memorias anuales no recogen los datos correspondientes a las nuevas solicitudes que mes a mes se reciben. Ante esta situación, el procedimiento seguido fue seleccionar las localidades en las que estos datos existían y eran fiables (alrededor de un 30% de las localidades, incluyendo grandes urbes) y, a continuación, calcular el porcentaje que representaban estas solicitudes respecto al total de casos atendidos sincrónicamente en un momento dado del tiempo. El resultado indicó que el número de nuevas solicitudes en un mes cualquiera era muy cercano al 7% del total de casos atendidos simultáneamente en aquellas localidades en las que los datos existían. Por lo tanto, se estimó que el tamaño de la población solicitante del SAD en un mes cualquiera se situaría alrededor de 560 personas.

Para el cálculo del tamaño muestral, se admitió un límite superior para el error muestral para la población de usuarios de SAD menor al 10%, a un nivel de confianza del 95% —valor mínimo consensuado por la comunidad científica—. Asimismo, los límites científicos de validez y los condicionantes temporales y materiales determinaron el tamaño de la muestra que podía ser entrevistada con garantías de validez y fiabilidad a un total no superior de 300 personas. Esto implicaba muestras de 280 usuarios frente a 20 solicitantes (el 7% de los usuarios). Sin embargo, el error muestral asociado a 20 casos sobre una población pequeña de 560 personas, se eleva a un 21,5%, cifra excesiva. Por esta razón, se decidió incrementar el número de casos en la muestra de personas dependientes solicitantes y disminuir el tamaño de la muestra de usuarios. Esta última tenía un mayor tamaño poblacional por lo que esta actuación no afectaría gravemente a su error muestral.

El error muestral supone el intervalo de confianza para porcentajes de casos cercanos al 50% en cada pregunta. Para cada respuesta que presente un porcentaje determinado de casos en una categoría, el intervalo de confianza cambia según la gráfica siguiente:

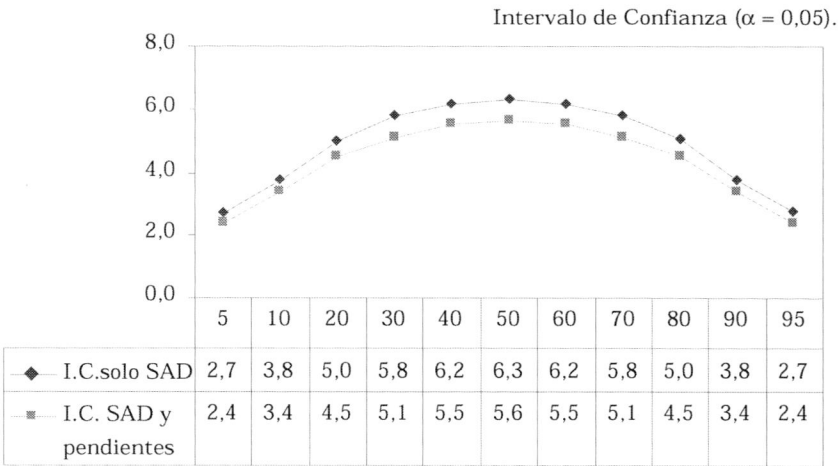

Intervalo de Confianza ($\alpha = 0,05$).

	5	10	20	30	40	50	60	70	80	90	95
I.C. solo SAD	2,7	3,8	5,0	5,8	6,2	6,3	6,2	5,8	5,0	3,8	2,7
I.C. SAD y pendientes	2,4	3,4	4,5	5,1	5,5	5,6	5,5	5,1	4,5	3,4	2,4

Nota: I.C. = Intervalo de Confianza.

Finalmente, el compromiso entre número total de casos posible y valor aceptable de los errores muestrales quedó resuelto tal y como indica la tabla 15. Como puede observarse, la tasa de muestreo ha sido elevada hasta 1 caso de cada 9 en la población solicitante respecto de la usuaria del SAD, lo cual supone dos muestras diferentes en este estudio, con errores muestrales de 6,3% para la población usuaria y del 12% para la solicitante.

Tabla 15. Tamaño de las muestras y de las poblaciones de usuarios y solicitantes del SAD existente en un momento dado del tiempo. Fracciones de muestro y errores muestrales al 95% de nivel de confianza.

Muestras	n	N	Fracción muestreo	Fracción equivalente	Intervalo Confianza
Atendidos por SAD	240[1]	8.000	3,0%	1/33	6,3%
Solicitantes	60	560	10,7%	1/9	12,0%
Total	300	8.560	3,5%	1/29	5,6%

Nota. [1] De los 240 casos de usuarios del SAD previstos, finalmente se obtuvieron datos fiables de 236 durante el trabajo de campo, lo que no alteró apreciablemente el error muestral.

El muestreo se efectuó de modo aleatorio estratificado con conglomerados de al menos 4 casos, en las tres provincias de la Comunidad Valenciana, siendo los dos estratos los ámbitos urbano y rural que corresponden a poblaciones mayores o menores de 20.000 habitantes.

La distribución de la muestra atendida por el SAD en los ámbitos rural y urbano es proporcional a las poblaciones atendidas respectivas. Ello se cumplió también para el caso de la muestra solicitante del SAD (no usuarios) con las limitaciones derivadas de la estimación indirecta realizada para el tamaño de esta población.

Los casos se seleccionaron en cada una de las provincias proporcionalmente al número de personas en cada estrato rural y urbano, atendidas por el SAD. Asimismo, los casos del grupo de solicitantes del SAD debían seleccionarse dentro de las mismas localidades en que se encontraban los casos del grupo experimental con el fin de disminuir la varianza de error por emparejamiento. Como condición metodológica adicional, en cada punto de muestreo (localidad) se tomaron un mínimo de 2 casos de cada grupo (2 atendidos + 2 solicitantes) para garantizar la fiabilidad de los datos. Por tanto, cada punto de muestreo suponía un conglomerado muestral de 4 casos como mínimo. La aleatorización se implementó mediante listados de números aleatorios generados por ordenador, asignando previamente un número a cada una de las localidades.

Finalmente, en cada provincia, el número de casos de usuarios y no usuarios (solicitantes) del SAD se distribuyó como se muestra en la tabla 16.

Tabla 16. Distribución de casos atendidos y solicitantes del SAD en las provincias de la Comunidad Valenciana.

Distribución de los casos		Usuario o no del SAD				Total	
		Usuario de SAD		No Usuario de SAD			
		N	%	N	%	N	%
Provincia	Valencia	128	43,2%	33	11,1%	161	54,4%
	Alicante	69	23,3%	24	8,1%	93	31,4%
	Castellón	39	13,2%	3	1,0%	42	14,2%
Total		236	79,7%	60	20,3%	296	100,0%

La muestra de cuidadores informales se seleccionó a partir de las 296 personas dependientes elegidas para formar parte de este estudio. Así, se reclutaron los cuidadores de todos aquellos usuarios y no usuarios del SAD que tenían un cuidador informal. De toda la muestra de personas dependientes, 153 tenían un cuidador informal que les atendía. Estos cuidadores conformaron la muestra de cuidadores informales de esta investigación, computándose un total de 153 cuidadores, 117 de usuarios del SAD y 36 de no usuarios o solicitantes de este servicio de respiro (Tabla 17).

Tabla 17. Distribución de cuidadores informales de usuarios y no usuarios del SAD.

	Usuario de SAD	No usuario de SAD	Total
	N	N	
Tiene cuidador	117	36	153
No tiene cuidador	119	24	143
Total	236	60	296

3. PROCEDIMIENTO DE RECOGIDA DE INFORMACIÓN

Para llevar a cabo la recogida de información se contactó mediante carta formal con los trabajadores sociales de cada uno de los ayuntamientos seleccionados, en la que se les informaba sobre el objetivo, metodología y contenido de la presente investigación y se solicitaba su colaboración en el presente estudio. Se procedió posteriormente a un contacto telefónico para comprobar la llegada de la carta y discutir cualquier duda al respecto.

Una vez aceptada la cooperación de los técnicos, se les solicitaba que realizaran una selección de personas usuarias y solicitantes del SAD que pudieran participar en el estudio, según el número necesario previamente establecido en el muestreo. Además, se les pedía que contactaran con las personas que iban a formar parte de la investigación, les explicaran el estudio, y les solicitaran la autorización para ser incluidas como participantes anónimos en la investigación y para ser entrevistadas en sus domicilios por las personas designadas a tal efecto. A continuación, los trabajadores nos remitían el listado de personas que habían aceptado formar parte del estudio junto con sus datos de contacto.

Una vez recibidos los listados, se establecía un contacto telefónico con cada usuario o solicitante del SAD, en el que se volvía a solicitar su autorización para participar en la investigación y se acordaba el día y la hora de la entrevista en el domicilio. A la vez que se concretaban las entrevistas se solicitaba que estuviera presente el cuidador principal. En el caso que estuviera el cuidador ausente cuando se acudía al domicilio, se volvía a concertar otra entrevista. En algunas ocasiones, siguiendo acuerdos municipales sobre protección de datos, los técnicos no transmitían el listado con los datos de las personas a entrevistar y decidían convenir ellos/as mismos/as la cita.

Previo a la visita en el domicilio, el entrevistador mantenía una reunión preliminar con el técnico en la que se le explicaba la estructura y el contenido de la entrevista y, en el caso en que hubiera acordado él mismo la visita, le facilitaba los datos de las personas a entrevistar.

Una vez el entrevistador acudía a la vivienda del usuario o solicitante del SAD, debía seguir el siguiente protocolo para el que había sido entrenado con anterioridad:

a) Presentarse al usuario/solicitante y a su cuidador, en su caso.

b) Explicar detalladamente el motivo que justifica la entrevista con la mayor claridad y flexibilidad posible.

c) Recordar que los datos facilitados están sujetos a confidencialidad.

d) Resolver cualquier cuestión que la/s persona/s a entrevistar puedan tener y crear un clima de confianza, en la medida de lo posible.

e) Realizar la entrevista de una forma ordenada, clara y sistemática.

f) Escuchar con paciencia los relatos que, con frecuencia, las personas entrevistadas narran a partir de alguna de las preguntas formuladas.

g) Tomar nota de cuantas incidencias se detecten en la situación sociosanitaria de las personas, con el fin de informar en su caso, al trabajador social o técnico responsable.

h) Agradecer la participación voluntaria en el estudio y la colaboración en la realización de la entrevista.

Una vez finalizadas todas las entrevistas en la localidad, se contactaba con el técnico del SAD para expresarle nuestro agradecimiento por la colaboración prestada y darle a conocer las incidencias detectadas. El compromiso bioético nos obligaba a informar a las personas responsables del SAD, en cada municipio, de cualquier anomalía o situación de riesgo social y/o sanitario que se hubiera detectado en las personas participantes en el estudio de campo.

A lo largo de todo el desarrollo del estudio, se respetó en todo momento el derecho a la confidencialidad de los datos y el anonimato de todas las personas participantes. Por ello, una vez realizado el estudio de campo en cada municipio se procedió a la destrucción de todos los listados recibidos con los datos personales de las personas que habían participado en él.

4. VARIABLES E INSTRUMENTOS

Para analizar los objetivos planteados y comprobar las hipótesis propuestas en este estudio, se confeccionó un cuestionario que incluía instrumentos y variables que evaluaban: a) las características sociodemográficas, la capacidad funcional para las actividades de la vida diaria, factores relacionados con la salud física y psicológica, y la situación social y familiar de las personas dependientes; b) las características objetivas y subjetivas del Servicio de Ayuda a Domicilio (SAD); y c) el perfil sociodemográfico, las características del cuidado, y la carga de los cuidadores informales. A continuación se detallan cada uno de estos apartados, especificando las variables medidas y los instrumentos utilizados.

a) Evaluación de las personas dependientes

a.1. Datos sociodemográficos recogidos a través de una entrevista semiestructurada elaborada específicamente para esta investigación que incluye información sobre: edad, sexo, estado civil, nivel de estudios, profesión anterior, datos económicos (ingresos mensuales en el núcleo familiar, rentas, percepción de pensiones y prestaciones, percepción de ayudas sociales, cuantía mensual de la pensión/prestación o ayuda social), y presencia o no de un cuidador informal.

a.2. Capacidad funcional para las actividades básicas e instrumentales de la vida diaria evaluada a través del Índice de Barthel (Mahoney y Barthel, 1965) y el Índice de Lawton y Brody (Lawton y Brody, 1969; Lawton, 1972).

• **El Índice de Barthel** (Mahoney y Barthel, 1965) permite valorar el grado de dependencia para realizar las actividades básicas de la vida diaria (ABVD). En concreto, evalúa la capacidad funcional para realizar 10 ABVD: comer, ducha-baño, vestirse, aseo personal, control anal, control vesical, uso de retrete, trasladarse sillón-cama, desplazamientos, y subir escaleras. Estas 10 actividades conforman los ítems de la escala.

La puntuación para cada ítem varía dependiendo de la relevancia que los autores otorgaron a cada actividad. En concreto, el rango de puntuaciones está establecido en intervalos de 5 puntos y es igual a:

- 0 (Dependencia) y 5 (Independencia) para los ítems correspondientes a las actividades: "Ducha-baño" y "Aseo personal".

- 0 (Dependencia), 5 (Necesita ayuda) y 10 (Dependencia) en el caso de los ítems de las siguientes actividades: "Comer", "Vestirse", "Control anal", "Control vesical", "Uso de retrete", y "Subir escaleras".

- 0 (Dependencia), 5 (Gran ayuda), 10 (Mínima ayuda) y 15 (Independiente) para los ítems relativos a las actividades "Trasladarse" y "Desplazamientos".

Para la interpretación de sus resultados, hay que tener en cuenta:

a) La puntuación total es igual a la suma del valor asignado a cada ítem de la escala y oscila entre 0 (completamente dependiente para realizar las ABVD) y 100 (completamente independiente para realizar las ABVD). Esta puntuación máxima se reduce a 90 para pacientes que usan silla de ruedas.

b) En la versión de este instrumento adaptada a nuestro medio por Baztán y colaboradores (Baztán et al., 1993; Baztán, González y Del Ser, 1994), los autores fijan los siguientes niveles de dependencia en función de la puntuación total obtenida:

Grado de dependencia	Puntuación total Índice de Barthel
Dependencia Total	< 20
Dependencia Severa o Grave	20-35
Dependencia Moderada	40-55
Dependencia Leve	60-85
Independencia	100

Con el fin de simplificar la interpretación de nuestros resultados en esta variable y dado que la existencia de las dos categorías "Dependencia total" y "Dependencia Severa o Grave" no aportaba información añadida relevante respecto al grado de dependencia de los sujetos evaluados, consideramos oportuno reunificar ambos niveles en uno solo que denominamos "Dependencia grave o total". El criterio de interpretación para los niveles de dependencia queda finalmente, en el marco de nuestro estudio, como presentamos a continuación:

Grado de dependencia	Puntuación total Índice de Barthel
Dependencia Grave o Total	0-35
Dependencia Moderada	40-55
Dependencia Leve	60-85
Independencia	100

En cuanto a las propiedades psicométricas del instrumento, la fiabilidad del Índice de Barthel no fue determinada cuando se desarrolló originariamente. Los estudios posteriores muestran una buena fiabilidad interobservador e intraobservador con índices de Kappa entre 0,47 y 1,00 y entre 0,84 y 0,97, respectivamente (Collin et al., 1987; Loewen y Anderson, 1988). La versión española del Índice de Barthel ha obtenido también una reproducibilidad excelente, con coeficientes de correlación Kappa ponderado de 0,98 intraobservador y superiores a 0,88 interobservador (Bertrán y Pasarín, 1992; Baztán et al., 1993; Baztán, González y Del Ser, 1994). En cuanto a la evaluación de la consistencia interna, se ha observado un coeficiente alpha de Cronbach que oscila entre 0,86 y 0,92 (Cid y Damián, 1997), valor ligeramente inferior al encontrado en nuestra muestra: 0,96. No hay información publicada respecto a fiabilidad test-retest de la escala.

Respecto a la validez del instrumento, se ha encontrado una alta validez concurrente con el índice de Katz de Independencia de la Vida Diaria (Madruga et al., 1992) y una gran validez predictiva de mortalidad (Wylie, 1967), estancia e ingresos hospitalarios, beneficio funcional en unidades de rehabilitación, y del resultado funcional final (Wylie, 1967; Granger, Albrecht y Hamilton, 1979; Wellwood, Dennis y Warlow, 1995).

• **El Índice de Lawton y Brody de Actividades Instrumentales de la Vida Diaria** (Lawton y Brody, 1969; Lawton, 1972) evalúa la capacidad funcional para realizar tareas que implican el manejo de utensilios habituales y actividades sociales de la vida diaria a través de 8 ítems: cuidar la casa, lavado de ropa, preparación de la comida, ir de compras, uso del teléfono, uso de medios de transporte, manejo del dinero, y responsabilidad hacia el uso de los medicamentos.

Cada ítem tiene diferentes alternativas de respuesta que se puntúan con un 0 (algún grado de dependencia) o con un 1 (independencia) en función del grado de dependencia que tenga la persona entrevistada para realizar cada actividad.

La puntuación total da lugar a un indicador del nivel de dependencia para las AIVD que oscila entre 0 puntos (máxima dependencia) y 8 puntos (independencia total). La dependencia se considera moderada cuando la puntuación se sitúa entre 4 y 7, y severa cuando es inferior a 4 (biopsicología.net, 2004).

Se trata de un instrumento ampliamente utilizado, validado a nuestro medio por Cruz-Jentoff (1992), y con propiedades psicométricas —en términos de fiabilidad y validez— adecuadas (Baztán et al., 1994). En concreto, está dotada de una adecuada fiabilidad interjueces —$r_{xy}=1$— (Montorio et al., 1998), así como valores alpha de Cronbach entre 0,81 (Lyons et al., 2002) y 0,93 (Montorio et al., 1998). En nuestra muestra, este último valor es igual a igual 0,88.

En este sentido, ha sido establecida por algunos autores como la escala más recomendada para la evaluación de las AIVD (Rubenstein et al., 1988), habiéndose utilizado como indicador para determinar el tipo y nivel de cuidado necesario, decidir el ingreso institucional, formación de personal social y sanitario, en la planificación y provisión de servicios sociosanitarios y en la investigación (Montorio, 1994). Ha demostrado asimismo su utilidad para la construcción de otros instrumentos de evaluación del grado de dependencia para la realización de este tipo de actividades (Baztán et al., 1991).

a.3. Deterioro cognitivo valorado mediante el Cuestionario Portátil del Estado Mental de Pfeiffer (1975) —Short Portable Mental Status Questionnaire (SPMSQ)— y validado en nuestro medio por García-Montalvo y colaboradores (García-Montalvo, Rodríguez y Ruipérez, 1992).

Se trata de un cuestionario confeccionado para la detección del deterioro cognitivo. El SPMSQ permite evaluar varios aspectos diferentes del funcionamiento intelectual que están asociados con los criterios utilizados por el DSM-IV para el diagnóstico de la demencia (Eissa, Andrew y Baker, 2003). Aporta información sobre diferentes áreas cognitivas (memoria a corto y largo plazo, orientación espacio y tiempo, información sobre hechos cotidianos y capacidad de cálculo) a través de 10 ítems referentes a cuestiones generales o personales. Detecta tanto la presencia de deterioro cognitivo como el grado del mismo.

La interpretación de los resultados del instrumento se realiza contabilizando el número de errores a las 10 preguntas,

considerándose los criterios que se detallan en la tabla que
sigue::

Estado cognitivo	Número de errores[1]
Estado cognitivo normal	0 a 2 errores
Deterioro cognitivo leve	3 a 4 errores
Deterioro cognitivo moderado (patológico)	5 a 7 errores
Deterioro cognitivo importante	8 a 10 errores

Nota. [1]Para los sujetos con bajo nivel educativo (sin estudios primarios) se admite un error más, y se exige un error menos en individuos con estudios superiores (Pfeiffer, 1975).

Por otra parte, en la versión española de este instrumento
(García-Montalvo, Rodríguez y Ruipérez, 1992) se fija que un
individuo presenta demencia cuando obtiene 5 o más fallos en
la prueba.

Respecto a sus propiedades psicométricas, los índices de
fiabilidad test-retest oscilan entre 0,82 y 0,85 (Pfeiffer, 1975;
Lesher y Whelihan, 1986; Burns, Lawlor y Craig, 1999; Rolfson
et al., 1999).

Por otro lado, su validez ha sido ampliamente estudiada
(Smyer al. 1979; Erkinjuntti et al., 1987; Fillenbaum et al.,
1990; Albert et al., 1991) y los estudios al respecto han confirmado la utilidad del SPMSQ para detectar demencia en muestras hospitalarias y en la comunidad (Rolfson et al., 1999). No
obstante, sus niveles de sensibilidad y especificidad varían
considerablemente, dependiendo del valor del punto de corte
del número de errores aplicado (Erkinjuntti et al., 1987). Así,
por ejemplo, se ha encontrado que su valor predictivo positivo
oscila entre 88,9% cuando se ha utilizado un punto de corte de
3 puntos y disminuye a 58,8% cuando se aplica un punto de corte
de 2 errores (Erkinjuntti et al., 1987), mientras que el autor del
cuestionario original encontró que este último valor era igual al
92% (Pfeiffer, 1975). En general, cuando se fija el punto de corte
en 5 errores su sensibilidad llega al 100% y su especificidad al
90% (García-Montalvo, Rodríguez y Ruipérez, 1992). Según

varios estudios recogidos por Del Ser y colaboradores (Del Ser y Peña Casanova, 1994), la sensibilidad de este instrumento varía del 68 al 82% y la especificidad del 92 al 96%. Asimismo ha demostrado una buena validez predictiva positiva del rango de 82,7% a 92,3% para detectar síndromes cerebrales orgánicos (Rolfson et al., 1999).

Finalmente, los índices de correlación con otros instrumentos similares indican valores del orden de 0,79 con el Clinical Dementis Rating (Haglund y Schuckit, 1976), 0,81 con el Blessed Information-Memory-Concentration test (Davis, Morris y Grant, 1990) y del 0,76 al 0,88 con el Mental Status Questionnaire (Haglund y Schuckit, 1976; Fillenbaum, 1980; Fillenbaum et al., 1990).

a.4. Estado de salud físico y psíquico y procedimientos clínicos utilizados. Hoja de registro confeccionada para esta investigación que recoge información sobre:

• **Problemas de salud/enfermedades actuales**

Se trata de un listado de 28 enfermedades en el que se debía señalar la o las enfermedades que el sujeto dependiente padecía en el momento en el que se realizó la entrevista. En el caso de sufrir alguna enfermedad no recogida en este listado se indicaba el diagnóstico concreto en el apartado "otros". Sólo se podían señalar aquellas enfermedades diagnosticadas por un facultativo.

Con el objetivo de simplificar y tratar de forma estadística la información recogida en el listado "problemas de salud/enfermedades actuales" se procedió a agrupar los diagnósticos indicados en el listado de enfermedades, así como aquellas dolencias recogidas en el apartado "otros", siguiendo la "International Statistical Classification of Diseases and Related Health Problems, 10th Revision, version 2003" (ICD 10) —Clasificación Estadística Internacional de Enfermedades y Problemas de Salud Relacionados, Décima Revisión, versión 2003 (CIE 10)— desarrollada por la Organización Mundial de la Salud (WHO, 2003). Se ha utilizado de forma específica esta codificación porque conforma en la actualidad la clasificación diagnóstica internacional estándar para todos los asuntos de gestión sanitaria y epidemiológica general y representa la base para la confección de los registros de estadísticas de mortalidad y morbilidad de los países miembros de la Organización Mundial de la Salud (WHO, 2004).

En la tabla que aparece abajo se detallan las categorías diagnósticas y el tipo de enfermedad correspondiente. En concreto, en la columna de la derecha —"tipo de enfermedad"— se han añadido las enfermedades y las dolencias señaladas por la persona dependiente en el apartado de "otros" de la lista de enfermedades del cuestionario, incluyéndola en su grupo diagnóstico correspondiente.

Categorías diagnósticas de la ICD-10	Tipo de Enfermedad
Enfermedades del sistema circulatorio.	• Hipertensión esencial y otras. • Enfermedad cardiaca isquémica. • Fallo cardíaco. • Enfermedad cerebro-vascular.
Enfermedades del sistema músculo-esquelético y del tejido conectivo.	• Artropatías sin traumatismos (Osteoartrosis). • Osteoporosis. • Fractura del cuello del fémur.
Enfermedades endocrinas, nutricionales, y metabólicas.	• Diabetes. • Obesidad.
Enfermedades del ojo y deficiencias visuales.	• Glaucoma. • Ceguera y baja visión.
Trastornos mentales y conductuales.	• Depresión. • Trastornos esquizofrénicos y otros trastornos psicóticos. • Síndrome de dependencia del alcohol (alcoholismo). • Retraso mental. • Enfermedad de Alzheimer.
Enfermedades del sistema nervioso.	• Psicosis orgánica senil y presenil (Demencia senil). • Enfermedad de Parkinson. • Esclerosis múltiple. • Hemiplejia. • Parálisis cerebral infantil y otros síndromes paralíticos.

Categorías diagnósticas de la ICD-10	Tipo de Enfermedad
Enfermedades y deficiencias del oído.	• Pérdida de oído. • Sordera.
Enfermedades del sistema respiratorio.	• Bronquitis crónica, enfisema y asma.
Enfermedades de la sangre y de los órganos que forman la sangre.	• Anemia. • Enfermedad hepática y cirrosis crónica.
Enfermedades del sistema genitourinario.	• Fallo renal crónico. • Hiperplasia de próstata.

• **Fase y evolución del estado de salud.** Se evaluó a través de los siguientes indicadores:

– Estado de salud en los últimos 12 meses, valorado sobre una escala de respuesta que oscilaba entre muy malo (1), malo (2), regular (3), bueno (4), muy bueno (5).

– Evolución del estado de salud en los últimos 12 meses determinada a través 3 alternativas de respuesta: empeora apreciablemente (1), mejora apreciablemente (2), estable (3).

– Estadio en el tratamiento de la enfermedad evaluado a través de 4 opciones de respuesta: en fase terminal (1), enfermedad sin tratamiento (2), en tratamiento activo (3), libre de enfermedad (4).

• **Procedimientos clínicos utilizados**

– Técnicas o procedimientos sanitarios utilizados. Se pregunta al sujeto dependiente si utiliza algún tipo de procedimiento sanitario. En caso afirmativo se le solicita que cite el o los procedimientos utilizados.

– Persona que realiza las técnicas sanitarias acorde con las siguientes alternativas de respuestas: nadie le está atendiendo (1), personal no sanitario (2), personal sanitario (3), se lo administra ella misma (4).

– Lugar en el que se llevan a cabo las técnicas sanitarias determinado mediante las siguientes alternativas de respuesta: domicilio (1), centro de atención primaria (2), hospital de día (3), otros hospitales (4).

– Frecuencia con que se aplican las técnicas sanitarias evaluada a través de la siguiente escala de respuesta: más de una vez al día (1), una vez al día (2), más de una vez a la semana (3), una vez a la semana (4), menos de una vez a la semana (5). Se solicitaba al sujeto que indicara sólo la de mayor requerimiento en términos de frecuencia.

a.5. Situación sociofamiliar evaluada a través de dos instrumentos: la Escala de Valoración Socio-Familiar (Díaz, Domínguez y Toyos, 1994; Cabrera et al., 1999) y el Cuestionario APGAR Familiar (Smilkstein, 1978; Smilkstein, Ashwoth y Montano, 1982; Bellón et al., 1996).

• **La Escala de Valoración Socio-Familiar** (Díaz, Domínguez y Toyos, 1994; Cabrera et al., 1999) evalúa la situación social y familiar de la persona con el objetivo de detectar situaciones de riesgo y problemáticas sociales. En concreto, los autores señalan que la escala identifica situaciones tanto de problema social como de riesgo social, definiendo ambos términos a partir del trabajo de Grau y colaboradores (1996) quienes entendían el *problema social* como una situación consolidada, difícilmente modificable, del individuo o del entorno que rompe la interacción entre ambos, impidiendo que éste satisfaga sus necesidades básicas; y el *riesgo social* como la presencia de determinadas características (recogidas por la escala) que dificultan la relación del individuo con su entorno y que incrementan su susceptibilidad para contraer alguna enfermedad (psíquica y/u orgánica) o la probabilidad de aparición de un problema social.

La escala está formada por 5 ítems con una puntuación que oscila de 1 (situación social ideal o ausencia de problemática) a 5 (problema social) y que recogen aspectos referidos a situación familiar, situación económica, vivienda, relaciones sociales y apoyo de la red social. Según los autores del instrumento, la puntuación total da lugar a tres categorías posibles de situación social:

Categoría de situación social	Puntuación total
Situación social buena-aceptable.	5-9
Existencia de riesgo social	10-14
Existencia de problema social.	•15

El único estudio publicado hasta la actualidad que evalúa los criterios de bondad psicométricos de esta escala ha sido realizado por Cabrera y colaboradores (1999). Estos autores indican que la escala posee una excelente fiabilidad, con una consistencia interobservador medida a través del coeficiente de correlación intraclase igual a 0,96 así como una buena concordancia entre las categorías de los ítems de la escala con coeficientes kappa por encima de 0,8. Sin embargo, la consistencia interna es bastante baja, reflejada a través de un valor alpha de Cronbach igual a 0,45 y correlaciones entre los ítems que oscilan entre 0,02 y 0,26. La fiabilidad de este instrumento a través de alpha de Cronbach en nuestra muestra arrojó un valor muy bajo igual a 0,04. Cabrera y colaboradores (1999) aducen que la falta de homogeneidad interna en la escala, y consecuentemente la dificultad para obtener un instrumento sobre situación sociofamiliar con un alto grado de coherencia, se debe a que, como se ha señalado en repetidas ocasiones en diferentes trabajos (Kane y Kane, 1981; Berkman, 1983; Comallonga e Izquierdo, 1993), la valoración social está determinada por un conjunto de variables muy diferentes entre sí.

En cuanto a la validez de la escala, frente a un criterio de referencia (validez de criterio), los resultados no consiguen establecer unos puntos de corte con suficiente capacidad discriminativa. Sin embargo, el cálculo de las proporciones de probabilidad sí les permite ofrecer un instrumento válido para su uso en la práctica asistencial (Cabrera et al., 1999).

• **El cuestionario APGAR Familiar** *(Family APGAR)* fue diseñado por Smilkstein (1978) para explorar la funcionalidad familiar y ha sido validado en nuestro medio por

Bellón y colaboradores (1996). En concreto, este instrumento evalúa la percepción de un miembro de la familia sobre el funcionamiento familiar examinando su satisfacción con las relaciones familiares. El acrónimo APGAR hace referencia a los cinco componentes de la función familiar: adaptabilidad (*adaptability*), cooperación (*partnertship*), desarrollo (*growth*), afectividad (*affection*) y capacidad resolutiva (*resolve*).

Se trata de un cuestionario que consta de 5 cuestiones, con tres posibles respuestas cuyos valores son: 0 (casi nunca), 1 (a veces) y 2 (siempre). El rango de su puntuación total oscila, por lo tanto, entre 0 a 10.

Se han descrito diferentes criterios de interpretación de esta escala, los cuales se detallan a continuación:

a) En el cuestionario original se establece que cuanto mayor es la puntuación total, mayor es el grado de satisfacción con el funcionamiento familiar.

b) Algunos autores han propuesto un criterio de interpretación dicotómico en el cual una puntuación global superior a 6 puntos indica funcionalidad familiar, e igual o inferior a 6 se valora como disfunción familiar (Bellón et al., 1996; De la Revilla et al., 1997).

c) Otros autores han planteado un indicador derivado del criterio anterior que se rige por los siguientes puntos de corte (Rodríguez et al., 1996):

Funcionalidad familiar	Puntuación total
Funcionalidad familiar	7-10
Disfunción familiar leve	3-6
Disfunción familiar grave	0-2

Por lo que respecta a sus propiedades psicométricas, los valores alpha de Cronbach registrados en los diferentes estudios que han utilizado el Apgar Familiar van del rango de 0,80 a 0,85, y las correlaciones entre sus ítems y la puntuación total entre 0,50 y 0,65 (Smilkstein, 1978). En la versión española, se ha hallado una fiabilidad test-retest superior a 0,75 y una consistencia interna elevada —alpha de Cronbach = 0,84— (Bellón et al., 1996). Para el caso concreto de nuestra muestra, hemos obtenido un índice de fiabilidad de la escala medido a través de alpha de Cronbach igual a 0,92.

La evaluación inicial de la validez por parte del autor del instrumento fue realizada a través del cálculo de correlaciones con el Índice Pless-Satterwhite (Pless y Satterwhite, 1973), así como con informes clínicos, obteniendo correlaciones de 0,80 y 0,64, respectivamente (Smilkstein, 1978).

Finalmente, en el estudio de validación de esta escala a nuestro medio, Bellón y colaboradores (1996) demostraron, a través del análisis factorial, que se trata de una escala unidimensional formada por 5 ítems, es decir, sus elementos miden aspectos del mismo concepto —la disfunción familiar— .

b) Evaluación del Servicio de Ayuda a Domicilio

b.1. Valoración objetiva del servicio prestado por el Servicio de Ayuda a Domicilio. Hoja de registro elaborada para esta investigación que recoge información sobre los servicios reales prestados por el SAD, en concreto:

• **Características generales del servicio prestado por el SAD analizadas a través de los siguientes indicadores:**

– La franja horaria en la que el/la auxiliar del SAD acude al domicilio. El sujeto dependiente debía contestar con la mayor exactitud posible el/los día/s de la semana en que el/la auxiliar acude a su domicilio así como las horas en las que presta el servicio.

– El número de auxiliares habituales que asisten a la persona dependiente en su domicilio y si son los mismos auxiliares los que acuden habitualmente al domicilio. Esta información se solicita a la persona dependiente usuaria del SAD.

– La formación de los auxiliares. Se evalúa el grado de formación en SAD de los profesionales auxiliares que acuden al domicilio registrando, a través de una pregunta abierta que se formulaba al trabajador social encargado del servicio, si los auxiliares tenían o no una titulación específica en SAD.

– El tiempo transcurrido entre la demanda del SAD y el comienzo de la prestación de este servicio. Se solicita al usuario de este servicio que contabilice el período de tiempo en número y unidad de tiempo (días, semanas o meses) desde que solicitó el SAD hasta que comenzó su prestación.

– Demanda principal del usuario y, en su caso, de su cuidador principal. Se solicita al sujeto qué otro tipo de ayudas necesita y que no le están siendo proporcionadas por el SAD.

– La utilización de otros servicios aparte del SAD. El usuario debe especificar si utiliza otro tipo de servicio social o sanitario además del SAD. En el caso de que su respuesta sea afirmativa, debe concretar el tipo de servicio que está recibiendo.

• **Atención del SAD a las actividades de la vida diaria.** En este apartado se registra la atención del SAD a las necesidades de ayuda para realizar las actividades básicas o instrumentales de la vida diaria, evaluando para cada actividad concreta atendida por el SAD los siguientes parámetros:

– El tiempo semanal que dedica el SAD a atender la actividad en horas y minutos.

– La proporción en la que el SAD cubre usualmente la necesidad semanal del usuario para la actividad concreta, valorada sobre una escala con 5 opciones de respuesta: cubre menos del 25% (1), entre el 25% y el 50% (2), entre el 50% y el 75% (3), entre el 75% y el 100% (4), ó el 100% (5) de la necesidad semanal del usuario.

b.2. Valoración subjetiva del servicio proporcionado por el SAD. Hoja de registro elaborada para esta investigación que recoge datos sobre:

- **Satisfacción de usuarios y cuidadores con el SAD:**

  – La satisfacción del usuario con el servicio prestado por el SAD en cada una de las actividades básicas o instrumentales atendidas mediante una escala de estimación que oscila entre 0 (El usuario no está satisfecho con la atención del SAD para la actividad) y 10 (El usuario está totalmente satisfecho con la atención del SAD para la actividad).

  Para facilitar el tratamiento estadístico de los datos, se estableció un indicador global de satisfacción del usuario con el servicio prestado por el SAD para todas las actividades básicas de la vida diaria, denominado "Satisfacción del usuario con la atención del SAD a las actividades básicas de la vida diaria", y que era igual a la media de la suma de las puntuaciones en esta variable para cada actividad básica de la vida diaria. Lo mismo se efectuó en el caso de la satisfacción del usuario con el servicio prestado por el SAD en las actividades instrumentales de la vida diaria, variable que se llamó "Satisfacción del usuario con la atención del SAD a las actividades instrumentales de la vida diaria".

  – La satisfacción del cuidador, en su caso, con el servicio prestado por el SAD en cada una de las actividades básicas e instrumentales atendidas mediante una escala de estimación con un rango de 0 (El cuidador no está satisfecho con la atención del SAD para la actividad) a 10 (el cuidador está totalmente satisfecho con la atención del SAD para la actividad).

  Al igual que en el caso anterior, se estableció un indicador global de satisfacción del cuidador con el servicio prestado por el SAD para todas las actividades básicas de la vida diaria denominado "Satisfacción del cuidador con la atención del SAD a las actividades básicas de la vida diaria", y que era igual a la media de la suma de las puntuaciones obtenidas por cada cuidador en esta variable para cada actividad básica de la vida diaria. Lo mismo se realizó en el caso de la satisfacción del cuidador con el servicio prestado por el SAD en las actividades instrumentales de la vida diaria, variable que se llamó "Satisfacción del cuidador con la atención del SAD a las actividades instrumentales de la vida diaria".

– Satisfacción global percibida del usuario y, en su caso, de su cuidador principal con la atención del SAD. Evalúa el grado de satisfacción global del usuario y de su cuidador principal con la atención y los servicios prestados por el SAD en una escala de respuesta que va de 0 (la persona no está satisfecha con la atención del SAD) a 10 (la persona está totalmente satisfecha con la atención del SAD).

• **Evaluación de la relación entre el usuario y el auxiliar del SAD.** Se valora la relación personal y emocional del usuario con los auxiliares del SAD a través de una escala tipo likert de rango de 0 (mala) a 3 (muy buena) así como el grado de confianza que siente hacia estos profesionales a través de la pregunta *"Cuando le atienden, usted experimenta:"* y cuyas alternativas de respuesta son: mucha incomodidad (0), incomodidad (1), alguna confianza (2), tiene confianza (3).

• **Valoración de la calidad de vida asociada a los servicios prestados por el SAD:**

– Evaluación de la calidad de vida del usuario y, en su caso, de su cuidador principal en una escala de respuesta de 0 (calidad de vida muy mala) a 10 (calidad de vida excelente) y atendiendo a tres momentos: a) antes de disfrutar de los servicios del SAD, b) con los cuidados que está recibiendo del SAD en la actualidad y c) en el caso de que fueran atendidas sus demandas de servicios adicionales —si las hay—.

– Evaluación de la mejora de la calidad de vida en los distintos aspectos vitales del cuidador gracias al SAD. Se pregunta al cuidador si ha mejorado su calidad de vida en algunos de los siguientes aspectos desde que la persona cuidada está recibiendo los servicios del SAD: laborales, económicos, de salud, relaciones personales y sociales, y de ocio y tiempo libre. Las alternativas de respuesta en cada aspecto eran sí o no.

c) Evaluación de los cuidadores principales

c.1. Datos sociodemográficos del cuidador principal recogidos a través de una entrevista semiestructurada elaborada específicamente para esta investigación que incluye información sobre edad, sexo, nivel de estudios y situación laboral actual.

c.2. Valoración de las características de los cuidados informales en el ámbito sociofamiliar. Cuestionario elaborado para este estudio y que incluye las siguientes variables:

– Suficiencia de los cuidados. Se solicita al cuidador principal que evalúe si la atención y el cuidado que proporciona (sin el SAD) cubren las necesidades de cuidado de la persona dependiente a través de la siguiente pregunta: "La atención y el cuidado que se proporciona" es totalmente insuficiente (1), cubre sólo una parte de los que necesita (2), o cubre todo lo que la persona necesita (3).

– Periodicidad y tiempo dedicado a los cuidados. Estos datos se obtienen a través de dos ítems en los que el cuidador debe responder con qué frecuencia presta sus cuidados —períodos de vacaciones (1), fines de semana (2), diaria pero puntual (3), diaria y continuada (4), y otros (5)— así como el tiempo que dedica a esta tarea a la semana —menos de 7 horas (1), entre 7 y 14 horas (2), entre 14 y 21 horas (3), entre 21 y 28 horas (4), más de 28 horas (5)—.

– Tipo de vínculo entre la persona dependiente y su cuidador principal. Se pregunta al cuidador qué tipo de relación familiar o social le une a la persona dependiente.

− Ayudas al cuidador principal en su tarea de cuidado. Se pide al cuidador que indique si alguien le ayuda en su función como cuidador principal, quién le ayuda en términos de relación sociofamiliar, la frecuencia con la que estos sujetos le ayudan, la cantidad de tiempo que supone semanalmente, y si considera que esta ayuda es suficiente. En el caso en que no reciba ayuda de nadie o que informe que esta ayuda no es suficiente, se solicita que señale las dos razones principales por las que el cuidador piensa que no es apoyado por su entorno sociofamiliar para cuidar a la persona dependiente, según una escala de 8 alternativas de respuesta.

c.3. Evaluación de la carga de los cuidadores principales de las personas dependientes a través de la **Escala de Sobrecarga del Cuidador** de Zarit —Caregiver Burden Interview— (Zarit, Reever y Bach-Peterson, 1980; Zarit y Zarit, 1982; Zarit y Zarit, 1983; Zarit, Orr y Zarit, 1985).

Evalúa la percepción subjetiva de carga asociada al cuidado por parte del cuidador teniendo en cuenta sus repercusiones sobre la salud, económicas y laborales, las relaciones sociales y la relación personal del cuidador con la persona dependiente receptora de cuidados.

Esta escala, originalmente formada por 29 ítems (Zarit, Reever y Bach-Peterson, 1980), fue revisada y reducida por los propios autores del instrumento a 22 ítems (Zarit y Zarit, 1982; Zarit y Zarit, 1983; Zarit, Orr y Zarit, 1985). De este instrumento revisado existen dos versiones traducidas al español: 1) La Entrevista sobre la Carga del Cuidador de Izal y Montorio (1994) y 2) la Escala de Sobrecarga del Cuidador de Martín y colaboradores (1996). Para este estudio, hemos optado por el instrumento elaborado por Martín y colaboradores (1996) dado que se dispone de datos sobre su adaptación y validación a nuestro medio.

Este instrumento está formado por 22 ítems con 5 alternativas de respuesta que van desde nunca (0) a casi siempre (4)[19]. La puntuación total es la suma de todos los ítems, oscilando el rango por tanto entre 0 (puntuación mínima) y 88 (puntuación máxima).

La interpretación de los valores alcanzados en esta escala puede realizarse a través de los siguientes criterios:

a) Una puntuación global de carga a partir de la puntuación total obtenida en el instrumento. Cuanto mayor es la puntuación total, mayor es el nivel de sobrecarga. Este índice de sobrecarga es el utilizado como único indicador del nivel de la carga en el instrumento original (Zarit, Reever y Bach-Peterson, 1980) y ha sido usado también en estudios que aplican la versión reducida de 22 ítems al castellano (Montorio et al., 1998).

b) Tres niveles de carga definidos por Martín y colaboradores (1996). Estos autores obtuvieron un punto de corte de 46-47 que distinguía entre "No sobrecarga" y "Sobrecarga" con una sensibilidad y especificidad del 84,6% y del 85,3%, respectivamente. El otro punto de corte de 55-56 diferenciaba entre "Sobrecarga leve" e "Intensa" con una sensibilidad de 89,7% y una especificidad del 94,2%.

Las puntuaciones de estos puntos de corte han sido modificadas en nuestra investigación, de acuerdo con los valores de las alternativas de respuesta del instrumento original asumidos en este estudio —que ya hemos apuntado arriba—. Los valores de los tres niveles de carga en nuestro trabajo quedan definidos como se muestra a continuación:

---

[19] En la versión de Martín y colaboradores (1996), las opciones de respuesta a los ítems del instrumento van de 1 a 5 en vez de 0 a 4. Dado que el instrumento original contemplaba las opciones de 0 a 4, preferimos mantener esta puntuación para nuestra investigación.

Nivel de carga	Puntuación total
No sobrecarga	> 37/38
Sobrecarga leve	37/38-44
Sobrecarga intensa	< 44/45

Por otro lado, varios han sido los trabajos que han analizado las propiedades psicométricas de este instrumento.

En primer lugar, los estudios de fiabilidad realizados muestran una elevada consistencia interna con valores alpha de Cronbach que oscilan entre 0,88 y 0,92 (Gallagher, 1985; Hassinger, 1986; Thompson et al., 1993) y cifras similares en la versión española: 0,91 (Martín et al., 1996) y 0,88 (Montorio et al., 1998). Asimismo, se han observado índices de fiabilidad test-retest igual a 0,71 (Gallagher, Lovett y Leiss, 1985) y 0,86 (Martín et al., 1996).

En cuanto a la validez de la escala hemos encontrado en la bibliografía diferentes estudios que indican correlaciones *rho* de Spearman igual a 0,32 entre la Escala de Sobrecarga y la dependencia para las actividades de la vida diaria (Poulshock y Deimling, 1984) así como con restricciones en la vida social (Thomspon et al., 1993). Respecto a la validez de constructo, Pratt y colaboradores (1985) han hallado que la Escala de Sobrecarga correlaciona negativamente con una moral positiva —esto es, con un estado de ánimo optimista— y positivamente con el tiempo de cuidado. Sin embargo, con la versión adaptada por Martín y colaboradores (1996) no se ha encontrado esta última relación en una muestra española pero sí correlaciones significativas entre la puntuación en la Escala de Zarit y la puntuación en la escala de depresión del GHQ de Goldberg (0,63), el Índice de Katz de la dependencia para las actividades de la vida diaria, escalas de Trastornos del Comportamiento (0,55) y de Memoria/Orientación (0,44), y la Intención de Institucionalización (0,49).

En cuanto a la estructura factorial de la Escala de Zarit, sólo existe un estudio realizado con la escala original de 22 ítems en la que se obtienen 2 factores denominados "tensión personal" y "tensión del rol" (Hassinger, 1986; Whitlatch, Zarit y von Eye, 1991). No obstante, como señalan Chou y colaboradores (2003), la elevada correlación hallada entre ambos factores (0,75) sugiere que pueda tratarse de un único factor. No obstante, diferentes son los resultados obtenidos con la versión adaptada a nuestro medio.

De hecho, Martín y colaboradores (1996) identificaron una composición factorial del instrumento que arrojaba la presencia de 3 factores y explicaba el 53,8% de la varianza. En concreto, hallaron los siguientes factores:

Factor 1: Sobrecarga. Formado por los ítems 11, 12, 8, 6, 3, 2, 22, 10, 17, 14, 9 y 1. Con un valor propio de 8,54 explicaba el 31,1% de la varianza. Los autores lo interpretaron como un reflejo del impacto subjetivo de la relación de cuidado sobre la vida de los cuidadores.

Factor 2: Rechazo. Recoge los elementos 18, 4, 13, 19 y 5 relacionados con sentimientos de rechazo/hostilidad hacia el familiar o paciente. Su autovalor es igual a 1,75, explicando el 8,0% de la varianza.

Factor 3: Competencia. Agrupa aquellos ítems —20, 21, 7, 16, 15— que hacen referencia a la propia valoración que los cuidadores hacen de su competencia para seguir manteniendo la relación de cuidados. Tiene un valor propio de 1,56, y explica un 7,1% de la varianza.

Posteriormente, Montorio y colaboradores (1998) también estudiaron las propiedades psicométricas de esta Escala hallando al igual que los autores anteriores una estructura factorial compuesta por 3 factores subyacentes con un contenido similar al hallado por Martín y colaboradores (1996) y que explica el 54,4% de la varianza. Se detalla a continuación el contenido de cada factor:

Factor 1: Impacto del cuidado. Incluye los ítems 2, 12, 22, 8, 3, 10, 11, 13, 1, 14, 17 y 7, relacionados con todas aquellas cuestiones asociadas con los efectos que tiene la provisión de cuidados sobre el cuidador. Tiene un valor propio de 7,3 y explica el 33,2% de la varianza.

Factor 2: Interpersonal. Está compuesto por los elementos 19, 9, 5, 4, 18 y 6. Hace referencia a la relación del cuidador con el receptor de cuidados. Muestra un autovalor de 2,5 y explica un 11,4% de la varianza.

Factor 3: Expectativas de autoeficacia. Sus ítems —21, 20, 15 y 16— reflejan creencias y expectativas del cuidador sobre su propia capacidad para atender a la persona cuidada. Tiene un valor propio igual a 2,1, explicando el 9,7% de la varianza.

La consistencia interna —a través de alpha de Cronbach— de estos 3 factores fue satisfactoria: 0,90 (Factor 1), 0,71 (Factor 2) y 0,69 (Factor 3).

Debido a que observamos que los dos análisis factoriales descritos previamente mostraban algunas variaciones respecto a los ítems que saturaban en cada factor, decidimos analizar la estructura factorial de la Escala de Sobrecarga del Cuidador en la muestra utilizada en nuestra investigación. Para ello procedimos a realizar un análisis factorial de componentes principales con rotación varimax para todos los ítems del instrumento. Este análisis arrojó los siguientes resultados:

Según el criterio de Káiser, los resultados revelaron una solución factorial que incluía un total de 5 factores (Tabla 18). La interpretación de los factores se realizó atendiendo a los siguientes criterios: 1) cuando un ítem saturaba en más de un factor, se seleccionó para el factor en el que presentaba la saturación más elevada, y 2) se eliminaron aquellos factores que no reunieran un mínimo de tres saturaciones. Con estos criterios se eliminaron de la estructura factorial definitiva los factores IV y V, viéndose a consecuencia desestimados los ítems 7 y 14. La solución factorial definitiva de la Escala de Sobrecarga del Cuidador aplicada a nuestra muestra quedaba formada por tres factores que explicaban el 54,0% de la varianza.

El primer factor está formado por 12 ítems —2, 3, 5, 6, 8, 9, 10, 11, 12, 17, 18, 22—, tiene un valor propio igual a 6,8 y explica el 31,0% de la varianza. El contenido de sus ítems parece reflejar la percepción subjetiva de las consecuencias negativas que tiene la tarea de cuidado sobre los cuidadores, lo que nos llevó a etiquetarlo como "Consecuencias negativas del cuidado".

El segundo factor está compuesto por 5 ítems (15, 16, 19, 20 y 21) y se ha denominado "Sentimientos de incompetencia" ya que incluía ítems que estaban relacionados con las expectativas de incompetencia respecto a la capacidad para continuar con la tarea de cuidado. Este factor tiene un autovalor igual a 3,1 y explica el 14,2% de la varianza.

El tercer factor estaba compuesto por los ítems 1, 4 y 13. Su valor propio es igual a 1,9 y explica el 8,7% de la varianza. El contenido de sus ítems estaba relacionado con afirmaciones respecto a sentimientos negativos del cuidador hacia la persona cuidada. Este factor se denominó "Relaciones negativas".

Tabla 18. Matriz Factorial de la Escala de Sobrecarga del Cuidador. Análisis de componentes principales con rotación varimax. N = 153

Factores	Valor propio	% de varianza	% acumulado		
I. Consecuencias negativas del cuidado.	6,818	30,992	30,992		
II. Sentimientos de incompetencia.	3,126	14,211	45,203		
III. Relaciones negativas.	1,925	8,748	53,951		
		FACTORES			
ÍTEMS	I	II	III	IV	V
11. ¿Siente que no tiene la vida privada que desearía a causa de su familiar/paciente?	,82	,12	,16		
2. ¿Siente usted que, a causa del tiempo que gasta con su familiar/paciente, ya no tiene tiempo suficiente para usted mismo/a?	,82	,13	,20	,16	
12. ¿Cree que sus relaciones sociales se han visto afectadas por tener que cuidar a su familiar/paciente?	,81		,18	-,28	,23
22. En general, ¿se siente muy sobrecargada/o al tener que cuidar de su familiar/paciente?	,78	,34	,16	,19	-,14
17. ¿Siente que ha perdido el control sobre su vida desde que la enfermedad de su familiar/paciente se manifestó?	,78		,23		

ÍTEMS	FACTORES				
	I	II	III	IV	V
3. ¿Se siente estresado/a al tener que cuidar a su familiar/paciente, y tener además que atender otras responsabilidades? (p. ej., con su familia o en el trabajo)	,78	,25		,25	
9. ¿Se siente agotada/o cuando tiene que estar junto a su familiar/paciente?	,76	,26	,12	,30	-,15
6. ¿Cree que la situación actual afecta a su relación con amigos u otros miembros de su familia de una forma negativa?	,72	-,13	,21	-,26	,23
10. ¿Siente usted que su salud se ha visto afectada por tener que cuidar a su familiar/paciente?	,71	,26		,13	-,23
5. ¿Se siente irritado/a cuando está cerca de familiar/paciente?	,61		,38		
8. ¿Siente que su familiar/paciente depende de usted?	,57	,18	-,15	,49	,22
18. ¿Desearía poder encargar el cuidado de su familiar/paciente a otra persona?	,49	,42	,30	-,20	-,24
21. ¿Cree que podría cuidar a su familiar/paciente mejor de lo que hace?		,81	,27		,18
20. ¿Siente que debería hacer más de lo que hace por su familiar/paciente?		,80	,32		,17
19. ¿Se siente inseguro/a acerca de lo que debe hacer con su familiar/paciente?	,24	,73	-,15		-,18
15. ¿Cree usted que no dispone de dinero suficiente para cuidar de su familiar/paciente además de otros gastos?		,17	,61		
16. ¿Siente que no va a ser capaz de cuidar de su familiar/paciente durante mucho tiempo más?	,48	,52	,15	,11	-,40
1. ¿Siente usted que su familiar/paciente solicita más ayuda de la que realmente necesita?	,21		,75	,10	,23
4. ¿Se siente avergonzado/a por el comportamiento de su familiar/paciente?	,20	,14	,63		-,14
13. Solamente si el entrevistado vive con el paciente ¿Se siente incómoda/o para invitar amigos a casa, a causa de su familiar/paciente?	,24	,20	,49		-,29
14. ¿Cree que su familiar/paciente espera que usted le cuide, como si fuera la única persona con la que pudiera contar					,91
7. ¿Siente temor por el futuro que le espera a su familiar/paciente?	,14	,12			,83

Notas. Método de extracción: Análisis de componentes principales. Método de rotación: Normalización Varimax con Kaiser. La rotación ha convergido en 10 iteraciones.

Los criterios de interpretación de estos factores se muestran en el cuadro siguiente (Cuadro 2):

Cuadro 2. Criterios de Interpretación de los factores de la Escala de Sobrecarga del Cuidador

Factor 1. Consecuencias negativas del cuidado.
• Su puntuación oscila entre 0 y 48. • Una puntuación elevada en este factor indica que el cuidador experimenta, con frecuencia repercusiones negativas sobre su vida por estar atendiendo a una persona dependiente, que le generan sobrecarga y sentimientos de querer delegar la tarea en otras personas. El cuidador ve negativamente afectada su vida privada, su tiempo libre, sus actividades de ocio, sus relaciones sociales, su trabajo, sus propias responsabilidades, y su salud física y mental.
Factor 2. Sentimientos de incompetencia.
• Su puntuación oscila entre 0 y 20. • Una puntuación elevada en este factor indica que el cuidador percibe que no posee los recursos personales y materiales suficientes para cuidar de forma adecuada a la persona dependiente. Así, el cuidador considera que no es capaz de proporcionarle los cuidados adecuados, de implicarse más en la asistencia y de continuar durante un mayor período de tiempo con los cuidados, se siente inseguro sobre la atención a suministrar y percibe que carece de los recursos económicos suficientes para prestarle los cuidados necesarios.
Factor 3. Relaciones negativas.
• Su puntuación oscila entre 0 y 12. • Una puntuación elevada en este factor indica que la prestación de cuidados genera sentimientos negativos en el cuidador tales como percepción de solicitud exagerada de ayuda y sentimientos de vergüenza e incomodidad frente a los demás debido a los cuidados suministrados a la persona dependiente.

El análisis de las propiedades psicométricas de la escala así como de los tres factores derivados del análisis factorial mostró una aceptable consistencia interna, que oscila entre 0,50 y 0,93 en el índice alpha de Cronbach (Tabla 19).

Tabla 19. Índices de fiabilidad (alpha de Cronbach) de la Escala de Sobrecarga del Cuidador: puntuación total y de los 3 factores. N = 153

	Ítems	α
PT. Carga	1-22	0,91
F1. Consecuencias negativas del cuidado.	2, 3, 5, 6, 8, 9, 10,11, 12, 17, 18, 22	0,93
F2. Sentimientos de incompetencia.	15, 16, 19, 20 y 21	0,75
F3. Relaciones negativas	1, 4 y 13	0,50

Notas. PT: Puntuación Total. F1: Factor 1. F2: Factor 2. F3: Factor 3.

Si comparamos la bondad psicométrica de la Escala de Sobrecarga del Cuidador obtenida en nuestra muestra con la hallada en los dos estudios descritos anteriormente y resumidos en la tabla 20, podemos destacar los siguientes puntos:

1) El índice de fiabilidad de la escala para los 22 ítems es similar al hallado en los estudios de Martín y colaboradores (1996) y Montorio y colaboradores (1998).

2) La estructura factorial encontrada es semejante a la obtenida por Martín et al. (1996). No obstante, al igual que ocurrió en el estudio de Montorio et al. (1998), sufre algunas variaciones, lo que lleva a que asumamos los resultados de nuestro análisis factorial para realizar los análisis estadísticos respecto a los factores.

3) Los índices de fiabilidad para cada factor son análogos a los hallados por Montorio y colaboradores[20] (1998), salvo en el caso del Factor 3 que en nuestro estudio sólo alcanza una consistencia interna moderada.

---

[20]   Se hace referencia únicamente al trabajo de Montorio y colaboradores (1998) porque en la investigación realizada por Martín y colaboradores (1996) no se hallaron los coeficientes de consistencia interna para cada factor.

Tabla 20. Resumen comparativo de los estudios sobre la estructura factorial de la Escala de Sobrecarga del Cuidador en nuestro medio

	Martín y colaboradores (1996).	Montorio y colaboradores (1998).	Nuestro estudio.
MUESTRA DEL ESTUDIO	92 cuidadores de pacientes ancianos con trastornos psiquiátricos atendidos en un Centro de Día Psicogeriátrico.	62 cuidadores de personas mayores dependientes residentes en una zona urbana de Madrid.	153 cuidadores de personas dependientes de la Comunidad Valenciana. 117 cuidadores de usuarios del SAD y 36 cuidadores de solicitantes del SAD.
CONSISTENCIA INTERNA DE LA PUNTUACIÓN TOTAL.	• α de Cronbach: 0,91	• α de Cronbach: 0,88	• α de Cronbach: 0,91
ANÁLISIS FACTORIAL:			
MÉTODO	AF de componentes principales con rotación Varimax.	AF de componentes principales con rotación Varimax.	AF de componentes principales con rotación Varimax.
Número de factores	Tres factores	Tres factores	Tres factores
Porcentaje de varianza total explicada	53,8%	55%	54%
Descripción del Factor 1	• Etiqueta: Sobrecarga. • 12 Ítems: 11, 12, 8, 6, 3, 2, 22, 10, 17, 14, 9, 1. • Definición: Reflejo del impacto subjetivo de la relación de cuidados sobre las vidas de los cuidadores.	• Etiqueta: Impacto del cuidado. • 12 Ítems: 2, 12, 22, 8, 3, 10, 11, 13, 1, 14, 17 y 7. • Definición: Aquellas cuestiones relacionadas con los efectos que la prestación de cuidados a un familiar mayor tiene para el cuidador: falta	• Etiqueta: Consecuencias negativas del cuidado. • 12 Ítems: 2, 3, 5, 6, 8, 9, 10, 11, 12, 17, 18, 22. • Definición: Percepción subjetiva de las consecuencias negativas de la tarea del cuidado sobre los cuidadores.

Tabla 20. Resumen comparativo de los estudios sobre la estructura factorial de la Escala de Sobrecarga del Cuidador en nuestro medio

	Martín y colaboradores (1996).	Montorio y colaboradores (1998).	Nuestro estudio.
	• % de varianza explicada: 31,1%. • α de Cronbach: No hay datos disponibles.	• % de varianza explicada: 33,2%. • α de Cronbach: 0,90.	• % de varianza explicada: 31,0%. • α de Cronbach: 0,93.
Descripción del Factor 2	• Etiqueta: Rechazo. • 5 Ítems: 18, 4, 13, 19 y 5. • Definición: Ítems relacionados con sentimientos de rechazo/ hostilidad hacia el familiar o paciente. • % de varianza explicada: 8,0%. • α de Cronbach: No hay datos disponibles.	• Etiqueta: Interpersonal. • 6 Ítems: 19, 9, 5, 4, 18 y 6. • Definición: Elementos referidos a la relación que el cuidador mantiene con la persona cuidada, deseo de delegar el cuidado en otros, sentimientos de vergüenza, enfado o tensión hacia su familia o sentimientos de indecisión acerca del cuidado. • % de varianza explicada: 9,7%. • α de Cronbach: 0,71.	• Etiqueta: Sentimientos de incompetencia. • 5 Ítems: 15, 16, 19, 20 y 21. • Definición: ítems relacionados con expectativas de incompetencia respecto a la capacidad para continuar con la tarea de cuidado. • % de varianza explicada: 14,2%. • α de Cronbach: 0,75.

Tabla 20. Resumen comparativo de los estudios sobre la estructura factorial de la Escala de Sobrecarga del Cuidador en nuestro medio

	Martín y colaboradores (1996).	Montorio y colaboradores (1998).	Nuestro estudio.
Descripción del Factor 3.	• **Etiqueta**: Competencia. • **5 Ítems**: 20, 21, 7, 16 y 15. • **Definición**: Elementos que hacen referencia a la propia valoración que los cuidadores hacen de su competencia para seguir manteniendo la relación de cuidados. • % de varianza explicada: 7,1%. • α de Cronbach: No hay datos disponibles.	• **Etiqueta**: Expectativas de auto-eficacia. • **4 Ítems**: 21, 20, 15 y 16. • **Definición**: Refleja creencias del cuidador sobre su capacidad para cuidar a su familiar, el deber de hacerlo, la falta de recursos económicos para poder cuidar a su familiar adecuadamente o la expectativa de no poder seguir prestando los cuidados por mucho más tiempo. • % de varianza explicada: 11,4%. • α de Cronbach: 0,69.	• **Etiqueta**: Relaciones negativas. • **3 Ítems**: 1, 4 y 13. • **Definición**: El contenido de sus items están relacionados con afirmaciones sobre sentimientos negativos del cuidado hacia el receptor de cuidados. • % de varianza explicada: 8,7%. • α de Cronbach: 0,50.

Nota: AF: Análisis Factorial

Para finalizar este subapartado mostramos a continuación una tabla resumen de las variables e instrumentos utilizados en este estudio con el fin de tener una visión más global de las mediciones incluidas (Tabla 21).

Tabla 21. Tabla resumen de las variables e instrumentos utilizados en el estudio.

ÁREAS EVALUADAS	VARIABLES		INSTRUMENTOS ESTANDARIZADOS
a. EVALUACIÓN DE LAS PERSONAS DEPENDIENTES			
a.1. Datos sociodemográficos	Edad		
	Sexo		
	Estado civil		
	Nivel de estudios		
	Profesión anterior		
	Datos económicos		
	Presencia o no de cuidador principal		
a.2. Capacidad funcional para las actividades básicas e instrumentales de la vida diaria.	Dependencia para las ABVD		Índice de Barthel
	Dependencia para las AIVD		Índice de Lawton y Brody
a.3. Deterioro cognitivo	Deterioro cognitivo		Cuestionario Portátil del Estado Mental de Pfeiffer
a.4. Estado de salud físico y psíquico y procedimientos clínicos utilizados.	Problemas de salud/enfermedades actuales		
	Fase y evolución del estado de salud	Estado de salud en los últimos 12 meses.	
		Evolución del estado de salud en los últimos 12 meses.	
		Estadio de tratamiento de la enfermedad.	
	Servicios sanitarios utilizados y nivel de satisfacción con estos servicios	Uso de procedimiento clínico	
		Técnicas o procedimientos sanitarios utilizados.	
		Personal que realiza las técnicas sanitarias.	
		Lugar en que se llevan a cabo las técnicas sanitarias.	
		Frecuencia con que se aplican las técnicas sanitarias.	

Tabla 21. Tabla resumen de las variables e instrumentos utilizados en el estudio.

ÁREAS EVALUADAS	VARIABLES		INSTRUMENTOS ESTANDARIZADOS
a.5. Situación sociofamiliar	Situación social y familiar		Escala de Valoración Sociofamiliar.
	Funcionalidad familiar		Cuestionario Apgar Familiar
b. EVALUACIÓN DEL SERVICIO DE AYUDA A DOMICILIO			
b.1. Valoración objetiva del servicio prestado por el SAD	Características generales del servicio prestado por el SAD	Franja horaria en la que el SAD acude al domicilio.	
		Número de auxiliares habituales.	
		Si son los mismos auxiliares que acuden habitualmente al domicilio.	
		Formación de los auxiliares.	
		Tiempo transcurrido entre la demanda del SAD y el comienzo de la prestación de este servicio.	
		Demanda principal del usuario y del cuidador al SAD.	
		Utilización de otros servicios aparte del SAD.	
	Atención del SAD a las actividades de la vida diaria.	Tiempo semanal que dedica el SAD a atender la actividad en horas y minutos.	
		Proporción en la que el SAD cubre la necesidad semanal del usuario para la actividad.	
b.2. Valoración subjetiva del servicio proporcionado por el SAD	Satisfacción de usuarios y cuidadores con el SAD	Satisfacción del usuario con el servicio prestado por el SAD en las actividades de la vida diaria.	
		Satisfacción del cuidador con el servicio prestado por el SAD en las actividades de la vida diaria.	

Tabla 21. Tabla resumen de las variables e instrumentos utilizados en el estudio.

ÁREAS EVALUADAS	VARIABLES		INSTRUMENTOS ESTANDARIZADOS
	Evaluación de la relación entre el usuario y el auxiliar del SAD.		
	Valoración de la calidad de vida asociada a los servicios prestados por el SAD.	Satisfacción global percibida del usuario y de su cuidador principal con la atención del SAD.	
		Evaluación de la calidad de vida del usuario y de su cuidador antes y durante el SAD y si fueran atendidas sus demandas al SAD.	
		Evaluación de la calidad de vida en los distintos aspectos vitales del cuidador gracias al SAD.	
c. EVALUACIÓN DE LOS CUIDADORES PRINCIPALES			
c.1. Datos sociodemográficos del cuidador principal	Edad		
	Sexo		
	Nivel de estudios		
	Situación laboral actual		
c.2. Valoración de las características de los cuidados informales en el ámbito sociofamiliar	Suficiencia de los cuidados		
	Periodicidad y tiempo dedicado a los cuidados		
	Tipo de vínculo entre la persona dependiente y su cuidador principal.		
	Ayudas al cuidador principal en su tarea de cuidados.	Si alguien le ayuda	
		Persona que le ayuda	
		Frecuencia de la ayuda	
		Período en que se proporciona la ayuda	
		Cantidad de tiempo que supone semanalmente	
		La suficiencia de la ayuda	
		Razones de la falta o insuficiencia de la ayuda.	
c.3. Evaluación de la carga de los cuidadores principales de las personas dependientes	Evaluación de la carga del cuidador principal		Escala de Sobrecarga del Cuidador.

5. ANÁLISIS ESTADÍSTICOS REALIZADOS

Los análisis estadísticos se realizaron con el SPSS 12.5 y fueron los siguientes:

a) Se realizó un análisis factorial con rotación varimax para estudiar la estructura factorial de la Escala de Sobrecarga del Cuidador en nuestra muestra. Asimismo para evaluar la consistencia interna de esta escala se llevaron a cabo análisis de fiabilidad (alpha de Cronbach) para la puntuación total y de cada uno de sus factores. Los resultados de estos análisis se han presentado en el apartado correspondiente a la descripción de los instrumentos utilizados en este estudio.

b) Se realizaron análisis descriptivos para:

b.1. Establecer el perfil sociodemográfico de las personas dependientes así como su estado de salud y situación sociofamiliar.

b.2. Describir las características sociodemográficos de los cuidadores informales y del cuidado informal.

c) Para el estudio de las características del SAD, se utilizaron análisis descriptivos para examinar la parte objetiva de la provisión del SAD así como la satisfacción del usuario y del cuidador con este servicio y la relación emocional con sus profesionales. Además, para el caso concreto de la calidad de vida, se efectuaron pruebas t de student para fijar la existencia de diferencias estadísticamente significativas en calidad de vida entre los grupos de usuarios y cuidadores antes de recibir el SAD, durante la prestación de este servicio y si atendieran sus demandas —en el caso de que las tuvieran—.

d) El papel del SAD sobre la carga de los cuidadores fue estudiado a través de un ANOVA en el que se compararon los grupos de cuidadores usuarios y no usuarios del SAD en la puntuación total de sobrecarga. El mismo procedimiento estadístico fue utilizado para analizar la posible existencia de diferencias significativas entre los dos grupos —SAD y no SAD— en cada uno de los ítems de la Escala de Sobrecarga del

Cuidador y para cada uno de los factores hallados de este instrumento.

e) Dado que no existían diferencias relevantes a nivel de carga entre el grupo de cuidadores de usuarios de SAD y el de no usuarios, se utilizó la muestra total de cuidadores para estudiar la relación bivariada de la carga con 1) las variables del contexto del cuidado y del cuidador y 2) las variables de salud y sociofamiliares de la persona dependiente. En concreto, se llevaron a cabo los siguientes análisis estadísticos:

e.1. Se estudió la existencia de relaciones bivariadas entre la sobrecarga global y cada uno de los tres factores del instrumento de sobrecarga en las variables del cuidado y del cuidador informal. Cuando estas variables eran contínuas se utilizó el análisis de correlación de Pearson. Para la realización de análisis con variables categóricas, se optó por el uso de pruebas paramétricas o no paramétricas en función del tamaño y del equilibrio del tamaño de la muestra de cada grupo de comparación, en concreto:

- En aquellas variables en la que el tamaño de la muestra de alguna de las alternativas era pequeño —inferior o igual a 30— y descompensado con el tamaño de los otros, se utilizó una prueba no paramétrica: Prueba de Mann-Whitney cuando comparábamos dos grupos y Prueba de Wilcoxon cuando estudiábamos la existencia de diferencias estadísticamente significativas entre más de dos grupos. En este último caso, se utilizaba la Prueba de Mann-Whitney cuando había que realizar las comparaciones dos a dos entre los grupos.

- En las variables restantes cuyas alternativas de comparación mostraban un tamaño muestral suficiente (superior a 30) y equilibrado entre los grupos, se utilizó el ANOVA. Se realizaron análisis a posteriori mediante la prueba de Tukey cuando había más de dos grupos para determinar entre cuáles de ellos se hallaban las diferencias significativas.

e.2. Se analizaron las relaciones bivariadas entre la carga global y los tres factores de la carga y las variables de salud y sociofamiliares de la persona dependiente a través de análisis de correlación de Pearson.

e.3. Se efectuaron para ambos grupos de variables por separado análisis multivariados para establecer las variables predictoras de la sobrecarga a través del análisis de regresión lineal por pasos hacia adelante.

IV. RESULTADOS

1. ANÁLISIS DESCRIPTIVO DE LA MUESTRA DE PERSONAS DEPENDIENTES

En este apartado se describen las principales características sociodemográficas de la muestra de personas dependientes entrevistadas en este estudio, así como las principales necesidades y demandas de atención social y sanitaria que presentan.

1.1. Características sociodemográficas de las personas dependientes

En la tabla 22 se detalla la información más relevante respecto a las variables sociodemográficas recogidas. La muestra utilizada en este estudio está formada por 296 personas dependientes. En concreto, la media de edad de la muestra de personas dependientes es de 74,6 años (DT= 15,2). La media de edad de las mujeres ($\overline{X}$ = 75,8 años; DT= 13,1) es ligeramente superior a la de los hombres ($\overline{X}$ = 71,0 años; DT= 19,5). La mayoría de estas personas son mayores de 65 años (82,1%), y predominan las que tienen entre 70 y 90 años (68,9%). Asimismo, una gran parte de la muestra está formada por mujeres (73,6%).

Respecto al estado civil, la mayoría de las personas dependientes entrevistadas son viudos/as (44,3%) o casados/as (31,1%). Entre la población de varones destacan las personas casadas (38,5%) mientras que entre las mujeres predominan las viudas (49,1%).

El nivel de estudios es bastante bajo: un alto porcentaje de la muestra de personas dependientes no tiene estudios (52,0%) o es analfabeta (27,7%). Por otro lado, la mayoría han sido trabajadores empleados por cuenta ajena (78,0%).

Respecto al nivel económico, los ingresos medios del núcleo familiar de las personas dependientes son inferiores a los 600 euros mensuales, procediendo esta cuantía casi en su mayoría de pensiones o prestaciones percibidas por la persona dependiente ($\overline{X}$ = 434,9 euros/mes).

Por último, la mitad de las personas dependientes entrevistadas (51,7%) tiene un cuidador principal informal que les provee atención y cuidados. El 57,7% de los varones y el 42,3% de las mujeres dependientes entrevistas reciben cuidados de una persona de su red de apoyo informal.

Tabla 22. Datos sociodemográficos de la muestra de personas dependientes (por sexo y total). N = 296

VARIABLES	VARÓN (N = 78)	MUJER (N = 218)	TOTAL (N = 296)
Edad			
Media en años (DT)	71,0 (19,5)	75,8 (13,1)	74,6 (15,2)
Distribución por grupos edad:			
Menores de 65 años: N (%)	17 (21,8%)	36 (16,5%)	53 (17,9%)
Mayores de 65 años: N (%)	61 (78,2%)	182 (83,5%)	243 (82,1%)
Sexo: N (%)	78 (26,4%)	218 (73,6%)	296 (100,0%)
Estado Civil: N (%)			
Soltero/a	20 (25,6%)	31 (14,2%)	51 (17,2%)
Casado/a	30 (38,5%)	62 (28,4%)	92 (31,1%)
Separado/a	4 (5,1%)	11 (5,1%)	15 (5,1%)
Divorciado/a	0 (0,0%)	7 (3,2%)	7 (2,4%)
Viudo/a	24 (30,8%)	107 (49,1%)	131 (44,2%)
Nivel de Estudios: N (%)			
Analfabeto/a	14 (17,9%)	68 (31,2%)	82 (27,7%)
Sin Estudios Primarios	49 (62,8%)	105 (48,2%)	154 (52,0%)
No Reglados	2 (2,6%)	2 (0,9%)	4 (1,4%)
Primarios	10 (12,8%)	33 (15,1%)	43 (14,5%)
Medios	3 (3,9%)	8 (3,7%)	11 (3,7%)
Superiores	0 (0,0%)	2 (0,9%)	2 (0,7%)
Categoría Profesional: N (%)			
Empresario/a	1 (1,3%)	3 (1,4%)	4 (1,4%)
Empleado/a	69 (88,5%)	162 (74,3%)	231 (78,0%)
No trabajó	8 (10,2%)	53 (24,3%)	61 (20,6%)

Tabla 22. Datos sociodemográficos de la muestra de personas dependientes
(por sexo y total). N = 296

VARIABLES	VARÓN (N = 78)	MUJER (N = 218)	TOTAL (N = 296)
Nivel Económico			
Ingresos Mensuales en Euros			
Núcleo Familiar: Media (DT)	670,8 (306,9)	557,5 (283,0)	587,4 (293,2)
Persona dependiente: Media (DT)	505,9 (229,2)	409,6 (218,3)	434,9 (224,4)
Procedencia de los ingresos*: N (%)			
Rentas	4 (5,1%)	16 (7,4%)	20 (6,7%)
Pensiones, subsidios u otro tipo de prestaciones	76 (97,4%)	206 (95,4%)	282 (95,9%)
Ayudas sociales	4 (5,1%)	11 (5,1%)	15 (5,1%)
Presencia de cuidador informal			
Si	45 (57,7%)	108 (44,5%)	153 (51,7%)
No	33 (42,3%)	110 (50,5%)	143 (48,3%)

Nota. * Una misma persona puede estar en más de una categoría de procedencia de ingresos.

1.2. Características de salud física y mental y situación social y familiar de las personas dependientes

En esta sección se detallan los resultados más importantes respecto a la capacidad funcional para las actividades básicas e instrumentales de la vida diaria, el estado cognitivo, el estado de salud, y la situación sociofamiliar de la muestra de personas dependientes.

1.2.1. Capacidad funcional para las actividades de la vida diaria

1.2.1.1. Capacidad funcional para las actividades básicas de la vida diaria

El análisis de las puntuaciones en el test de Barthel indica que, según los criterios establecidos por los autores del instrumento

(Barthel y Mahoney, 1965), las personas dependientes entrevistadas muestran un grado leve de dependencia para realizar las
actividades básicas de la vida diaria —ABVD— ($\overline{X}$ = 61,8; DT =
37,3). De hecho, el 59,5% de las personas dependientes entrevistadas tienen algún grado de dependencia para llevar a cabo estas
actividades, presentando el 32,1% una dependencia grave o total
(Tabla 23).

Tabla 23. Número y porcentaje de personas dependientes en cada nivel de
dependencia para las ABVD. N = 296

Nivel de dependencia para las ABVD	N	%
Grave o total	95	32,1%
Moderada	13	4,4%
Leve	68	23,0%
Independiente	120	40,5%
Total	*296*	*100,0%*

Nota. ABVD: Actividades básicas de la vida diaria.

Cuando se estudia de forma pormenorizada el nivel dependencia para cada una de las ABVD, se observa que las actividades "ducha o baño" (63,9%) y "subir y bajar escaleras" (63,5%)
son las ABVD para las que las personas dependientes necesitan
con mayor frecuencia la ayuda de otra persona para realizarlas
(Tabla 24).

Tabla 24. Número y porcentaje de personas dependientes en cada nivel de
dependencia para cada una de las ABVD. N = 296

ABVD	N	%	ABVD	N	%
Comer			**Control vesical**		
Dependiente	61	20,6%	Dependiente	81	27,4%
Autonomía parcial	45	15,2%	Autonomía parcial	51	17,2%
Independiente	190	64,2%	Independiente	164	55,4%
Total	*296*	*100,0%*	*Total*	*296*	*100,0%*

Tabla 24. Número y porcentaje de personas dependientes en cada nivel de dependencia para cada una de las ABVD. N = 296

ABVD	N	%	ABVD	N	%
Empleo de ducha/baño			**Uso del retrete**		
Dependiente	189	63,9%	Dependiente	78	26,4%
Independiente	107	36,1%	Autonomía parcial	39	13,2%
Total	*296*	*100,0%*	Independiente	179	60,4%
			Total	*296*	*100,0%*
Vestirse			**Trasladarse sillón-cama**		
Dependiente	100	33,7%	Grúa	70	23,6%
Autonomía parcial	44	14,9%	Gran ayuda	25	8,5%
Independiente	152	51,4%	Ayuda pequeña	46	15,5%
Total	*296*	*100,0%*	Independiente	155	52,4%
			Total	*296*	100,0%
Aseo personal			**Desplazamientos**		
Dependiente	118	39,9%	Dependiente	79	26,7%
Independiente	178	60,1%	Silla ruedas independiente	11	3,7%
Total	*296*	*100,0%*	Ayuda	53	17,9%
			Independiente	153	51,7%
			Total	*296*	*100,0%*
Control anal			**Subir y bajar escaleras**		
Dependiente	80	27,0%	Dependiente	125	42,2%
Autonomía parcial	45	15,2%	Ayuda	63	21,3%
Independiente	171	57,8%	Independiente	108	36,5%
Total	*296*	*100,0%*	*Total*	*296*	*100,0%*

Nota. ABVD: Actividades básicas de la vida diaria.

Por otro lado, se observa que casi un 50% (46,3%) de las personas dependientes entrevistadas son dependientes para 5 o más actividades de la vida diaria. Situándose en un 22,6% el porcentaje de personas dependientes para todas las ABVD consideradas (Tabla 25).

Tabla 25. Número de actividades básicas de la vida diaria con dependencia. N = 296

Número de ABVD	N	%
0	50	16,9%
1	49	16,6%
2	27	9,1%
3	18	6,1%
4	15	5,1%
5	15	5,1%
6	7	2,4%
7	9	3,0%
8	15	5,1%
9	24	8,1%
10	67	22,6%
Total	*296*	*100,0%*

Nota. ABVD: Actividades básicas de la vida diaria.

1.2.1.2. Capacidad funcional para las actividades instrumentales de la vida diaria

Respecto a los resultados obtenidos en el análisis del nivel de dependencia en las actividades instrumentales de la vida diaria —AIVD— medido a través del cuestionario de Lawton y Brody (Tabla 26), se puede considerar que, según los criterios de interpretación de este instrumento definidos en el apartado de metodología de este trabajo (biopsicología.net, 2004), los sujetos de la muestra de este estudio tienen un grado severo de dependencia de otros para llevar a cabo estas actividades ($\overline{X}$ = 3,3; DT = 2,8).

Tabla 26. N y porcentaje de personas dependientes en cada nivel de dependencia para las AIVD. N = 296

Número de AIVD con dependencia	N	%
0-Dependencia	87	29,4%
1	26	8,8%
2	12	4,1%
3	22	7,4%
4	34	11,5%

Tabla 26. N y porcentaje de personas dependientes en cada nivel de dependencia para las AIVD. N = 296

Número de AIVD con dependencia	N	%
5	30	10,1%
6	39	13,2%
7	31	10,5%
8-Independencia total	15	5,0%
Total	*296*	*100,0%*

Nota. AIVD: Actividades instrumentales de la vida diaria.

El análisis pormenorizado de la dependencia para cada una de las AIVD señala que, tal como se observa en la tabla 27, las personas dependientes necesitan en especial la ayuda de otros para "hacer compras" (86,5%), "usar los medios de transporte" (76,7%) y para las tareas relacionadas con el "cuidado de la casa" (62,8%).

Tabla 27. N y porcentaje de personas dependientes en cada nivel de dependencia para cada AIVD. N = 296

AIVD	N	%	AIVD	N	%
Uso del teléfono			**Lavar la ropa**		
Dependiente	101	34,1%	Dependiente	163	55,1%
Independiente	195	65,9%	Independiente	133	44,9%
Total	*296*	*100,0%*	*Total*	*296*	*100,0%*
Hacer las compras			**Usar los medios de transporte**		
Dependiente	256	86,5%	Dependiente	227	76,7%
Independiente	40	13,5%	Independiente	69	23,3%
Total	*296*	*100,0%*	*Total*	*296*	*100,0%*
Preparar la comida			**Responsabilidad de la medicación**		
Dependiente	172	58,1%	Dependiente	131	44,3%
Independiente	124	41,9%	Independiente	165	55,7%
Total	*296*	*100,0%*	*Total*	*295*	*100,0%*

Tabla 27. N y porcentaje de personas dependientes en cada nivel de dependencia para cada AIVD. N = 296

AIVD	N	%	AIVD	N	%
Cuidar de la casa			**Manejar asuntos económicos**		
Dependiente	186	62,8%	Dependiente	159	53,7%
Independiente	110	37,2%	Independiente	137	46,3%
Total	*296*	*100,0%*	*Total*	*296*	*100,0%*

Nota. AIVD: Actividades instrumentales de la vida diaria.

Finalmente, es relevante mencionar que el 60,8% de la muestra es dependiente para 4 o más AIVD, destacando que casi un tercio de las personas dependientes entrevistadas (29,4%) necesitan ayuda para realizar todas las actividades instrumentales consideradas (Tabla 28).

Tabla 28. Número de AIVD con dependencia. N = 296

Número de ABVD	N	%
0	16	5,4%
1	31	10,5%
2	38	12,8%
3	31	10,5%
4	32	10,8%
5	23	7,8%
6	12	4,0%
7	26	8,8%
8	87	29,4%
Total	*296*	*100,0%*

Nota. AIVD: Actividades instrumentales de la vida diaria.

1.2.2. Estado cognitivo

Respecto al estado cognitivo, los resultados obtenidos en el Cuestionario Portátil de Estado Mental de Pfeiffer indican que, según los criterios de evaluación fijados por los autores, la media alcanzada por la muestra estudiada no supera el punto de corte establecido para la demencia (5 errores) en cuanto que es igual a 3,8 (DT= 3,3). No obstante, como se muestra en la tabla 29, un 52,1% tiene algún tipo de deterioro cognitivo, contabilizándose en 17,8% aquellos con fallo cognitivo severo. En concreto, el 30,4% de la población de personas dependientes entrevistadas sufren demencia.

Tabla 29. Estado cognitivo de la muestra de personas dependientes: Resultados del Cuestionario Portátil de Estado Mental de Pfeiffer. N = 296[a]

	N	%
Funcionamiento cognitivo		
Normal	140	47,8%
Deterioro cognitivo leve	64	21,8%
Deterioro cognitivo moderado	37	12,6%
Deterioro cognitivo severo	52	17,8%
Total	*293*	*100,0%*
Demencia		
Ausencia demencia	204	69,6%
Presencia demencia	89	30,4%
Total	*293*	*100,0%*

Nota. [a] La muestra de personas dependientes que respondió al Cuestionario Portátil de Estado Mental de Pfeiffer se ha reducido a 293 sujetos. La razón de esta mortalidad muestral de 3 sujetos se debe a que se encontraban afectados de problemas mentales que les impiden contestar a este instrumento. En concreto, un sujeto padecía una alteración cerebrovascular, otro presentaba un diagnóstico encuadrado en la categoría 'esquizofrenia y otros trastornos psiquiátricos", y un tercer sujeto sufría la Enfermedad de Alzheimer. En este caso, el error muestral es igual a 5,63% para la población total.

1.2.3. Salud: Estado, evolución y procedimientos clínicos utilizados

La evaluación del estado de salud —cuyos resultados se recogen en la tabla 30— indica que en el 72% de los casos el estado de salud en el último año de las personas dependientes entrevistadas ha sido regular (45,3%) o malo (26,7%), y su evolución en este período bien ha empeorado (47,3%) bien ha mejorado (44,3%) apreciablemente, existiendo corresponden-cia entre ambos indicadores de salud. En este sentido, aquellos

con un estado de salud malo o muy malo han empeorado en el
último año (27,4%), mientras que los que indican un estado de
salud regular han experimentado una mejora en este indicador
en los últimos 12 meses (23,0%).

**Tabla 30. Estado de salud de la muestra de personas dependientes: Número y
porcentaje del estado de salud, su evolución en los últimos 12 meses, y la relación
entre ambos indicadores de salud. N (%). N = 296**

		Evolución del Estado de Salud en los últimos 12 meses			Total
		Empeora apreciablemente	Se mantiene estable	Mejora apreciablemente	
Estado de Salud en los últimos 12 meses	Muy Malo	26 (8,8%)	0 (0,0%)	3 (1,0%)	29 (9,8%)
	Malo	55 (18,6%)	1 (0,3%)	23 (7,8%)	79 (26,7%)
	Regular	50 (16,9%)	16 (5,4%)	68 (23,0%)	134 (45,3%)
	Bueno	9 (3,0%)	7 (2,4%)	34 (11,5%)	50 (16,9%)
	Muy Bueno	0 (0,0%)	1 (0,3%)	3 (1,0%)	4 (1,3%)
	Total	*140 (47,3%)*	*25 (8,4%)*	*131 (44,3%)*	*296 (100,0%)*

El análisis de las enfermedades diagnosticadas y la fase de
tratamiento en que se encuentran (Tabla 31) indican que la
muestra de personas dependientes entrevistadas padece fundamentalmente enfermedades del sistema circulatorio (28,3%)
como hipertensión o fallo cardíaco, y enfermedades del sistema
musculoesquelético y del tejido conectivo (16,2%) como
osteoartritis, osteoporosis y fractura del cuello del fémur. El
número medio de enfermedades diagnosticadas por persona es
de 3,1 (DT= 1,6). En concreto, el 58,4% de las personas dependientes padecen 3 o más enfermedades. Por otra parte, el 81,1%
de las personas dependientes se encuentran en fase de tratamiento activo.

Tabla 31. Enfermedades diagnosticadas en la muestra de personas dependientes: tipo de enfermedades, pluripatología, y fase de tratamiento en su caso. N = 296

	N	%
Enfermedades diagnosticadas[a]		
Enfermedades del sistema circulatorio.	176	28,3%
Enfermedades del sistema músculo-esquelético y del tejido conectivo	101	16,2%
Enfermedades endocrinas, nutricionales, y metabólicas.	69	11,1%
Enfermedades del ojo y deficiencias visuales.	69	11,1%
Trastornos mentales y conductuales.	68	10,9%
Enfermedades del sistema nervioso.	41	6,6%
Enfermedades y deficiencias del oído.	29	4,7%
Enfermedades del sistema respiratorio.	29	4,7%
Enfermedades de la sangre y de los órganos que forman la sangre.	26	4,2%
Enfermedades del sistema genitourinario.	14	2,2%
Total	*622*	*100,0%*
Número de patologías/enfermedades diagnosticadas		
0	4	1,4%
1	43	14,5%
2	76	25,7%
3	69	23,3%
4	56	18,9%
5	27	9,1%
6	11	3,7%
7	6	2,0%
8	3	1,0%
9	1	0,4%
Total	*296*	*100,0%*
Fase del tratamiento de la enfermedad		
Terminal	9	3,0%
Sin Tratamiento posible	37	12,5%
Tratamiento Activo	240	81,1%
Libre de Enfermedad	10	3,4%
Total	*296*	*100,0%*

Nota. [a] Una misma persona puede presentar varios diagnósticos.

Asimismo, como se puede observar en la tabla 32, el 78,7% de los sujetos dependientes se someten a algún tipo de procedimiento clínico. Se puede considerar que los métodos clínicos utilizados son en general bastante sencillos, ya que se limitan a la toma de medicación por vía oral (43,0%) y a la realización de distintos tipos de controles médicos periódicos (glucemia, presión arterial, control de sintrón, análisis de sangre y niveles de oxígeno) —26,4%—. Casi el 40% de las personas dependientes requiere la participación de profesionales de la salud para la aplicación de la técnica sanitaria (36,1%), en el 34,3% de los casos el procedimiento clínico es realizado por personal no sanitario, y el 26,2% de los sujetos se lo administra él mismo. En la mayoría de los casos, los procedimientos clínicos son suministrados en el propio domicilio de la persona dependiente (74,9%) y con una frecuencia de aplicación superior a una vez al día (51,5%).

Tabla 32. Utilización de procedimientos clínicos. Número y porcentaje. N = 296

	N	%
Procedimientos clínicos		
No utiliza ningún procedimiento clínico	63	21,3%
Utiliza algún procedimiento clínico	233	78,7%
Total	*296*	*100,0%*
Tipo de procedimiento clínico utilizado[a]		
Medicación oral	145	43,0%
Controles (presión, sintrón, azúcar, análisis sangre, oxígeno)	89	26,4%
Inyecciones medicamentos	29	8,6%
Curas complejas	14	4,2%
Medicación inhalada/en gotas	11	3,3%
Sondas	11	3,3%
Rehabilitación	9	2,7%
Parches corazón	9	2,7%
Oxigenoterapia	6	1,8%
Diálisis	4	1,1%
Otros[b]	10	2,9%
Total	*337*	*100,0%*

Notas. [a] Una misma persona puede utilizar más de un procedimiento clínico. [b] Biopsia, cambiar traqueotomía, catéter, faja, gastrostomía, marcapasos, quimioterapia, aparato de pierna paralizada, vasometría, revisión psiquiatría.

Tabla 32. Utilización de procedimientos clínicos. Número y porcentaje. N = 296

	N	%
Persona que administra el procedimiento clínico		
Necesita un procedimiento clínico pero nadie le atiende	0	0,0%
No sanitario	80	34,3%
Sanitario	84	36,1%
Se lo administra ella misma	61	26,2%
No sanitario y sanitario	1	0,4%
Sanitario y se lo administra ella misma	7	3,0%
Total	*233*	*100,0%*
Lugar en que se realizan las técnicas sanitarias		
Domicilio	174	74,7%
Centro de Atención Primaria	36	15,5%
Hospital	17	7,3%
Domicilio y Centro de Atención Primaria	4	1,7%
Domicilio y hospital	2	0,8%
Total	*233*	*100,0%*
Frecuencia con que se aplican procedimientos clínicos		
Más de una vez al día	120	51,5%
Una vez al día	28	12,0%
Más de una vez a la semana	12	5,2%
Una vez a la semana	8	3,4%
Menos de una vez a la semana	65	27,9%
Total	*233*	*100,0%*

1.2.4. Situación sociofamiliar

1.2.4.1. Valoración de la situación familiar

Respecto a los resultados obtenidos de la Escala de Valoración Sociofamiliar (Tabla 33), la puntuación media alcanzada indica que las personas dependientes muestran —según los criterios establecidos por los autores del instrumento— cierto riesgo de desarrollar un problema en el ámbito sociofamiliar ($\overline{X}$ = 13,2; DT = 2,8). De hecho, el 53,7% de la muestra de personas dependientes entrevistada tiene este riesgo y un 36,1% vive ya en una situación sociofamiliar problemática.

Cuando se analiza de forma pormenorizada el contenido de los ítems de esta escala se observa que la existencia de cierto riesgo sociofamiliar parece deberse fundamentalmente a los bajos ingresos, a la falta de adecuación de las viviendas y a la necesidad de apoyos de la red social de las personas dependientes entrevistadas. Así, como indican los datos de la tabla 34, la situación familiar y las relaciones sociales son en general adecuadas: un porcentaje muy bajo de personas dependientes viven con su familia con algún conflicto (5,7%) o viven solas y sin relaciones familiares o vecinales (2,4%). No obstante, el 75,2% de las personas dependientes tienen ingresos familiares no superiores a la pensión mínima contributiva, el 57,8% no posee una vivienda adecuada a sus necesidades, y el 79,1% necesita apoyo de algún agente de la red social.

Tabla 33. Escala de Valoración Sociofamiliar: Nivel de riesgo sociofamiliar. N = 296

Nivel de riesgo familiar	N	%
No hay riesgo de problema social (5-9)	30	10,1%
Existe riesgo de problema social (10-14)	159	53,7%
Problema social (mayor o igual a 15)	107	36,1%
Total	296	100,00%
$\overline{X}$: 13,2 (DT: 2,8)		

Tabla 34. Escala de Valoración Sociofamiliar: N y porcentaje para cada uno de los ítems. N = 296

	N	%
Situación Familiar		
Vive con familia sin conflicto	126	42,6%
Vive con familia con algún conflicto	17	5,7%
Vive con cónyuge de similar edad	25	8,4%
Vive solo/a con relaciones familiares y vecinales	121	40,9%
Vive solo/a sin relaciones familiares o vecinales	7	2,4%
Total	296	100,0%

Tabla 34. Escala de Valoración Sociofamiliar: N y porcentaje para cada uno de los ítems. N = 296

	N	%
Nivel de ingresos familiares		
Más de 1,5 veces el salario mínimo	22	7,4%
Hasta 1,5 veces el salario mínimo	51	17,2%
Hasta la pensión mínima contributiva	121	40,9%
LISMI, FAS, pensión no contributiva	90	30,4%
Sin ingresos o con ingresos inferiores a los anteriores	12	4,1%
Total	*296*	*100,0%*
Vivienda		
Adecuada a sus necesidades	125	42,2%
Existencia de Barreras Arquitectónicas	142	48,0%
Ausencia de confort básico	17	5,7%
Problemas salubridad e higiene	11	3,7%
Vivienda inhabitable (chabola, ruina,...)	1	0,4%
Total	*296*	*100,0%*
Relaciones Sociales		
Relaciones normales	79	26,7%
Sólo con familia y vecinos	90	30,4%
Sólo con familia	41	13,9%
No sale del domicilio. Recibe visitas	59	19,9%
No sale del domicilio y no recibe visitas	27	9,1%
Total	*296*	*100,0%*
Apoyos de la Red Social		
No necesita Apoyo	62	20,9%
Con Apoyo Vecinal	39	13,2%
Voluntariado Social	4	1,4%
Ayuda Domiciliaria	121	40,9%
Necesita Cuidados Permanentes	70	23,6%
Total	*296*	*100,0%*

1.2.4.2. Valoración de la Función Familiar (APGAR-Familiar)

Los resultados del cuestionario de función familiar APGAR-Familiar (Tabla 35) indican, siguiendo los criterios de valoración del instrumento, una tendencia hacia la normofuncionalidad familiar de las personas entrevistadas ($\overline{X}$ = 6,7; DT= 3,5). De hecho, el 60,5% de la muestra indica relaciones normales y funcionales en el ámbito familiar. No obstante, un 18,5% señala problemas graves de funcionalidad familiar.

Tabla 35. APGAR: N y porcentaje en cada nivel de función familiar. N = 296[a]

Nivel APGAR Familiar	N	%
Disfunción grave	50	18,5%
Disfunción leve	57	21,0%
Funcionalidad	164	60,5%
Total	*271*	*100,0%*

Notas. [a] El error muestral en este caso es del 5,86% para la población total por la omisión de respuestas de 25 sujetos (N = 271). El intervalo de puntuaciones para la disfunción grave oscila entre 0 y 2, para la disfunción leve entre 3 y 6, y para la funcionalidad entre 7 y 10.

2. ANÁLISIS DESCRIPTIVO DE LOS CUIDADORES INFORMALES DE PERSONAS DEPENDIENTES Y DEL CUIDADO INFORMAL

En este apartado se describe el perfil sociodemográfico de los cuidadores informales de las personas dependientes y las características principales de la provisión del cuidado informal.

2.1. Características sociodemográficas de los cuidadores informales

En la tabla 36 se señalan los datos sociodemográficos más relevantes de los cuidadores informales entrevistados. La muestra de cuidadores informales está formada por 153 sujetos. El 62% de los cuidadores de personas dependientes entrevistadas son mujeres. La edad media de la muestra de personas cuidadoras es de 62,0 años (DT = 16,1), siendo la edad media de los varones ($\overline{X}$ = 65,4 años; DT = 18,3) ligeramente superior a la de las mujeres ($\overline{X}$ = 60,0 años; DT = 14,3). El nivel de estudios de las personas cuidadoras es bastante bajo: el 41,2% tiene estudios no reglados, el 4,4% no tiene estudios primarios y el 10,5% son analfabetas. Entre los cuidadores destacan las personas jubiladas (40,5%), las personas con alguna ocupación laboral (17,6%) y las que se dedican a su hogar (16,3%).

Tabla 36. Variables sociodemográficas de la muestra de cuidadores informales.
N = 153

VARIABLES	VARÓN (N= 57)	MUJER (N = 96)	TOTAL (N = 153)
Edad (años): Media (DT)	65,4 (18,3)	60,0 (14,3)	62,0 (16,1)
Sexo: N (%)	57 (37,3%)	96 (62,7%)	153 (100,0%)
Nivel de Estudios: N (%)			
Analfabeto/a	4 (7,0%)	12 (12,5%)	16 (10,5%)
Sin Estudios Primarios	3 (5,3%)	4 (4,2%)	7 (4,4%)
No reglados	23 (40,4%)	40 (41,7%)	63 (41,2%)
Primarios	16 (28,1%)	24 (25,8%)	40 (26,1%)
Medios	11 (18,3%)	13 (13,4%)	24 (15,7%)
Superiores	0 (0,0%)	3 (3,1%)	3 (2,0%)
Situación Laboral: N (%)			
Ocupada/o	12 (21,1%)	15 (15,6%)	27 (17,6%)
En paro	3 (5,3%)	16 (16,7%)	19 (12,4%)
Estudiante	0 (0,0%)	0 (0,0%)	0 (0,0%)
Se ocupa del hogar	0 (0,0%)	25 (26,0%)	25 (16,3%)
Jubilada/o	32 (56,1%)	30 (31,3%)	62 (40,5%)
Incapacidad laboral	4 (7,0%)	7 (7,3%)	11 (7,2%)
Otros inactivos	6 (10,5%)	3 (3,1%)	9 (5,9%)

2.2. Características del cuidado informal

El análisis de las características del cuidado informal indica que el cónyuge (40,5%) o el padre/madre (28,8%) es la persona dependiente a la que atiende el cuidador (Tabla 37). No obstante, aparece un perfil diferente cuando se considera el sexo del cuidador. En el 64,9% de los casos el cuidador es del sexo masculino cuando la persona cuidada es su cónyuge, mientras que las mujeres cuidan casi a partes iguales a su padre/madre (31,3%), cónyuge (26,0%) o hijo/a (19,8%). Como se observa en la tabla 38, es más frecuente la existencia de un único cuidador por usuario (54,9%), aunque casi un tercio de la muestra tienen dos cuidadores que les atienden (28,8%).

Tabla 37. Vínculo del cuidador informal con la persona dependiente.
N y porcentaje. N = 153

Vínculo del cuidador con la persona cuidada La persona dependiente es el	CUIDADOR		
	VARÓN	MUJER	TOTAL
Padre/Madre	14 (24,6%)	30 (31,3%)	44 (28,8%)
Hermano/a	3 (5,3%)	5 (5,2%)	8 (5,2%)
Cónyuge	37 (64,9%)	25 (26,0%)	62 (40,5%)
Hijo/a	0 (0,0%)	19 (19,8%)	19 (12,4%)
Sobrino/a	0 (0,0%)	2 (2,1%)	2 (1,3%)
Abuelo/a	0 (0,0%)	1 (1,0%)	1 (0,7%)
Suegro/a	1 (1,8%)	3 (3,1%)	4 (2,6%)
Otros familiares	0 (0,0%)	4 (4,2%)	4 (2,6%)
Amigo/a	0 (0,0%)	2 (2,1%)	2 (1,3%)
Vecino/a	0 (0,0%)	1 (1,0%)	1 (0,7%)
Persona contratada	0 (0,0%)	2 (2,1%)	2 (1,3%)
Otros casos	2 (3,5%)	2 (2,1%)	4 (2,6%)
Total	57 (100,0%)	96 (100,0%)	153 (100,0%)

Tabla 38. Número de cuidadores habituales. N y porcentaje. N = 153

	N	%
1 cuidador	84	54,9%
2 cuidadores	44	28,8%
3 cuidadores	19	12,4%
4 cuidadores	3	2,0%
5 cuidadores	1	0,6%
6 cuidadores	2	1,3%
Total	153	100,0%

La tabla 39 muestra que, en general, el cuidado a las personas dependientes es proporcionado por sus cuidadores diariamente y de forma continuada (86,9%), y durante más de 28 horas a la semana (85,0%). Sin embargo, los cuidadores evalúan que los cuidados proporcionados son en la mayoría de los casos insuficientes. Así, el 42,5% de cuidadores entrevistados respondieron que la atención y el cuidado suministrado en el ámbito familiar cubren sólo una parte de las necesidades de la persona dependiente. Asimismo, el 29,4% considera que el cuidado es totalmente insuficiente.

Tabla 39. Periodicidad, frecuencia y suficiencia del cuidado informal. N = 153

	N	%
Periodicidad de los cuidados		
Periodos de vacaciones	0	0,0%
Fines de semana	0	0,0%
Diaria pero puntual	16	10,5%
Diaria y continuada	133	86,9%
Otra	4	2,6%
Total	153	100,0%
Tiempo semanal que ocupan los cuidados		
Menos de 7 h/semana	2	1,3%
Entre 7 y 14 h/semana	11	7,2%
Entre 14 y 21 h/semana	3	1,9%
Entre 21 y 28 h/semana	7	4,6%
Más de 28 h/semana	130	85,0%
Total	153	100,0%
La Atención y Cuidado proporcionado en el ámbito informal es		
Totalmente Insuficiente	45	29,4%
Cubre sólo una parte de la necesidad	65	42,5%
Cubre totalmente la necesidad	43	28,1%
Total	153	100,0%

Por otro lado, el 85,6% de los cuidadores informales reciben apoyos por parte de personas de su ámbito sociofamiliar en su labor de cuidado (Tabla 40). Estas personas suelen ser sus hijas (21,4%) o el Servicio de Ayuda a Domicilio (18,3%). Aproximadamente en la mitad de los casos los cuidadores mencionan que el apoyo recibido de otras personas es diario (52,7%), y se caracteriza por realizar un reparto de los cuidados entre el cuidador principal y la persona que le ayuda (53,4%). No obstante, hay un porcentaje importante de cuidadores que informan que la ayuda que reciben de otras personas es prestada de forma ocasional sólo cuando hay alguna necesidad puntual o una urgencia (34,4%). De hecho, sólo el 22,9% de los cuidadores informan que reciben ayuda de otra persona para cuidar a la persona dependiente durante más de 28 horas a la semana, y en el 41,2% de los casos esta ayuda es igual a un período inferior a 7 horas/semana. Finalmente, un 80,9% de los cuidadores informales considera que la ayuda recibida no es suficiente y que la falta de tiempo (35,8%), la residencia lejos del domicilio de la persona cuidada (31,3%) y la falta de ganas de ayudar (11,3%) son las principales razones de ese apoyo insuficiente recibido por parte de terceros.

Tabla 40. Ayudas del ámbito sociofamiliar a los cuidadores informales. N = 153

	N	%
El cuidador principal recibe ayuda de alguna persona		
Si	131	85,6%
No	22	13,4%
Total	*153*	*100,0%*
Personas que le ayudan en su tarea de cuidar		
Cónyuge	18	13,7%
Hijo	17	12,9%
Hija	28	21,4%
Padre	1	0,8%
Madre	4	3,1%
Hermana	12	9,2%
Hermano	6	4,6%
Nuera	3	2,3%
Cuñado/a	2	1,5%
Otros familiares	5	3,8%
Amigo/a o Vecino/a	2	1,5%
Persona contratada	6	4,6%
Otros	3	2,3%
sólo el SAD	24	18,3%
Total	*131*	*100,0%*
Frecuencia con que otras personas le ayudan en el cuidado		
Hay Reparto del Cuidado	70	53,4%
En todo momento necesario del día	16	12,2%
Ocasionalmente, momentos de necesidad o urgencia	45	34,4%
Total	*131*	*100,0%*
Cantidad de tiempo de ayuda semanal recibida en horas semana		
Menos de 7 h/semana	54	41,2%
Entre 7 y 14 h/semana	29	22,1%

Tabla 40. Ayudas del ámbito sociofamiliar a los cuidadores informales. N = 153

	N	%
Entre 21 y 28 h/semana	4	3,1%
Más de 28 h/semana	30	22,9%
Total	*131*	*100,0%*
Considera que la ayuda recibida es suficiente		
Si	25	19,1%
No	106	80,9%
Total	*131*	*100,0%*
Razones por las que los cuidadores consideran que no reciben ayuda suficiente		
No necesito a nadie	1	0,90%
No tienen tiempo	38	35,8%
Viven lejos del domicilio	33	31,3%
No quieren ayudarme	12	11,3%
Tienen malas relaciones con la persona cuidada	4	3,8%
Piensan que me corresponde a mí	10	9,4%
Otras razones	8	7,5%
Total	*106*	*100,0%*

3. ESTUDIO ESPECÍFICO DE LAS CARACTERÍSTICAS DEL SERVICIO DE AYUDA A DOMICILIO

En este apartado, vamos a determinar las características del Servicio de Ayuda a Domicilio (SAD). Para ello, hemos tenido en cuenta solamente a la submuestra formada por las personas dependientes usuarias del SAD (N = 236) y, en su caso, a sus cuidadores informales (N = 117).

De forma específica se detallan, por un lado, las características objetivas del SAD, es decir, se destacan los datos respecto al horario, los auxiliares y otros servicios utilizados así como las características de la atención del SAD a las actividades básicas e instrumentales de la vida diaria.

Por otro lado, se sintetizan los datos más relevantes en cuanto a las características subjetivas del SAD: satisfacción de usuarios y cuidadores, relación emocional con los profesionales que les atienden, y calidad de vida de usuarios y cuidadores.

3.1. Características objetivas del servicio de ayuda a domicilio

3.1.1. Características generales del servicio prestado por el Servicio de Ayuda a Domicilio

Los datos recogidos en la tabla 41 respecto al horario en que se provee el SAD, señalan que los servicios suelen ser prestados, en la mayoría de los casos, en horario de mañana (69,1%) —antes de las 13h—. Los cuidados son recibidos durante una media de 3 días a la semana ($\overline{X}$ = 3,3; DT = 1,7) y durante una media de 4 horas semanales ($\overline{X}$ = 4,0; DT = 2,6). En concreto, el 39,8% de la muestra de personas dependientes entrevistada recibe los cuidados durante 5 días a la semana, el 22,1% 2 días por semana, y el 21,6% 1 día a la semana. Asimismo, el 81,7% de las personas usuarias del SAD reciben los servicios prestados durante menos de 5 horas a la semana.

Tabla 41. Horario durante el que se presta el SAD. N = 236

	N	%		N	%
Franja Horaria en que el SAD acude al domicilio			Número total de horas por semana que atiende el SAD		
Mañana (hasta las 13h)	163	69,1%	Hasta 1 hora	20	8,5%
Mediodía (13h-16h)	19	8,1%	Entre 1 y 2 horas	50	21,2%
Tarde (a partir de las 16h)	4	1,7%	Entre 2 y 3 horas	44	18,6%
Mañana y mediodía	31	13,1%	Entre 3 y 4 horas	27	11,4%
Mañana y tarde	12	5,0%	Entre 4 y 5 horas	52	22,0%
Mediodía y tarde	3	1,3%	Entre 5 y 6 horas	7	3,0%
Varía según el día	4	1,7%	Entre 6 y 7 horas	9	3,8%
Total	*236*	*100,0%*	Entre 7 y 8 horas	11	4,7%
Número de días por semana de atención del SAD			Entre 8 y 9 horas	1	0,5%
			Entre 9 y 10 horas	11	4,7%
1	51	21,6%	Entre 10 y 12 horas	2	0,8%
2	52	22,1%	Entre 12 y 16,30 horas	2	0,8%
3	26	11,0%	*Total*	*236*	*100,0%*
4	9	3,8%			
5	94	39,8%			
7	4	1,7%			
Total	*236*	*100,0%*			

Nota. SAD: Servicio de Ayuda a Domicilio.

Respecto a los profesionales que acuden al domicilio a prestar los servicios (Tabla 42), en casi todos los casos sólo acude una
persona auxiliar (87,7%), siendo siempre la misma la que ayuda
habitualmente (71,6%). Algo más de la mitad (55,1%) no posee
una formación específica de SAD.

Tabla 42. Características de los auxiliares del SAD. N = 236

	N	%
Número de Auxiliares que acude al domicilio habitualmente		
1	207	87,7%
2	27	11,4%
3	2	0,9%
Total	*236*	*100,0%*
¿Son las mismas auxiliares las que acuden normalmente?		
No	67	28,4%
Sí	169	71,6%
Total	*236*	*100,0%*
Poseen formación específica en SAD		
No	130	55,1%
Si	106	44,9%
Total	*236*	*100,0%*

Nota. SAD: Servicio de Ayuda a Domicilio.

En casi el 50% de los casos (49,2%) ha transcurrido un mes
o menos entre la solicitud del SAD y la concesión de la ayuda
(Tabla 43). Asimismo, aproximadamente un tercio de los usuarios del SAD usan además otros servicios de ayuda públicos o
privados (38,1%), fundamentalmente teleasistencia (77,8%) —
Tabla 44—.

Tabla 43. Tiempo de espera para recibir el SAD. N = 236

Tiempo de espera para el SAD	N	%
No sabe/no recuerda	26	11,0%
Más de 1 año	7	2,9%
De 6 meses a 1 año	15	6,4%
De 3 a 6 meses	21	8,9%
De 1 a 3 meses	51	21,6%
De 1 semana a 1 mes	92	39,0%
Hasta 1 semana	24	10,2%
Total	*236*	*100,0%*

Tabla 44. Otro tipo de servicios utilizados además del SAD

	N	%
Personas que utilizan otros servicios aparte del SAD		
Si	90	38,1%
No	146	61,9%
Total	*236*	*100,0%*
Tipo de servicios que utiliza aparte del SAD		
Cama de hospital	2	2,2%
Centros de servicios sociales	6	6,7%
Compañía 1 persona cruz roja	1	1,1%
Persona contratada servicio doméstico	6	6,7%
Servicios de transporte	2	2,2%
Servicios de comida	3	3,3%
Teleasistencia	70	77,8%
Total	*90*	*100,0%*

3.1.2. Características de la atención del Servicio de Ayuda a Domicilio a la dependencia para las actividades de la vida diaria

Por otro lado, también se ha analizado el nivel de atención del SAD a la dependencia para las actividades de la vida diaria. En concreto, se trataba de valorar el grado en que los servicios del SAD cubren las necesidades de atención y cuidado para realizar las actividades de la vida diaria de sus usuarios, tanto básicas como instrumentales.

3.1.2.1. Características de la atención del Servicio de Ayuda a Domicilio a la dependencia para las actividades básicas de la vida diaria

Tal y como se observa en la tabla 45, el SAD atiende sobre todo actividades relacionadas con la higiene personal de la persona dependiente (Aseo: 34,3%; Ducha-baño: 18,2%). En muy pocas ocasiones el SAD presta servicios dirigidos a atender las necesidades de ayuda de otros para comer (1,7%), controlar el esfínter anal (1,3%) o vesical (1,3%), utilizar el retrete (0,8%), o para subir y bajar escaleras (0,0%).

Tabla 45. Casos atendidos por el SAD en cada ABVD (N y %). N = 236

ABVD	Atendidos por el SAD N (%)		Total N (%)
	Si	No	
Comer	4 (1,7%)	232 (98,3%)	236 (100,0%)
Ducha-baño	43 (18,2%)	193 (81,8%)	236 (100,0%)
Vestirse	8 (3,4%)	228 (96,6%)	236 (100,0%)
Aseo	81 (34,3%)	155 (65,7%)	236 (100,0%)
Control anal	3 (1,3%)	233 (98,7%)	236 (100,0%)
Control vesical	3 (1,3%)	233 (98,7%)	236 (100,0%)
Uso del retrete	2 (0,8%)	234 (99,2%)	236 (100,0%)
Traslados cama-sillón	22 (9,3%)	214 (90,7%)	236 (100,0%)
Desplazamientos	10 (4,2%)	226 (95,8%)	236 (100,0%)
Subir escaleras	0 (0,0%)	236 (100,0%)	236 (100,0%)

Nota. ABVD: Actividades básicas de la vida diaria.

Asimismo, como la tabla 46 indica, el 45,8% de los usuarios del SAD no están siendo atendidos en ninguna actividad básica de la vida diaria, y el 41,9% sólo es atendido en una de ellas.

Tabla 46. Número de ABVD atendidas por el SAD. N = 236

Número de ABVD	N	%
0	108	45,8%
1	99	41,9%
2	21	8,9%
3	5	2,1%
6	1	0,4%
7	2	0,8%
Total	*236*	*100,0%*

Nota. ABVD: Actividades básicas de la vida diaria.

También se ha analizado en qué medida el SAD cubre o no las necesidades de dependencia de los usuarios para cada una de las ABVD (Tabla 47). Destaca que el 64% de las personas que necesitan ayuda para asearse son atendidas por el SAD, aunque se observa que muchos usuarios del SAD que necesitan ayuda para realizar alguna ABVD, no son atendidos por este recurso. De hecho, más del 90% de usuarios del SAD con algún grado de dependencia para comer, vestirse, realizar sus deposiciones, controlar el esfínter vesical, utilizar el retrete, desplazarse y para subir y bajar escaleras no están recibiendo ayuda del SAD para realizar estas actividades.

Tabla 47. Atención del SAD a la dependencia para las ABVD. N = 236

ABVD		Atención del SAD. N (%)		Total
		No atendidos	Atendidos	
Comer	Necesitan ayuda	77 (96,3%)	3 (3,8%)	80 (100,0%)
	No necesitan ayuda	155 (99,4%)	1 (0,6%)	156 (100,0%)
	Total	*232 (98,3%)*	*4 (0,7%)*	*236 (100,0%)*
Ducha-Baño	Necesitan ayuda	108 (72,0%)	42 (28,0%)	150 (100,0%)
	No necesitan ayuda	85 (98,8%)	1 (1,2%)	86 (100,0%)
	Total	*193 (81,8%)*	*43 (18,2%)*	*236 (100,0%)*
Vestirse	Necesitan ayuda	102 (93,6%)	7 (6,4%)	109 (100,0%)
	No necesitan ayuda	126 (99,2%)	1 (0,8%)	127 (100,0%)
	Total	*228 (96,6%)*	*8 (3,4%)*	*236 (100,0%)*

Tabla 47. Atención del SAD a la dependencia para las ABVD. N = 236

ABVD		Atención del SAD. N (%)		Total
		No atendidos	Atendidos	
Aseo	Necesitan ayuda	32 (36,0%)	57 (64,0%)	89 (100,0%)
	No necesitan ayuda	123 (83,7%)	24 (16,3%)	147 (100,0%)
	Total	*155(65,7%)*	*81(34,3%)*	*236 (100,0%)*
Control anal	Necesitan ayuda	89 (96,7%)	3 (3,3%)	92 (100,0%)
	No necesitan ayuda	144 (100,0%)	0 (0,0%)	144 (100,0%)
	Total	*233 (98,7%)*	*3 (1,3%)*	*236 (100,0%)*
Control vesical	Necesitan ayuda	100 (97,1%)	3 (2,9%)	103 (100,0%)
	No necesitan ayuda	133 (100,0%)	0 (0,0%)	133 (100,0%)
	Total	*233 (98,7%)*	*3 (1,3%)*	*236 (100,0%)*
Usar el retrete	Necesitan ayuda	85 (98,8%)	1 (1,2%)	86 (100,0%)
	No necesitan ayuda	149 (99,3%)	1 (0,7%)	150 (100,0%)
	Total	*234 (99,2%)*	*2 (0,8%)*	*236 (100,0%)*
Traslados	Necesitan ayuda	86 (79,6%)	22 (20,4%)	108 (100,0%)
	No necesitan ayuda	128 (100,0%)	0 (0,0%)	128 (100,0%)
	Total	*214 (90,7%)*	*22 (9,3%)*	*236 (100,0%)*
Desplazamientos	Necesitan ayuda	103 (94,5%)	6 (5,5%)	109 (100,0%)
	No necesitan ayuda	123 (96,9%)	4 (3,1%)	127 (100,0%)
	Total	*226 (95,8%)*	*10 (4,2%)*	*236 (100,0%)*
Escaleras	Necesitan ayuda	150 (100,0%)	0 (0,0%)	150 (100,0%)
	No necesitan ayuda	86 (100,0%)	0 (0,0%)	86 (100,0%)
	Total	*236 (100,0%)*	*0 (0,0%)*	*236 (100,0%)*

Nota. ABVD: Actividades básicas de la vida diaria.

Además, como muestra la tabla 48, de entre los usuarios que señalan la necesidad de ayuda para las ABVD y que están siendo atendidos por el SAD, se observa que, este servicio domiciliario, tampoco cubre toda la proporción de necesidad semanal requerida por el usuario para estas actividades. Así, se observa que, en menos de la mitad de los casos, el SAD cubre el 100% de necesidad semanal de higiene personal (Ducha-baño: 30,2%; Aseo: 49,4%). En ningún caso, el SAD cubre el 100% de la necesidad semanal de ayuda para las ABVD atendidas. No obstante, tiene una mayor cobertura cuando se trata de atender las necesidades de desplazamiento (70,0%).

Tabla 48. Proporción de necesidad semanal para las ABVD cubierta por el SAD.
N y %. N = 236

	Comer	Ducha-baño	Vestirse	Aseo	Control anal	Control vesical	Uso retrete	Traslados	Desplaza-mientos	Escaleras
% cubierto	N y %									
< 25%	0	0	1	1	0	0	0	2	1	0
	0,0%	0,0%	12,5%	1,2%	0,0%	0,0%	0,0%	9,1%	10,0%	0,0%
25%-50%	1	8	5	10	3	3	1	7	1	0
	25,0%	18,6%	62,5%	12,3%	100,0%	100,0%	50,0%	31,8%	10,0%	0,0%
50%-75%	0	8	0	18	0	0	1	4	1	0
	0,0%	18,6%	0,0%	22,2%	0,0%	0,0%	50,0%	18,2%	10,0%	0,0%
75%-100%	1	14	2	12	0	0	0	3	0	0
	25,0%	32,6%	25,0%	14,8%	0,0%	0,0%	0,0%	13,6%	0,0%	0,0%
100%	2	13	0	40	0	0	0	6	7	0
	50,0%	30,2%	0,0%	49,4%	0,0%	0,0%	0,0%	27,3%	70,0%	0,0%
Total	4	43	8	81	3	3	2	22	10	0
	100,0%	100,0%	100,0%	100,0%	100,0%	100,0%	100,0%	100,0%	100,0%	100,0%

Notas. ABVD: Actividades básicas de la vida diaria. SAD: Servicio de Ayuda a Domicilio.

3.1.2.2. Características de la atención del Servicio de Ayuda a Domicilio a la dependencia para las actividades instrumentales de la vida diaria

Por otro lado, respecto a la atención proporcionada por el SAD para las actividades instrumentales de la vida diaria, los análisis realizados indican que el SAD presta sobre todos servicios relacionados con las tareas domésticas cotidianas (Tabla 49): el cuidado de la casa (66,1%), y hacer compras (14,4%). Asimismo, casi el 60% de los usuarios del SAD son atendidos en una única actividad instrumental de la vida diaria (58,1%) y el 26,3% en ninguna de ellas (Tabla 50).

Tabla 49. Casos atendidos por el SAD en cada actividad instrumental de la vida diaria (N y %). N = 236

AIVD	Atendidos por el SAD N (%)		Total N (%)
	Si	No	
Usar el teléfono	0 (0,0%)	236 (100,0%)	236 (100,0%)
Hacer las compras	34 (14,4%)	202 (85,6%)	236 (100,0%)
Preparar comidas	17 (7,2%)	219 (92,8%)	236 (100,0%)
Cuidado de la casa	156 (66,1%)	80 (33,9%)	236 (100,0%)
Lavar ropa	3 (1,3%)	233 (98,7%)	236 (100,0%)
Uso medios de transporte	1 (0,4%)	235 (99,6%)	236 (100,0%)
Responsabilidad medicación	3 (1,3%)	233 (98,7%)	236 (100,0%)
Manejo asuntos económicos	0 (0,0%)	236 (100,0%)	236 (100,0%)

Notas. AIVD: Actividades instrumentales de la vida diaria. SAD: Servicio de Ayuda a Domicilio.

Tabla 50. Número de actividades instrumentales de la vida diaria atendidas por el SAD. N y %. N = 236

AIVD atendidas por SAD	N	%
0	62	26,3%
1	137	58,1%
2	34	14,4%
3	3	1,3%
Total	236	100,0%

Notas. AIVD: Actividades instrumentales de la vida diaria. SAD: Servicio de Ayuda a Domicilio.

Al igual que en el caso de las ABVD, se ha estudiado la atención del SAD en función de la necesidad de ayuda para llevar a cabo las AIVD. En concreto, se observa en la tabla 51 que de las personas que necesitan ayuda para usar el teléfono, hacer la comida, lavar la ropa, usar los medios de transporte, responsabilizarse de la medicación y manejar asuntos económicos, más del 90% no están siendo atendidas por el SAD en estas actividades. Curiosamente hay que destacar que de los usuarios que no necesitan ayuda para el cuidado de la casa, un porcentaje elevado está siendo atendido por el SAD en esta tarea (85,7%). Este dato contrasta con el porcentaje muy inferior de usuarios con dependencia para esta actividad y que sin embargo no están siendo atendidos (44,7%).

Tabla 51. Atención del SAD a la dependencia para las AIVD. N y %. N = 236

ABVD		Atención del SAD. N (%)		Total
		No atendidos	Atendidos	
Uso del teléfono	Necesitan ayuda	77 (100,0%)	0 (0,0%)	77 (100,0%)
	No necesitan ayuda	159 (100,0%)	0 (0,0%)	159 (100,0%)
	Total	*236 (100,0%)*	*0 (0,0%)*	*236 (100,0%)*
Hacer compras	Necesitan ayuda	169 (83,3%)	34 (16,7%)	203 (100,0%)
	No necesitan ayuda	33 (100,0%)	0 (0,0%)	33 (100,0%)
	Total	*202 (85,6%)*	*34 (14,4%)*	*236 (100,0%)*
Hacer la comida	Necesitan ayuda	123 (90,4%)	13 (9,6%)	136 (100,0%)
	No necesitan ayuda	96 (96,0%)	4 (4,0%)	100 (100,0%)
	Total	*219 (92,8%)*	*17 (7,2%)*	*236 (100,0%)*
Cuidado de la casa	Necesitan ayuda	68 (44,7%)	84 (55,3%)	152 (100,0%)
	No necesitan ayuda	12 (14,3%)	72 (85,7%)	84 (100,0%)
	Total	*80 (33,9%)*	*156 (66,1%)*	*236 (100,0%)*
Lavado de la ropa	Necesitan ayuda	124 (98,4%)	2 (1,6%)	126 (100,0%)
	No necesitan ayuda	109 (99,1%)	1 (0,9%)	110 (100,0%)
	Total	*233 (98,7%)*	*3 (1,3%)*	*236 (100,0%)*
Uso de medios de transporte	Necesitan ayuda	180 (99,4%)	1 (0,6%)	181 (100,0%)
	No necesitan ayuda	55 (100,0%)	0 (0,0%)	55 (100,0%)
	Total	*235 (99,6%)*	*1 (0,4%)*	*236 (100,0%)*
Responsabilidad medicación	Necesitan ayuda	98 (97,0%)	3 (3,0%)	101 (100,0%)
	No necesitan ayuda	135 (100,0%)	0 (0,0%)	135 (100,0%)
	Total	*233 (98,7%)*	*3 (1,3%)*	*236 (100,0%)*
Manejo de asuntos económicos	Necesitan ayuda	125 (100,0%)	0 (0,0%)	125 (100,0%)
	No necesitan ayuda	111 (100,0%)	0 (0,0%)	111 (100,0%)
	Total	*236 (100,0%)*	*0 (0,0%)*	*236 (100,0%)*

Nota. AIVD: Actividades instrumentales de la vida diaria. SAD: Servicio de Ayuda a Domicilio.

Por último, cuando se estudia la cobertura del SAD para las AIVD atendidas se observa que este servicio doméstico es capaz de atender en casi el 45% de los casos la totalidad de necesidad semanal para hacer las compras (44,1%) y el cuidado de la casa (41,7%) así como de asumir en el 66,7% de los casos el 100% de necesidad semanal de responsabilidad para tomar la medicación. Sin embargo, en el resto de las AIVD el nivel de proporción de necesidad semanal cubierta es generalmente muy bajo (Tabla 52).

Tabla 52. Proporción de necesidad semanal para las actividades instrumentales de la vida diaria cubierta por el SAD

	Usar teléfono	Hacer compras	Preparar comida	Cuidado casa	Lavar ropa	Uso medios transporte	Responsabilidad medicación	Manejo económicos
< 25%	0 0,0%	0 0,0%	2 11,8%	6 3,8%	0 0,0%	0 0,0%	0 0,0%	0 0,0%
25%-50%	0 0,0%	9 26,5%	9 52,9%	26 16,7%	0 0,0%	0 0,0%	0 0,0%	0 0,0%
50%-75%	0 0,0%	6 17,6%	1 5,9%	46 29,5%	2 60,7%	0 0,0%	0 0,0%	0 0,0%
75%-100%	0 0,0%	4 11,8%	2 11,8%	13 8,3%	1 33,3%	0 0,0%	1 33,3%	0 0,0%
100%	0 0,0%	15 44,1%	3 17,6%	65 41,7%	0 0,0%	1 100,0%	2 66,7%	0 0,0%
Total	*0 100,0%*	*34 100,0%*	*17 100,0%*	*156 100,0%*	*3 100,0%*	*1 100,0%*	*3 100,0%*	*0 100,0%*

3.2. CARACTERÍSTICAS SUBJETIVAS DEL SERVICIO DE AYUDA A DOMICILIO

En este apartado se detallan los resultados respecto a la satisfacción del usuario, y en su caso del cuidador, con el SAD, y la relación emocional con sus profesionales, así como las repercusiones que tiene este servicio sobre la calidad de vida de usuarios y cuidadores.

3.2.1. Satisfacción con el Servicio de Ayuda a Domicilio

Los usuarios están muy satisfechos con los servicios prestados por el SAD ($\overline{X}$ = 8,1; DT = 1,6) y con la ayuda prestada en la atención a la dependencia para cada una de las actividades básicas ($\overline{X}$ = 8,5; DT = 1,3) e instrumentales ($\overline{X}$ = 8,1; DT = 1,6) de la vida diaria (Tabla 53).

Tabla 53. Satisfacción del usuario con el SAD[a]. N = 236

	N	Media	DT
Satisfacción global del usuario con el SAD	217 [b]	8,1	1,6
Satisfacción del usuario con la atención del SAD a las ABVD	106 [b]	8,5	1,3
Satisfacción del usuario con la atención del SAD a las AIVD	169 [b]	8,1	1,6

Notas. [a] El rango del nivel de satisfacción va de 0 (Muy insatisfecho) a 10 (Muy satisfecho). [b] Los errores muestrales para cada una de estas tres variables —debido a la reducción de respuestas a las mismas— son iguales al 5,6%, 9,46% y al 7,46% de la población usuaria del Servicio de Ayuda a Domicilio, respectivamente.

Los cuidadores están también en general muy satisfechos con la atención y los cuidados recibidos desde el SAD ($\overline{X}$ = 7,9; DT = 1,4). Asimismo, su grado de satisfacción con la atención del SAD a las actividades básicas ($\overline{X}$ = 8,2; DT = 1,3) e instrumentales ($\overline{X}$ = 7,8; DT = 1,6) de la vida diaria es satisfactoria (Tabla 54).

Tabla 54. Satisfacción del cuidador con el SAD[a]. N = 117

	N	Media	DT
Satisfacción global del cuidador con el SAD	117	7,9	1,4
Satisfacción del cuidador con la atención del SAD a las ABVD	82	8,2	1,3
Satisfacción del cuidador con la atención del SAD a las AIVD	61	7,8	1,6

Nota. [a] El nivel de satisfacción va de 0 (Muy insatisfecho) a 10 (Muy satisfecho).

3.2.2. Relación emocional con los profesionales del Servicio de Ayuda a Domicilio

Como se observa en la tabla 55, el 82,4% de los usuarios del SAD mantiene una excelente relación con los auxiliares que acuden a sus domicilios, y el 90,1% de ellos se sienten cómodos y confiados con la atención y los cuidados que les proporcionan.

Tabla 55. Relación emocional con los auxiliares del SAD. N = 236[a]

	N	Media
Relación personal y emocional con los auxiliares del SAD		
Regular	6	2,7%
Buena	32	14,4%
Excelente	184	82,9%
Total	*222*	*100,0%*
Cuando le atienden ud. Se siente		
Incómodo/a	2	0,9%
Confiado/a	20	9,0%
Muy cómodo/a y confiado/a	200	90,1%
Total	*222*	*100,0%*

Nota. [a] El error muestral es igual 6,49% de la población usuaria del Servicio de Ayuda a Domicilio, debido a la reducción de la muestra en esta variable (N = 222).

3.2.3. Evaluación del impacto del Servicio de Ayuda a Domicilio en la calidad de vida

Aquí se ha analizado la valoración que hacen los usuarios y cuidadores de su calidad de vida antes de recibir el Servicio de Ayuda a Domicilio, y en la actualidad con la recepción de este servicio. Asimismo se ha analizado cómo evaluarían su calidad de vida en caso de que fueran atendidas sus demandas de servicios de atención y cuidados.

En primer lugar, como se especifica en la tabla 56, los usuarios evalúan su calidad de vida como regular antes del SAD ($\overline{X}$ = 5,2; DT= 1,5), y satisfactoria a partir de la recepción del SAD ($\overline{X}$ = 7,0; DT = 1,6). La diferencia entre ambas evaluaciones es estadísticamente significativa, indicando que la calidad de vida de los usuarios mejora significativamente gracias a los servicios recibidos por este servicio domiciliario (t = - 22,8; p = 0,000).

Por su parte, los cuidadores señalan que su calidad de vida era regular antes de que recibieran los cuidados del SAD ($\overline{X}$ = 5,0; DT = 1,7), e indican que ahora es satisfactoria con los

servicios que reciben del SAD ($\overline{X}$ = 6,9; DT = 1,8) —Tabla 56—
. El SAD también mejora de forma estadísticamente significativa la calidad de vida de los cuidadores (t = -18,36; p =
0,000).

Tabla 56. Calidad de vida [a] debido a los servicios prestados por el SAD de los
usuarios (N = 236 [b]) y cuidadores (N = 117)

	Calidad de vida		Prueba t
	Antes del SAD. $\overline{X}$ (DT)	Con el SAD. $\overline{X}$ (DT)	
Usuario	5,2 (1,5)	7,0 (1,6)	- 22,84 (p = .000)
Cuidador	5,0 (1,7)	6,9 (1,8)	- 18,36 (p = .000)

Notas. [a] El nivel de calidad de vida oscila entre 0 (Muy mala) a 10 (Muy buena). [b] El error muestral es del
6,56% de la población de usuarios del Servicio de Ayuda a Domicilio, debido a la reducción de la muestra en
la variable a N = 217.

En el caso particular de los cuidadores también se evaluaron
los aspectos en los que había mejorado su calidad de vida con el
SAD. Los análisis indican que el área de la vida de los cuidadores
que en mayor medida ha mejorado debido a los servicios del
SAD es el de la salud (49,6%) —Tabla 57—. Por el contrario
parece que el SAD no repercute positivamente en el ámbito
laboral ni en las relaciones sociales y personales del cuidador —
Tabla 57—. Asimismo, en el 54,7% de lo casos el SAD mejora
sólo la calidad de vida en un ámbito de la vida de los cuidadores
—Tabla 58—.

Tabla 57. Área de la vida del cuidador en los que ha mejorado su calidad de vida.
N = 117

Áreas de la vida	Ha mejorado N (%)
Laborales	6 (5,1%)
Económicos	20 (17,1%)
Salud	58 (49,6%)
Relaciones personales y sociales	6 (5,1%)
Tiempo libre y ocio	17 (14,5%)

Tabla 58. Número de aspectos en los que ha mejorado la calidad de vida del cuidador. N = 117

Número de aspectos	N	%
0	33	28,2%
1	64	54,7%
2	15	12,8%
3	5	4,3%
Total	*117*	*100,0%*

Finalmente, también se ha evaluado si habría una mejora en la calidad de vida percibida por los usuarios y cuidadores si vieran atendidas sus demandas al SAD para recibir otros servicios de cuidado y atención. Para ello, sólo se tuvo en cuenta a la muestra que formuló la necesidad de otros servicios de cuidado (N = 120). En este caso, se observa que, los usuarios que formularon demandas al SAD evalúan que si vieran cubiertas todas sus demandas su calidad de vida sería satisfactoria ($\overline{X}$ = 7,3; DT = 1,5) y que ésta incrementaría de forma significativa respecto a la situación actual (t = -13,39; p = 0,000). —Tabla 38—. Asimismo, los cuidadores consideraron que su calidad de vida sería satisfactoria si vieran cubiertas las demandas que solicitan al SAD, registrando un incremento significativo de su calidad de vida respecto a los servicios prestados actualmente con el SAD (t = -12,27; p = 0,000) —Tabla 59—.

Tabla 59. Calidad de vida debido a los servicios prestados por el SAD de los usuarios (N = 120) y cuidadores (N = 70) con demandas asistenciales

	Antes del SAD (1)	Con el SAD (2)	Con las demandas atendidas (3)	Prueba t		
	$\overline{X}$ (DT)			1-2	2-3	1-3
Usuario	4,71 (1,40)	6,30 (1,40)	7,31 (1,45)	-18,74 (p = .000)	-13,39 (p =.000)	-23,64 (p = .000)
Cuidador	4,53 (1,89)	6,17 (1,67)	7,44 (1,72)	-12,45 (p = .000)	- 12,27 (p = .000)	-17,53 (p = .000)

Nota. SAD: Servicio de Ayuda a Domicilio.

4. ANÁLISIS DE LA SOBRECARGA DE LOS CUIDADORES

4.1. El papel del SAD en la carga percibida de los cuidadores informales: análisis comparativo

Tal y como hemos planteado en el apartado de metodología, una de nuestras principales hipótesis de partida es que el Servicio de Ayuda a Domicilio, como servicio de respiro, puede ser capaz de actuar como modulador de la carga, amortiguando el efecto negativo que genera la tarea asistencial sobre el cuidador. Por esta razón, en esta sección se evalúa el impacto del SAD sobre la carga de los cuidadores informales. Para ello, se compara la carga de los cuidadores de usuarios del SAD (N = 117) con el grupo de cuidadores informales de personas dependientes que no reciben este servicio (N = 36).

El análisis efectuado de la carga percibida por los cuidadores informales indica que, según los criterios de interpretación de la Escala de Sobrecarga del Cuidador de Zarit, tanto los cuidadores de los usuarios del SAD ($\overline{X}$ = 38,5; DT = 18,8) como los cuidadores no usuarios del SAD ($\overline{X}$ = 42,4; DT = 15,6) sufren una sobrecarga intensa en su tarea de cuidado (Tabla 60). La media de la sobrecarga experimentada es mayor para los cuidadores de los no usuarios del SAD, no obstante las diferencias entre ambos grupos no son estadísticamente significativas (F = 1,25; p = 0,266). Concretamente, el 61,5% y el 77,8% de los cuidadores de usuarios y no usuarios del SAD, respectivamente, están sufriendo una sobrecarga intensa (Tabla 61), no existiendo tampoco diferencias estadísticamente entre los dos grupos en los niveles de carga (Chi-cuadrado = 3,29; p = 0,193).

Tabla 60. Media y desviación típica de los cuidadores de usuarios y no usuarios del SAD en la Escala de Sobrecarga del Cuidador de Zarit. Resultados del ANOVA.
N = 153

	Media (DT)	N (%)
Cuidadores de usuarios del SAD	38,5 (18,8)	117 (76,5%)
Cuidadores de no usuarios del SAD	42,4 (15,6)	36 (23,5%)
ANOVA	F = 1,25; p = 0,266	
Total	*39,4 (18,0)*	*153 (100,0%)*

Tabla 61. Nivel de carga de los cuidadores de usuarios y no usuarios de SAD

	Cuidadores de usuarios del SAD	Cuidadores de no usuarios del SAD	Total
Nivel de sobrecarga del cuidador	N (%)	N (%)	N (%)
No hay sobrecarga	31 (26,5%)	6 (16,7%)	37 (24,2%)
Sobrecarga leve	14 (12,0%)	2 (5,6%)	16 (10,5%)
Sobrecarga intensa	72 (61,5%)	28 (77,8%)	100 (65,4%)
Total	*117 (100,0%)*	*36 (100,0%)*	*153 (100,0%)*

Se analizaron también las diferencias entre las puntuaciones de los cuidadores de usuarios y no usuarios del SAD en cada uno de los ítems del cuestionario de sobrecarga. Los resultados, que aparecen en la tabla 62, indican que los cuidadores de las personas dependientes no usuarias del SAD —comparados con los cuidadores de usuarios del SAD— se sienten significativamente más estresados por tener que compaginar las tareas de cuidado con las responsabilidades de su vida cotidiana (F = 3,92; p = 0,050), y tienen sentimientos más intensos de que no van a ser capaces de continuar con sus cuidados durante mucho más tiempo (F = 0,035; p = 0,035).

Tabla 62. Medias y desviaciones típicas de cada ítem de la Escala de Sobrecarga del Cuidador de Zarit para los grupos de cuidadores de usuarios y no usuarios del SAD. Resultados del ANOVA. N = 153

Ítems de la Escala de Sobrecarga del Cuidador de Zarit	CUS N = 117 $\overline{X}$ (DT)	CNUS N = 36 $\overline{X}$ (DT)	ANOVA F	p
1. ¿Siente usted que su familiar/paciente solicita más ayuda de la que realmente necesita?	0,9 (1,4)	0,5 (1,1)	2,75	0,100
2. ¿Siente usted que, a causa del tiempo que gasta con su familiar/paciente, ya no tiene tiempo suficiente para usted mismo/a?	2,5 (1,6)	2,8 (1,3)	1,14	0,288
3. ¿Se siente estresado/a al tener que cuidar a su familiar/paciente y tener además que atender otras responsabilidades? (p.ej., con su familia o en el trabajo).	2,4 (1,6)	2,9 (1,5)	3,92	0,050*
4. ¿Se siente avergonzado/a por el comportamiento de su familiar/paciente?	0,3 (0,7)	0,4 (1,0)	1,05	0,308
5. ¿Se siente irritado/a cuando está cerca de familiar/paciente?	1,5 (1,4)	1,2 (1,3)	0,82	0,366
6. ¿Cree que la situación actual afecta a su relación con amigos u otros miembros de su familia de una forma negativa?	1,9 (1,6)	1,8 (1,6)	0,13	0,723
7. ¿Siente temor por el futuro que le espera a su familiar/paciente?	1,8 (1,5)	1,9 (1,5)	0,21	0,651
8. ¿Siente que su familiar/paciente depende de usted?	3,2 (1,2)	3,6 (0,9)	3,38	0,068
9. ¿Se siente agotada/o cuando tiene que estar junto a su familiar/paciente?	2,7 (1,4)	2,8 (1,5)	0,09	0,765
10. ¿Siente usted que su salud se ha visto afectada por tener que cuidar a su familiar/paciente?	2,4 (1,6)	2,4 (1,4)	0,02	0,893
11. ¿Siente que no tiene la vida privada que desearía a causa de su familiar/paciente?	2,0 (1,7)	2,2 (1,5)	0,36	0,552
12. ¿Cree que sus relaciones sociales se han visto afectadas por tener que cuidar a su familiar/paciente?	2,0 (1,6)	1,8 (1,5)	0,56	0,455
13. Solamente si el entrevistado vive con el paciente ¿Se siente incómoda/o para invitar amigos a casa, a causa de su familiar/paciente?	0,4 (0,9)	0,4 (0,9)	0,14	0,710
14. ¿Cree que su familiar/paciente espera que usted le cuide, como si fuera la única persona con la que pudiera contar?	2,5 (1,5)	2,6 (1,5)	0,41	0,523

Tabla 62. Medias y desviaciones típicas de cada ítem de la Escala de Sobrecarga del Cuidador de Zarit para los grupos de cuidadores de usuarios y no usuarios del SAD. Resultados del ANOVA. N = 153

Ítems de la Escala de Sobrecarga del Cuidador de Zarit	CUS N = 117 $\overline{X}$ (DT)	CNUS N = 36 $\overline{X}$ (DT)	ANOVA F	p
15. ¿Cree usted que no dispone de dinero suficiente para cuidar de su familiar/paciente además de otros gastos?	2,4 (1,4)	2,7 (1,4)	1,53	0,219
16. ¿Siente que no va a ser capaz de cuidar de su familiar/paciente durante mucho tiempo más?	1,6 (1,5)	2,2 (1,5)	4,55	0,035*
17. ¿Siente que ha perdido el control sobre su vida desde que la enfermedad de su familiar/paciente se manifestó?	1,8 (1,6)	1,8 (1,5)	0,01	0,922
18. ¿Desearía poder encargar el cuidado de su familiar/paciente a otra persona?	1,5 (1,5)	1,9 (1,4)	1,94	0,224
19. ¿Se siente inseguro/a acerca de lo que debe hacer con su familiar/paciente?	1,0 (1,3)	1,5 (1,6)	3,27	0,072
20. ¿Siente que debería hacer más de lo que hace por su familiar/paciente?	0,6 (0,9)	0,8 (1,1)	0,53	0,468
21. ¿Cree que podría cuidar a su familiar/paciente mejor de lo que hace?	0,6 (1,0)	0,8 (1,1)	1,16	0,282
22. En general, ¿se siente muy sobrecargada/o al tener que cuidar de su familiar/paciente?	2,7 (1,3)	2,9 (1,4)	0,70	0,405

Nota. CUS: Cuidador de Usuario de SAD. CNUS: Cuidador de No Usuario de SAD. Los ítems significativos aparecen señalados con un asterisco (*).

Finalmente, se examinaron también las puntuaciones obtenidas por los dos grupos de cuidadores en cada uno de los factores de la Escala de Sobrecarga del Cuidador de Zarit obtenidos en nuestra muestra —cuyos resultados hemos descrito en la sección de variables e instrumentos del apartado de metodología de este trabajo—. En la tabla 63 se presentan las medias y desviaciones típicas obtenidas por los dos grupos de cuidadores en cada uno de los tres factores, así como los resultados del análisis estadístico de diferencias significativas a través de la prueba ANOVA de un factor.

En concreto, respecto al primer factor "Consecuencias negativas del cuidado", teniendo en cuenta que el rango de puntuaciones en el mismo oscila entre 0 (ausencia de consecuencias negativas percibidas del cuidado) y 48 (elevada frecuencia de consecuencias negativas percibidas del cuidado), podemos considerar que tanto los cuidadores de personas usuarias como no usuarias del SAD perciben con cierta intensidad las repercusiones negativas que tiene sobre sus vidas la tarea de cuidado ($\overline{X}$ = 26,5; DT = 14,2 y $\overline{X}$ = 28,2; DT = 11,6, respectivamente). De hecho, no existen diferencias significativas entre ambos grupos en este factor (F = 0,39; p = 0,531).

En cuanto al segundo factor "Sentimientos de incompetencia", los resultados obtenidos muestran que, basándonos en que la puntuación en este factor se sitúa entre 0 (ausencia de sentimientos de incompetencia para continuar con la tarea de cuidado) y 20 (elevada frecuencia de sentimientos de incompetencia para continuar con la tarea de cuidado), los dos grupos parecen informar de escasos sentimientos de incompetencia para seguir con su función de cuidador (cuidadores de usuarios del SAD: $\overline{X}$ = 6,2; DT = 4,5 y cuidadores de no usuarios del SAD: $\overline{X}$ = 7,9; DT = 4,6). No obstante, el ANOVA señala que los cuidadores de personas no usuarias del SAD experimentan de forma significativa mayores sentimientos de incompetencia respecto a su capacidad para seguir manteniendo la relación de cuidados que los cuidadores de usuarios del SAD (F = 4,27; p = 0,041).

Por último, ninguno de los dos grupos parecen manifestar sentimientos negativos hacia la persona dependiente a su cuidado dado que las medias alcanzadas en el factor 3 "Relaciones negativas" son muy bajas (cuidadores de usuarios del SAD: $\overline{X}$ = 1,6; DT = 2,3 y cuidadores de no usuarios del SAD: $\overline{X}$ = 1,3; DT = 1,9) ya que la puntuación total de este componente va de 0 —ausencia de relaciones negativas con la persona cuidada —a 12— alta frecuencia de relaciones negativas con la persona cuidada—. Tampoco existen diferencias estadísticamente significativas entre los dos grupos de cuidadores (F = 0,67; p = 0,413).

Tabla 63. Medias y desviaciones típicas de cada factor de la Escala de Sobrecarga del Cuidador de Zarit para los grupos de cuidadores de usuarios y no usuarios del SAD. Resultados de ANOVA. N = 153

	CUS (N = 117)	CUNS (N = 36)	ANOVA	
Factores de la Escala de Sobrecarga del Cuidador	Media (DT)		F	p
Factor 1: Consecuencias negativas del cuidado	26,5 (14,2)	28,2 (11,6)	0,39	0,531
Factor 2: Sentimientos de incompetencia	6,2 (4,5)	7,9 (4,6)	4,27	0,041*
Factor 3: Relaciones negativas	1,6 (2,3)	1,3 (1,9)	0,67	0,413

Notas. CUS = Cuidador de Usuario de SAD. CNUS = Cuidador de No Usuario de SAD. El rango de las puntuaciones para cada uno de los factores es: Factor 1 (0-48); Factor 2 (0-20); Factor 3 (0-12). Las variables significativas aparecen señaladas con un asterisco (*).

4.2. Variables asociadas con la sobrecarga del cuidador

Como hemos podido observar, nuestra hipótesis respecto a la efectividad del SAD como amortiguador de la carga del cuidador sólo se ha cumplido de forma muy parcial. El SAD alivia los sentimientos de incompetencia del cuidador sobre su capacidad para continuar con la atención y los cuidados pero no influye sobre su percepción global de carga, sobre la vivencia de consecuencias negativas del cuidado ni sobre el surgimiento de sentimientos negativas hacia la persona dependiente. Por ello, decidimos estudiar si otras variables podían estar asociadas con la sobrecarga del cuidador, sin tener en cuenta la existencia de dos grupos de cuidadores (usuarios y no usuarios de SAD). Por ello, se consideró en este caso la muestra total de cuidadores formada por 153 sujetos.

4.2.1. Resultados de los análisis de las relaciones entre la carga del cuidador y las variables del contexto del cuidado

Un primer conjunto de variables consideradas fueron las relacionadas con el contexto del cuidado. De forma específica, queríamos analizar si las particularidades del cuidado informal (la periodicidad de los cuidados, el tiempo semanal que ocupa la asistencia, la suficiencia de los cuidados, el vínculo del cuidador con la persona atendida, la existencia de apoyo por parte de terceras personas en la realización de las tareas de cuidado así como la frecuencia y cantidad de tiempo dedicado al cuidado por parte de estos apoyos) y las características sociodemográficas del cuidador informal (edad, sexo, nivel de estudios y situación laboral) se relacionaban de forma estadísticamente significativa con la carga del cuidador.

Antes de pasar a describir los resultados de los análisis llevados a cabo para estudiar las asociaciones mencionadas, es necesario realizar algunas puntualizaciones metodológicas que afectan a las variables consideradas en este apartado. En concreto, se han efectuado algunas modificaciones sobre las alternativas de respuesta de determinadas variables categóricas originales del cuestionario, agrupando algunas de ellas, con el fin de obtener una información más útil para ser tratada estadísticamente. Las variables modificadas se describen en la tabla 64.

Tabla 64. Cambios realizados sobre las variables categóricas del contexto del cuidado

Variables	Categorías originales	Criterios seguidos para la modificación de las categorías de la variable	Categorías finales	Observaciones
Periodicidad de los cuidados	(1) Período de vacaciones. (2) Fines de semana. (3) Puntual diaria. (4) Continuada diaria. (5) Otra.	a) Se eliminaron las categorías (1) y (2) porque no tenían ningún sujeto. b) Se eliminó la categoría (5) ya que no aporta ninguna información para ser analizada.	(1) Puntual diaria. (2) Continuada diaria.	Al eliminar la categoría original (5) en la que había 2 sujetos, la muestra de cuidadores quedó en esta variable reducida a 151 sujetos.
Vínculo con la persona cuidada	(1) Hijo/a. (2) Hermano/a (3) Cónyuge (4) Padre/madre (5) Tío/a (6) Nieto/a (7) Yerno/nuera (8) Otros familiares (9) Amigo/a (10) Vecino/a (11) Persona contratada (12) Otros casos	a) Se eliminaron las categorías (9), (10) y (11) porque el número de sujetos en ellas oscilaba entre 1 y 2 sujetos, lo que daba una cifra total poco significativa para ser comparada con las restantes alternativas. b) Se eliminó la categoría (12) ya que no aportaba ninguna información relevante a analizar. c) Se mantuvieron las categorías (1) y (3) porque reunían un elevado porcentaje de la muestra en ella. d) Las alternativas (2), (4), (5), (6), (7) y (8) se agruparon en una única categoría denominada "otros familiares".	(1) Hijo/a. (2) Cónyuge. (3) Otros familiares.	La modificación de las categorías generó que sólo se incluyeran a cuidadores parientes de la persona dependiente. Por ello, la etiqueta de la variable quedó asimismo modificada bajo la de Vínculo familiar con la persona cuidada. Al realizar estos ajustes, la muestra de cuidadores quedó reducida a 144 sujetos.

Tabla 64. Cambios realizados sobre las variables categóricas del contexto del cuidado

Variables	Categorías originales	Criterios seguidos para la modificación de las categorías de la variable	Categorías finales	Observaciones
Frecuencia con que otras personas ayudan al cuidador en el cuidado	(1) Hay reparto del cuidado. (2) En todo momento del día. (3) Ocasionalmente, en momentos de necesidad.	Se unieron las categorías (1) y (2), por dos razones: el bajo n de la alternativa (2) y la semejanza del contenido de ambas.	(1) Habitual. (2) Ocasional.	
Nivel de estudios	(1) Analfabeto. (2) Sin estudios primarios. (3) No reglados. (4) Primarios. (5) Medios. (6) Superiores.	Debido a que las categorías (2) y (6) tenían un bajo número de sujetos, se unieron las categorías en función de la similitud de cada nivel. Se crearon 3 nuevas alternativas a partir de las siguientes: (1) y (2), (3) y (4), (5) y (6), respectivamente.	(1) Sin estudios. (2) Bajo nivel de estudios. (3) Estudios medios o superiores.	
Situación laboral	(1) Ocupada/o. (2) En paro. (3) Estudiante. (4) Se ocupa del hogar. (5) Jubilado/a. (6) Incapacidad laboral. (7) Otros inactivos.	Se agruparon las categorías en función de la presencia o no del cuidador en el mercado de trabajo: a) La alternativa (1) pasó a denominarse "trabaja". b) Se agruparon las alternativas (2) a (7) en la alternativa "no trabaja".	(1) Trabaja. (2) No trabaja.	

4.2.1.1. Resultados del análisis de las relaciones bivariadas entre la carga del cuidador y las variables del contexto del cuidado

A) Resultados de los análisis bivariados entre la carga del cuidador y las características del cuidado.

En este apartado se ha analizado la potencial asociación de la carga y sus factores medidos con la Escala de Sobrecarga del Cuidador con la periodicidad con la que se proporcionan los cuidados, el tiempo semanal que ocupa la prestación de los cuidados, la suficiencia de su suministro, el vínculo familiar del cuidador con la persona receptora de los cuidados así como factores relacionados con la ayuda que recibe el cuidador principal de otras personas del ámbito informal (frecuencia y cantidad de tiempo de apoyo en la tarea de cuidado por parte de otros).

En primer lugar, los resultados de la prueba de Mann-Whitney (Tabla 65) indican que no existen diferencias significativas en las puntuaciones totales de carga ($U = 986,0$; $p = 0,570$) ni en los tres factores del instrumento de sobrecarga (Factor 1 —F1—: $U = 985,0$; $p = 0,570$; Factor 2 —F2—: $U = 924,5$; $p = 0,346$; Factor 3 —F3—: $U = 1004,0$; $p = 0,614$) entre los cuidadores que proporcionan los cuidados de forma continuada frente a los que los suministran de forma puntual.

Tabla 65. Análisis de la relación entre la periodicidad de los cuidados y la carga del cuidador. Medias, desviaciones típicas y Prueba de Mann-Whitney. N = 151[a]

PERIODICIDAD DE LOS CUIDADOS	Continuada diaria n = 135	Puntual diaria n = 16	Prueba de Mann-Whitney	
CARGA	Media (DT)		U	p
PT. Carga	39,8 (18,2)	37,0 (16,0)	986,00	0,570
F1. Consecuencias negativas del cuidado	27,1 (13,7)	25,4 (12,6)	985,00	0,566
F2. Sentimientos de incompetencia	6,7 (4,6)	5,6 (4,3)	924,50	0,346
F3. Relaciones negativas	1,6 (2,3)	1,3 (1,2)	1.004,00	0,614

Notas. [a] Se han perdido dos sujetos. PT = Puntuación total. F1 = Factor 1. F2 = Factor 2. F3= Factor 3. El rango de las puntuaciones para cada uno de los factores es: Factor 1 (0-48); Factor 2 (0-20); Factor 3 (0-12). DT = Desviación típica. U = U de Mann-Whitney. p = nivel de significación. Las variables significativas aparecen señaladas con un asterisco (*).

Por otra parte, tal como indica la tabla 66, se observa una correlación positiva y significativa entre el tiempo semanal que los cuidadores prestan los cuidados y la puntuación total de carga (r = 0,175; p = 0,031) así como con las consecuencias negativas del cuidado —F1— (r = 0,179; p = 0,027). No existe, sin embargo, relación significativa entre el tiempo semanal de cuidados y los sentimientos de incompetencia para ser capaz de continuar con la asistencia —F2— (r = 0,097; p = 0,235) y las relaciones negativas con la persona dependiente —F3— (r = 0,109; p = 0,178).

Tabla 66. Análisis de la relación entre el tiempo semanal que ocupan los cuidados y la carga del cuidador. Correlación de Pearson y nivel de significación. N = 153

TIEMPO SEMANAL QUE OCUPAN LOS CUIDADOS	Correlación de Pearson	
CARGA	r	p
PT. Carga	0,175	0,031*
F1. Consecuencias negativas del cuidado	0,179	0,027*
F2. Sentimientos de incompetencia	0,097	0,235
F3. Relaciones negativas	0,109	0,178

Notas. PT = Puntuación total. F1 = Factor 1. F2 = Factor 2. F3= Factor 3. r = Correlación de Pearson. p = nivel de significación. * La correlación es significante al nivel 0,05 (bilateral).

Asimismo, el ANOVA de la tabla 67 muestra que los cuidadores informan de niveles estadísticamente diferentes de carga total (F = 5,11; p = 0,007), consecuencias negativas del cuidado —F1— (F = 3,64; p = 0,029), sentimientos de incompetencia para continuar desempeñando el cuidado —F2— (F = 3,64; p = 0,029) y relaciones negativas con la persona dependiente —F3— (F = 8,40; p = 0,000) en función de su propia percepción de la suficiencia de los cuidados que suministran. El análisis *a posteriori* (Tabla 67), efectuado a través de la prueba de Tukey para conocer entre qué grupos se mostraban las diferencias estadísticas, señala que los cuidadores que cubren totalmente la necesidad requerida de asistencia del receptor de cuidados así como los que suministran una atención insuficiente experimentan de forma significativa mayor nivel de carga y sentimientos de incompetencia —F2— que aquellos que cubren sólo una parte de la necesidad de atención. Además, el grupo de cuidadores que atiende de manera suficiente con sus cuidados a la persona dependiente informa de un mayor número de consecuencias negativas —F1— frente al que atiende sólo una parte de la necesidad de ayuda; no encontrándose diferencias significativas en este factor entre este último grupo de cuidadores y el que proporciona una cantidad de cuidados suficiente. Por último, las relaciones negativas con el receptor de cuidados —F3— son vividas en mayor medida entre los cuidadores que dan una cobertura total a la necesidad de asistencia de la persona dependiente frente a los otros dos grupos de cuidadores. Aquellos cuidadores que atienden de forma suficiente la necesidad de cuidados perciben además más consecuencias negativas del cuidado —F1— que los cuidadores que únicamente ayudan de forma parcial.

Tabla 67. Análisis de la relación entre la suficiencia de los cuidados y la carga del cuidador. Media, Desviación típica, Anova y prueba a posteriori. N = 153

SUFICIENCIA DE LOS CUIDADOS	(1) N = 45	(2) N = 65	(3) N = 43	ANOVA		Prueba de Tukey		
CARGA	Media (DT)			F	p	1-2	1-3	2-3
PT. Carga	42,9 (15,5)	34,2 (17,1)	43,8 (20,2)	5,11	.007*	.031*	.967	.016*
F1. Consecuencias negativas del cuidado	28,4 (11,3)	23,6 (13,5)	30,3 (15,2)	3,64	.029*	.158	.784	.032*
F2. Sentimientos de incompetencia	9,0 (4,7)	4,5 (3,7)	7,1 (4,1)	16,08	.000*	.000*	.072	.006*
F3. Relaciones negativas	1,2 (1,7)	1,0 (1,6)	2,6 (2,8)	8,40	.000*	.948	.004*	.000*

Notas. (1) Cuidado totalmente insuficiente; (2) Cubre sólo una parte de la necesidad de los cuidados; (3) Cubre totalmente la necesidad de los cuidados. DT = Desviación Típica. PT = Puntuación total. F1 = Factor 1. F2 = Factor 2. F3= Factor 3. El rango de las puntuaciones para cada uno de los factores es: Factor 1 (0-48); Factor 2 (C-20); Factor 3 (0-12). p = nivel de significación. Las variables significativas aparecen señaladas con un asterisco (*).

El vínculo familiar entre el cuidador y la persona dependiente ha sido otra de las variables analizadas. Los resultados que aparecen en la tabla 68 muestran que sólo existen diferencias estadísticas significativas en esta variable en la percepción de los sentimientos de incompetencia para seguir desarrollando el cuidado —F2— (F = 4,88; p = 0,009). En este sentido, la prueba de Tukey revela que los cónyuges experimentan con mayor frecuencia sentimientos de incapacidad para seguir con su labor de asistencia que los hijos; no apareciendo relación estadística significativa en la percepción de carga y sus factores entre las otras categorías de vínculo familiar entre cuidadores y receptores de cuidado.

Es preciso resaltar asimismo que el grupo formado por otros familiares alcanza puntuaciones medias más elevadas en los niveles de carga total y de consecuencias negativas del cuidado —F1— que los hijos y cónyuges cuidadores, aunque esta diferencia no tiene significación estadística en ninguno de los dos casos (PT —Puntuación Total—: F = 0,54; p = 0,586; F1: F = 2,24; p = 0,110).

Tabla 68. Análisis de la relación entre vínculo familiar y carga del cuidador. Media, desviación típica, Anova y prueba post hoc. N = 144

VÍNCULO FAMILIAR. El cuidador es el/la	Hijo/a (1) N = 44	Cónyuge (2) N = 62	Otros familiares (3) N = 38	ANOVA		Prueba de Tukey		
CARGA	Media (DT)			F	p	1-2	1-3	2-3
PT. Carga	39,4 (17,9)	39,2 (19,4)	42,8 (15,6)	0,54	.586	-	-	-
F1. Consecuencias negativas del cuidado	28,4 (14,3)	25,0 (13,5)	30,7 (12,1)	2,24	.110	-	-	-
F2. Sentimientos de incompetencia	5,2 (3,3)	7,9 (5,1)	6,8 (4,1)	4,88	.009*	.006*	.223	.454
F3. Relaciones negativas	1,6 (2,2)	1,6 (2,5)	1,4 (2,2)	0,10	.901	-	-	-

Notas. PT = Puntuación total. F1 = Factor 1. F2 = Factor 2. F3= Factor 3. El rango de las puntuaciones para cada uno de los factores es: Factor 1 (0-48); Factor 2 (0-20); Factor 3 (0-12). DT = Desviación Típica. p = nivel de significación. Las variables significativas aparecen señaladas con un asterisco (*).

Por otro lado, como puede observarse en la tabla 69, la ayuda al cuidador principal por parte de terceros no influye de forma significativa ni en su nivel de carga total, ni en el número de repercusiones negativas percibidas —F1— ni en sus sentimientos de incompetencia —F2—, pero sí en las relaciones negativas del cuidador con la persona cuidada —F3— (U = 900,5; p = 0,002). Los cuidadores que no reciben apoyo por parte de otros en su desempeño de las tareas de cuidado informan significativamente de mayores sentimientos negativos hacia la persona dependiente que aquellos que obtienen ayuda de otros; aunque las puntuaciones medias obtenidas por ambos grupos en este factor son muy bajas. Por el contrario, aunque no aparecen diferencias significativas, los cuidadores que no reciben ayuda de nadie muestran mayores niveles de carga total y de consecuencias negativas generadas por el cuidado —F1— que los que son apoyados en esta labor.

Tabla 69. Análisis de la relación entre ayuda de otras personas y carga del cuidador. Media, desviación típica, Anova y prueba post hoc. N = 153

EL CUIDADOR RECIBE AYUDA DE ALGUIEN	Alguien le ayuda n = 131	Nadie le ayuda n = 22	Prueba de Mann-Whitney	
CARGA	Media (DT)		U	p
PT. Carga	38,6 (17,4)	44,4 (21,2)	1.122,0	0,097
F1. Consecuencias negativas del cuidado	26,4 (13,3)	30,0 (15,3)	1.159,0	0,142
F2. Sentimientos de incompetencia	6,5 (4,6)	6,8 (4,3)	1.332,0	0,570
F3. Relaciones negativas	1,2 (1,8)	3,3 (3,1)	900,5	0,002*

Notas. PT = Puntuación total. F1 = Factor 1. F2 = Factor 2. F3= Factor 3. El rango de las puntuaciones para cada uno de los factores es: Factor 1 (0-48); Factor 2 (0-20); Factor 3 (0-12). DT = Desviación Típica. U = U de Mann-Whitney. p = nivel de significación. Las variables significativas aparecen señaladas con un asterisco (*).

De forma específica se ha analizado también, sólo entre aquellos cuidadores que reciben ayuda de otros para suministrar el cuidado, la posible relación existente entre la frecuencia con la que son ayudados y la carga del cuidador. El ANOVA realizado para ello (Tabla 70) indica que aquellos cuidadores que reciben ayuda de otras personas únicamente de forma ocasional o puntual experimentan mayor sobrecarga total (F = 3,96; p = 0,049), más consecuencias negativas del cuidado —F1— (F = 4,24; p = 0,042) y mayores sentimientos negativos hacia la persona dependiente

—F3— (F = 10,57; p = 0,001) que los cuidadores que se reparten habitualmente la tarea asistencial con otra persona. La frecuencia de la ayuda recibida no tiene efecto significativo sobre los sentimientos de incompetencia —F2—.

Tabla 70. Análisis de la relación entre frecuencia de la ayuda de otras personas y carga del cuidador. Media, desviación típica y Anova. N = 131

FRECUENCIA DE LA AYUDA DE OTRAS PERSONAS	Habitual N = 86	Ocasional N = 62	ANOVA	
CARGA	Media (DT)		F	p
PT. Carga	36,4 (17,6)	42,7 (16,4)	3,96	0,049*
F1. Consecuencias negativas del cuidado	24,7 (13,6)	29,7 (12,4)	4,24	0,042*
F2. Sentimientos de incompetencia	6,1 (4,8)	7,2 (4,0)	1,91	0,169*
F3. Relaciones negativas	0,8 (1,4)	1,9 (2,3)	10,57	0,001*

Notas. PT = Puntuación total. F1 = Factor 1. F2 = Factor 2. F3= Factor 3. El rango de las puntuaciones para cada uno de los factores es: Factor 1 (0-48); Factor 2 (0-20); Factor 3 (0-12). DT = Desviación Típica. p = nivel de significación. Las variables significativas aparecen señaladas con un asterisco (*).

No obstante, la cantidad de la ayuda semanal recibida de otras personas (Tabla 71) no aparece relacionada de forma significativa con la carga del cuidador —ni con la puntuación total ni con ninguno de sus tres factores—.

Tabla 71. Análisis de la relación entre cantidad de ayuda semanal de otras personas y carga del cuidador. Correlación de Pearson. N = 131

CANTIDAD DE AYUDA SEMANAL DE OTRAS PERSONAS	Correlación de Pearson	
CARGA	r	p
PT. Carga	0,121	0,167
F1. Consecuencias negativas del cuidado	0,135	0,125
F2. Sentimientos de incompetencia	0,002	0,986
F3. Relaciones negativas	-0,133	0,131

Notas. PT = Puntuación total. F1 = Factor 1. F2 = Factor 2. F3= Factor 3. r = Correlación de Pearson. p = nivel de significación. Las correlaciones significativas aparecen señaladas con un asterisco (*).

B) Resultados de los análisis bivariados entre la carga y las variables sociodemográficas del cuidador

En esta sección se muestran los resultados de los análisis efectuados para estudiar la posible relación entre la edad, el sexo, el nivel de estudios y la situación laboral del cuidador con su nivel de carga.

En primer lugar, el análisis de correlación de Pearson (Tabla 72) indica que la edad del cuidador está relacionada de forma positiva y significativa con los sentimientos de incompetencia para poder continuar con la tarea de cuidado —F2— ($r = 0,233$; $p = 0,004$). En este sentido, cuanta más edad tiene el cuidador, mayor es la probabilidad que experimente poca competencia para continuar desempeñando sus tareas asistenciales con la persona dependiente. Por el contrario, no existe ninguna asociación estadísticamente significativa entre la edad del cuidador y la carga total, las consecuencias negativas del cuidado —F1— y las relaciones negativas con la persona dependiente —F3—.

Tabla 72. Análisis de la relación entre la edad y la carga del cuidador.
Correlación de Pearson. N = 153

EDAD DEL CUIDADOR	Correlación de Pearson	
CARGA	r	p
PT. Carga	0,027	0,741
F1. Consecuencias negativas del cuidado	-0,028	0,728
F2. Sentimientos de incompetencia	0,233(**)	0,004*
F3. Relaciones negativas	-0,073	0,369

Notas. PT = Puntuación total. F1 = Factor 1. F2 = Factor 2. F3= Factor 3. r = Correlación de Pearson. p = nivel de significación. ** La correlación es significativa al nivel 0,01 (bilateral).

El sexo del cuidador aparece como una variable asociada de forma significativa con la sobrecarga total ($F = 8,74$; $p = 0,004$) así como con las consecuencias negativas del cuidado —F1— (F

= 13,29; p = 0,000), tal como puede observarse en los resultados del ANOVA de la tabla 73. Las mujeres son las que informan de niveles más elevados de carga global y tienen más posibilidad de sufrir las repercusiones negativas del cuidado. La variable sexo no tiene, sin embargo, ningún efecto estadístico significativo sobre los sentimientos de incompetencia —F2— y las relaciones negativas del cuidador con el receptor de asistencia —F3—.

Tabla 73. Análisis de la relación entre el sexo y la carga del cuidador. Media, desviación típica y ANOVA. N = 153

FRECUENCIA DE LA AYUDA DE OTRAS PERSONAS	Habitual N = 86	Ocasional N = 62	ANOVA	
CARGA	Media (DT)		F	p
PT. Carga	34,0 (19,9)	42,7 (16,1)	8,74	0,004*
F1. Consecuencias negativas del cuidado	21,9 (14,1)	29,9 (12,5)	13,29	0,000*
F2. Sentimientos de incompetencia	6,3 (4,9)	6,7 (4,3)	0,28	0,596
F3. Relaciones negativas	1,3 (2,3)	1,6 (2,1)	0,86	0,355

Notas. PT = Puntuación total. F1 = Factor 1. F2 = Factor 2. F3= Factor 3. El rango de las puntuaciones para cada uno de los factores es: Factor 1 (0-48); Factor 2 (0-20); Factor 3 (0-12). DT = Desviación Típica. p = nivel de significación. Las variables significativas aparecen señaladas con un asterisco (*).

Por otro lado, la prueba de Kruskal-Wallis (Tabla 74) indica que el nivel de estudios del cuidador se relaciona de forma estadísticamente significativa con la percepción del cuidador sobre su competencia para ser capaz de seguir proporcionando el cuidado —F2— (Chi-cuadrado = 7,09; p = 0,029). Los análisis dos a dos efectuados a través de la prueba de Mann-Whitney (Tabla 75) indican que los cuidadores sin estudios sienten niveles estadísticamente superiores de incompetencia para continuar con las tareas de asistencia al sujeto atendido, que los otros dos grupos.

Tabla 74. Análisis de la relación entre nivel de estudios y la carga del cuidador. Media, desviación típica y prueba de Kruskal-Wallis. N = 153

NIVEL DE ESTUDIOS DEL CUIDADOR	Sin estudios n = 23	Bajo n = 103	Medio o superior n = 27	Prueba Kruskal-Wallis	
CARGA	Media (DT)			Chi-cuadrado	p
PT. Carga	42,4 (18,6)	39,5 (18,1)	36,8 (17,5)	1,20	0,550
F1. Consecuencias negativas del cuidado	28,3 (13,7)	27,4 (13,7)	23,9 (13,3)	1,88	0,391
F2. Sentimientos de incompetencia	8,8 (4,5)	6,3 (4,3)	5,7 (5,1)	7,09	0,029*
F3. Relaciones negativas	1,5 (2,3)	1,5 (2,2)	1,5 (2,1)	0,04	0,978

Notas. PT = Puntuación total. F1 = Factor 1. F2 = Factor 2. F3= Factor 3. El rango de las puntuaciones para cada uno de los factores es: Factor 1 (0-48); Factor 2 (0-20); Factor 3 (0-12). DT = Desviación Típica. p = nivel de significación. Las variables significativas aparecen señaladas con un asterisco (*).

Tabla 75. Análisis de la relación entre nivel de estudios del cuidador y sentimientos de incompetencia para continuar con el cuidado. Prueba de Mann-Whitney. N = 153

F2. SENTIMIENTOS DE INCOMPETENCIA	Prueba de Mann-Whitney	
Nivel de estudios del cuidador	U	p
Sin estudios-Bajo	804,0	0,016*
Sin estudios-Medio o superior	199,5	0,030*
Bajo-Medio o superior	1.221,0	0,329

Notas. PT = Puntuación total. F1 = Factor 1. F2 = Factor 2. F3= Factor 3. DT = Desviación Típica. U = U de Mann-Whitney. p = nivel de significación. Los variables significativas aparecen señaladas con un asterisco (*).

Los resultados del análisis realizado entre la situación laboral del cuidador y su nivel de carga (Tabla 76) muestran que no existe relación estadística significativa entre estas variables, ni para la puntuación total de carga (U = 1.514, 5; p = 0,372) ni para ninguno de los tres factores (F1: U = 1.586,5; p = 0,584; F2: U = 1.332,5; p = 0,077; F3: U = 1.620,5; p = 0,672).

Tabla 76. Análisis de la relación entre situación laboral y carga del cuidador.
Medias, desviaciones típicas y Prueba de Mann-Whitney. N = 153

SITUACIÓN LABORAL DEL CUIDADOR	Trabaja n = 27	No trabaja n = 126	Prueba de Mann-Whitney	
CARGA	Media (DT)		F	p
PT. Carga	36,6 (19,6)	40,0 (17,7)	1.514,50	0,372
F1. Consecuencias negativas del cuidado	25,3 (14,7)	27,3 (13,4)	1.586,50	0,584
F2. Sentimientos de incompetencia	5,3 (4,8)	6,8 (4,4)	1.332,50	0,077
F3. Relaciones negativas	1,3 (1,8)	1,6 (2,2)	1.620,50	0,672

Notas. PT = Puntuación total. F1 = Factor 1. F2 = Factor 2. F3= Factor 3. El rango de las puntuaciones para la puntuación total y para cada uno de los factores es: PT (0-88); Factor 1 (0-48); Factor 2 (0-20); Factor 3 (0-12). DT = Desviación Típica. U = U de Mann-Whitney. p = nivel de significación. Los variables significativas aparecen señaladas con un asterisco (*).

4.2.1.2. Resultados del análisis de las relaciones multivariadas entre la carga del cuidador y las variables del contexto del cuidado

En este punto se realizaron análisis de regresión lineal por pasos hacia adelante considerando únicamente las variables significativamente asociadas de forma respectiva con la puntuación de carga y sus tres factores. El objetivo de estos análisis era conocer qué combinación de variables predecían de forma conjunta, y en qué medida, cada uno de estos criterios de carga considerados.

Previo a realizar el análisis de regresión lineal se convirtieron las variables categóricas que mostraron significación estadística en los análisis bivariados a variables dummy —también llamadas variables dicotómicas o ficticias—. El criterio necesariamente seguido en la creación de estas variables fue considerar una categoría de referencia, es decir, aquella categoría de la variable original con la que nos interesaba comparar el resto.

Las variables categóricas que no habían mostrado relación significativa a nivel bivariado con la carga no fueron dicotomizadas, en cuanto que no íbamos a introducirlas en el análisis de regresión dado que, según el criterio de significación de los métodos por pasos del análisis de regresión, sólo se incorporan al modelo de regresión aquellas variables que contribuyen de forma significativa al ajuste del modelo. Concretamente, se establecieron las nuevas categorías que se presentan en la tabla 77:

Tabla 77. Variables dummy utilizadas en el análisis de regresión lineal

Variables	Categorías iniciales	Dummy: Nuevas categorías
Suficiencia de los cuidados	• Cubre totalmente la necesidad	• Cubre totalmente la necesidad
	• Totalmente insuficiente • Cubre sólo una parte de la necesidad	• No cubre totalmente la necesidad
Vínculo familiar	• Cónyuge	• Cónyuge
	• Hijo/a • Otros familiares	• Otros familiares
Nivel de estudios	• Sin estudios	• Sin estudios
	• Bajo. • Medio o superior	• Con estudios

Por otro lado, con el objetivo de ajustarnos al criterio mencionado de creación de variables dummy, se modificaron los valores de las variables ya originalmente dicotómicas para que el valor 1 correspondiera al sentido de la alternativa relacionada con la variable dependiente y el valor 0 a la categoría restante. Por ejemplo, dado que ser mujer estaba asociado con mayores niveles de carga se le asignó el valor 1, y 0 a varón. Esta acción se aplicó además a la ayuda al cuidador principal —(1) nadie le ayuda y (0) alguien le ayuda— y a la frecuencia con que otras personas ayudan al cuidador —(1) ocasionalmente y (0) habitualmente—.

Para analizar las variables predictoras de la carga global del cuidador (puntuación total en la escala), se introdujo en el análisis de regresión lineal las siguientes variables: el tiempo semanal de los cuidados, la suficiencia de los cuidados, y el sexo del cuidador principal. En este caso, como observamos en la tabla 78, este modelo explica el 7% de la varianza, siendo las variables sexo del cuidador y tiempo semanal de los cuidados las únicas variables que contribuyen a la ecuación de predicción. Así, ser mujer y un elevado número de horas suministrando los cuidados determinan de forma significativa la sobrecarga del cuidador. Ésta última variable únicamente incrementó en un 2% el porcentaje de varianza explicado por la variable sexo.

Tabla 78. Resultados del análisis de regresión lineal: puntuación total de carga y variables del contexto de cuidado. N = 153

Modelo: PT. Carga.			
R cuadrado			0,08
R cuadrado corregida			0,07
F			6,80
p			0,001
	ß	t	p
Constante	18,85	2,55	0,012
Sexo del cuidador	0,23	2,93	0,004
Tiempo semanal de los cuidados	0,17	2,15	0,033

Notas. Se presentan las variables por orden de entrada en la ecuación. p = nivel de significación.

Cuando se tenía en cuenta sólo al grupo de cuidadores que recibían la ayuda de otras personas en su actividad asistencial a la persona dependiente, se añadieron a las variables consideradas en el análisis anterior la de frecuencia de la ayuda de otros. Los resultados mostraron que (Tabla 79) la carga del cuidador está determinada de forma conjunta por el sexo del cuidador y por la frecuencia con la que éste recibe la ayuda de otros para realizar las tareas de cuidado, incrementando esta última variable sólo un 3% el porcentaje de la varianza explicado por la variable sexo. Así, ser mujer y tener una ayuda ocasional por parte de otros para el cuidado predice mayores niveles de sobrecarga del cuidador. Esta ecuación predice un 8% de la varianza de la carga del cuidador.

Tabla 79. Resultados del análisis de regresión lineal: puntuación total de carga y variables del contexto de cuidado. N = 153[a]

Modelo: PT. Carga.			
R cuadrado			0,09
R cuadrado corregida			0,08
F			6,52
p			0,002
	ß	t	p
Constante	30,11	10,81	0,000
Sexo del cuidador	0,25	2,97	0,004
Frecuencia de la ayuda de otras personas	0,19	2,24	0,027

Notas. [a] La muestra se ve reducida a 131 sujetos, dado que 22 cuidadores no reciben la ayuda de otras personas para el cuidado. Se presentan las variables por orden de entrada en la ecuación. p = nivel de significación.

En segundo lugar, para el estudio de las variables predictoras de las consecuencias negativas del cuidado —F1—, se incluyeron las variables de tiempo semanal que ocupan los cuidados, suficiencia de los cuidados y sexo del cuidador principal en el análisis de regresión. Los resultados —Tabla 80— señalan que ser mujer y una mayor cantidad de tiempo semanal suministrando asistencia a la persona dependiente predicen de forma significativa la presencia de un mayor número de repercusiones negativas del cuidado. Este modelo explicó un 10% de la varianza, representando la variable tiempo semanal de los cuidados sólo un aumento del 2% respecto al porcentaje de varianza total explicado por la variable sexo del cuidador.

Tabla 80. Resultados del análisis de regresión lineal: consecuencias negativas del cuidado (Factor 1) y variables del contexto de cuidado. N = 153

Modelo: F1. Consecuencias negativas del cuidado.			
R cuadrado			0,11
R cuadrado corregida			0,10
F			9,29
p			0,000
	ß	t	p
Constante	10,28	1,87	0,064
Sexo del cuidador	0,28	3,63	0,000
Tiempo semanal de los cuidados	0,17	2,22	0,028

Notas. Se presentan las variables por orden de entrada en la ecuación. p = nivel de significación.

Al igual que en el caso anterior, se realizó asimismo otro análisis de regresión para el grupo específico de cuidadores que recibían la ayuda de otros incorporando la variable frecuencia de la ayuda de otras personas. Los resultados (Tabla 81) apuntan que ser mujer y la menor frecuencia de la ayuda de otras personas predicen de forma significativa la mayor percepción de consecuencias negativas generadas por el cuidado de una persona dependiente, explicando un 11% de la varianza de las consecuencias negativas del cuidado. La variable frecuencia de la ayuda de otras personas sólo aumentó en un 3% el porcentaje de varianza explicado.

Tabla 81. Resultados del análisis de regresión lineal: consecuencias negativas del cuidado (Factor 1) y variables del contexto de cuidado. N = 153[a]

Modelo: F1. Consecuencias negativas del cuidado.			
R cuadrado			0,12
R cuadrado corregida			0,11
F			9,08
p			0,000
	ß	t	p
Constante	18,79	8,96	0,000
Sexo del cuidador	0,31	3,68	0,000
Frecuencia de la ayuda de otras personas	0,20	2,38	0,018

Notas. [a] La muestra se ve reducida a 131 sujetos, dado que 22 cuidadores no reciben la ayuda de otras personas para el cuidado. Se presentan las variables por orden de entrada en la ecuación. p = nivel de significación.

En cuanto al segundo factor del instrumento de sobrecarga (sentimientos de incompetencia), se contemplaron para el análisis de regresión las variables de suficiencia de los cuidados, vínculo familiar, edad y nivel de estudios del cuidador. Sólo esta última variable y el vínculo familiar predijeron de forma significativa este factor, apuntando que el bajo nivel de estudios y ser cónyuge determinan de forma conjunta y significativa los sentimientos de incompetencia del cuidador sobre su habilidad para seguir proporcionando asistencia. El vínculo familiar supuso un aumento del 2% en el porcentaje de varianza explicado y esta ecuación explicó el 6% de la varianza (Tabla 82).

Tabla 82. Resultados del análisis de regresión lineal: sentimientos de incompetencia (Factor 2) y variables del contexto de cuidado. N = 153[a]

Modelo: F2. Sentimientos de incompetencia.			
R cuadrado			0,08
R cuadrado corregida			0,06
F			5,80
p			0,004
	ß	t	p
Constante	5,77	11,88	0,000
Nivel de estudios	0,18	2,12	0,035
Vínculo familiar	0,17	2,03	0,044

Notas. [a] La muestra se ve reducida a 144 sujetos, dado que se ha modificado la variable vínculo de la persona cuidada por la de vínculo familiar (cuidador-receptor de cuidados), omitiendo los sujetos de las categorías que no tenían una relación familiar. Se presentan las variables por orden de entrada en la ecuación. p = nivel de significación.

Finalmente, para el caso concreto de las relaciones negativas con la persona dependiente —F3—, se introdujo en el modelo de regresión la suficiencia de los cuidados y la ayuda de otros, obteniendo que no recibir ayuda de otras personas y cubrir totalmente la necesidad de los cuidados determinaban la existencia de relaciones negativas con la persona dependiente (Tabla 83). Este modelo explicó un 14% de la varianza, y la suficiencia de los cuidados aumentó en un 4% el porcentaje de varianza explicado.

Tabla 83. Resultados del análisis de regresión lineal: relaciones negativas (Factor 3) y variables delcontexto de cuidado. N = 153

Modelo: F3. Relaciones negativas.			
R cuadrado			0,16
R cuadrado corregida			0,14
F			13,77
p			0,000
	ß	t	p
Constante	0,98	5,06	0,000
Ayuda de otras personas	0,25	3,13	0,002
Suficiencia de los cuidados	0,22	2,78	0,006

Notas. Se presentan las variables por orden de entrada en la ecuación. p = nivel de significación.

Para el grupo de cuidadores que recibían la ayuda de otros, se introdujo en el modelo de regresión la suficiencia de los cuidados, la ayuda de otros y la frecuencia de esta ayuda. El análisis de regresión lineal indica que únicamente la eventualidad de la ayuda de otras personas predijo la presencia de relaciones negativas con el receptor de cuidados, explicando el 7% de la varianza (Tabla 84).

Tabla 84. Análisis de regresión lineal: relaciones negativas (Factor 3) y variables del contexto de cuidado. N = 153[a]

Modelo: F3. Relaciones negativas.			
R cuadrado			0,08
R cuadrado corregida			0,07
F			10,57
p			0,001
	ß	t	p
Constante	0,85	4,43	0,000
Frecuencia de la ayuda de otras personas	0,28	3,25	0,001

Notas. [a] La muestra se ve reducida a 131 sujetos, dado que 22 cuidadores no reciben la ayuda de otras personas para el cuidado. Se presentan las variables por orden de entrada en la ecuación. p = nivel de significación.

4.2.2. Resultados de los análisis para el estudio de las relaciones entre la carga del cuidador y las variables asociadas a la dependencia del receptor de cuidados

En este apartado se presentan los resultados de los análisis efectuados para evaluar el impacto de las variables de la persona dependiente sobre la carga del cuidador. En concreto, se ha analizado la relación de la capacidad funcional, el estado cognitivo, el estado de salud y la situación sociofamiliar de la persona dependiente con la carga del cuidador y los tres factores de esta medida.

Antes de pasar a detallar los resultados de esta sección, es necesario precisar que:

• Los indicadores de capacidad funcional utilizados para estos análisis fueron a) la puntuación total del Índice de Barthel, b) el número total de actividades básicas de la vida diaria con dependencia; c) la puntuación total del Índice de Lawton y Brody y d) el número total de actividades instrumentales de la vida diaria con dependencia.

• Para la medida del estado cognitivo se usó la puntuación total del SPMSQ de Pfeiffer.

• Las medidas del estado de salud recogen dos variables: a) el número total de enfermedades diagnosticadas y b) la puntuación del estado de salud.

• Los indicadores de la situación sociofamiliar incluyeron a) la puntuación total de la Escala de Valoración Sociofamiliar y b) la puntuación total del cuestionario APGAR Familiar.

4.2.2.1. Resultados de los análisis bivariados entre la carga del cuidador y las variables de la persona dependiente

El estudio de la relación bivariada entre las variables mencionadas se efectuó mediante correlación de Pearson. Los resultados aparecen en la tabla 85 y en ella se detallan las intercorrelaciones entre todas las variables consideradas, aunque solamente comentaremos las que se establecen con las variables de sobrecarga.

Para el caso concreto de las puntuaciones globales de carga, los resultados indican que existen correlaciones significativas entre los cuatro indicadores de capacidad funcional utilizados y la puntuación total de la carga del cuidador, en el sentido de, a mayor deterioro de la capacidad funcional del receptor de cuidados, mayor sobrecarga de su cuidador. De forma específica, observamos que existe una correlación significativa y negativa entre la puntuación total del Índice de Barthel y la del instrumento de Sobrecarga del Cuidador (r = - 0,43; p = 0,000), que señala que a mayor grado de dependencia para las ABVD, mayor sobrecarga del cuidador. Asimismo, la carga del cuidador incrementa conforme aumenta el número de ABVD con dependencia de la persona atendida (r = 0,48; p = 0,000). Los indicadores de dependencia para las AIVD siguen esta misma tendencia: a mayor nivel de dependencia para las AIVD medida a través del Índice de Lawton y Brody, y cuanto mayor es el número de AIVD con dependencia, más elevada es la carga del cuidador (r = - 0,55; p = 0,000 y r = 0,55; p = 0,000, respectivamente).

Estas mismas relaciones significativas se establecen entre estas variables de la persona dependiente y los factores 1 y 2 del instrumento de sobrecarga del cuidador (Tabla 85). Así, se observa que las puntuaciones totales del Índice de Barthel y del Índice de Lawton y Brody correlacionan negativamente y significativamente con una mayor frecuencia de consecuencias negativas del cuidado —F1— (r = - 0,45; p = 0,000 y r = - 0,57; p = 0,000, respectivamente) y con mayores sentimientos de incompetencia para poder continuar con las tareas del cuidado —F2— (r = - 0,28; p = 0,001; r = - 0,31; p = 0,000). Igualmente, cuanto mayor es el número de actividades básicas y instrumentales de la vida diaria con dependencia, más elevadas son las consecuencias negativas experimentadas por el cuidado —F1— (r = 0,47; p = 0,000 y r = 0,57; p = 0,000, respectivamente) y los sentimientos de no tener las habilidades necesarias para seguir con la asistencia a la persona dependiente —F2— (r = 0,32; p = 0,000 y r = 0,30; p = 0,000, respectivamente).

Por su parte, la gravedad del deterioro cognitivo se asocia de forma significativa con la carga del cuidador, existiendo una correlación positiva entre la puntuación total del SPMSQ y la sobrecarga global (r = 0,35; p = 0,000), la frecuencia de las repercusiones negativas del cuidado —F1— (r = 0,38; p = 0,000) y los sentimientos de incompetencia del cuidador —F2— (r = 0,20; p = 0,014).

El estado de salud aparece también asociado con la carga del cuidador. El estado de salud de la persona dependiente correlaciona de forma negativa y significativa con la puntuación total de carga (r = - 0,36; p = 0,000), el factor 1 (r = - 0,34; p = 0,000) y el factor 2 (r = - 0,34; p = 0,000), de modo que a peor estado de salud de la persona dependiente mayor es la sobrecarga global, las repercusiones negativas del cuidado —F1— y la sensación de no ser lo suficientemente competente para poder continuar con la atención —F2—. Sin embargo, el número de enfermedades diagnosticadas, otro de los indicadores del estado de salud del receptor de cuidados considerado, sólo alcanza una correlación estadística significativa con el factor 2 — sentimientos de incompetencia— (r = 0,21; p = 0,011). La relación entre ambas variables es positiva, por lo que cuanto más enfermedades padece la persona dependiente más incompetente se siente su cuidador en la prestación de la asistencia.

En cuanto a la situación sociofamiliar, se observa que la puntuación total de la Escala de Valoración Sociofamiliar correlaciona de forma positiva y significativa con todas las medidas de carga, mientras que, por el contrario, la funcionalidad familiar —medida a través del APGAR Familiar— no tiene efecto significativo sobre ninguna de las variables de carga. De este modo, los resultados apuntan a que la presencia de problemas sociofamiliares incrementa la carga global del cuidador (r = 0,34; p = 0,000) así como las repercusiones negativas del cuidado —F1— (r = 0,29; p = 0,000), la percepción por parte del cuidador de ineptitud para seguir con la tarea asistencial —F2— ($r = 0,44$; $p = 0,000$) y el surgimiento de relaciones negativas con el receptor de cuidados —F3— ($r = 0,20$; $p = 0,013$). Además, esta variable sociofamiliar es la única que, entre todas las estudiadas, se asocia significativamente con las relaciones negativas del cuidador con la persona dependiente.

Tabla 85. Análisis de correlación de Pearson de las variables de la persona dependiente con la carga del cuidador. N = 153[a]

		PT. Carga	PT. Índice de Barthel	Nº total de ABVD con dependencia	PT. Índice de Lawton y Brody	Nº total de AIVD con dependencia	PT. SPMSQ de Pfeiffer	Nº total de enfermedades diagnosticadas	Estado de Salud	PT. Escala de valoración socio familiar	PT. APGAR Familiar	F1. Consecuencias negativas del cuidado	F2. Sentimientos de incompetencia	F3. Relaciones negativas
PT. Carga	r	1												
	p													
PT. Índice de Barthel	r	-,433**	1											
	p	,000												
Nº total de ABVD con dependencia	r	,476**	-,951**	1										
	p	,000	,000											
PT. Índice de Lawton y Brody	r	-,550**	,819**	-,839**	1									
	p	,000	,000	,000										
Nº total de AIVD con dependencia	r	,545**	-,818**	,838**	-,999**	1								
	p	,000	,000	,000	,000									
PT. SPMSQ de Pfeiffer	r	,347**	-,642**	,583**	-,599**	,599**	1							
	p	,000	,000	,000	,000	,000								
Nº total de enfermedades diagnosticadas	r	,133	-,089	,130	-,059	,062	,056	1						
	p	,101	,271	,108	,468	,444	,493							
Estado de Salud	r	-,363**	,408**	-,367**	,373**	-,372**	-,360**	-,104	1					
	p	,000	,000	,000	,000	,000	,000	,202						
PT. Escala de valoración sociofamiliar	r	,341**	-,344**	,342**	-,294**	,288**	,335**	,097	-,325**	1				
	p	,000	,000	,000	,000	,000	,000	,231	,000					

Tabla 85. Análisis de correlación de Pearson de las variables de la persona dependiente con la carga del cuidador. N = 153[a]

		PT. Carga	PT. Índice de Barthel	Nº total de ABVD con dependencia	PT. Índice de Lawton y Brody	Nº total de AIVD con dependencia	PT. SPMSQ de Pfeiffer	Nº total de enfermedades diagnosticadas	Estado de Salud	PT. Escala de valoración socio familiar	PT. APGAR Familiar	F1. Consecuencias negativas del cuidado	F2. Sentimientos de incompetencia	F3. Relaciones negativas
PT. APGAR Familiar	r	,020	-,007	-,003	-,014	,025	-,137	,119	-,064	-,096	1			
	p	,819	,936	,976	,872	,778	,126	,180	,472	,277				
F1. Consecuencias negativas del cuidado	r	,956**	-,450**	,468**	-,573**	,568**	,375**	,086	-,344**	,292**	,027	1		
	p	,000	,000	,000	,000	,000	,000	,289	,000	,000	,762			
F2. Sentimientos de incompetencia	r	,672**	-,276**	,324**	-,308**	,304**	,201*	,205*	-,336**	,441**	-,023	,482**	1	
	p	,000	,001	,000	,000	,000	,014	,011	,000	,000	,800	,000		
F3. Relaciones negativas	r	,593**	-,063	,143	-,132	,133	,112	,067	-,063	,200*	-,161	,490**	,368**	1
	p	,000	,442	,077	,103	,100	,171	,409	,440	,013	,068	,000	,000	

Notas. [a] La muestra queda reducida a 129 sujetos en la variable PT. Apgar Familiar y a 150 sujetos en la variable PT. SPMSQ de Pfeiffer. ** La correlación es significativa al nivel 0,01 (bilateral); ** La correlación es significativa al nivel 0,05 (bilateral).

4.2.2.2. Resultados del análisis de las relaciones multivariadas entre la carga y las variables de la persona dependiente

Para evaluar qué variables de la persona dependiente determinaban de forma conjunta la carga del cuidador, se llevaron a cabo análisis de regresión lineal por pasos hacia adelante. Previamente a proceder a estos cálculos estadísticos, se asumió el criterio de significación de los métodos por pasos del análisis de regresión, considerándose así sólo las variables que se habían asociado significativamente con el criterio a nivel bivariado. Además, los análisis de regresión lineal se realizaron para la puntuación total de carga y los factores 1 y 2 del instrumento de sobrecarga del cuidado. No se contempló realizar este análisis multivariado para el factor 3 dado que, como ya se ha señalado, sólo se asoció con una variable —los problemas sociofamiliares medidos a través de la Escala de Valoración Sociofamiliar—.

Los resultados (Tabla 86) indican que tres variables predicen de forma conjunta la sobrecarga global del cuidador: el mayor nivel de dependencia para realizar las actividades instrumentales de la vida diaria, la presencia de problemas sociales y familiares, y el mal estado de salud. Estas dos últimas variables sólo incrementaron en un 4% el porcentaje de varianza explicado por la puntuación total del Índice de Lawton y Brody. Esta ecuación predice el 37% de la varianza de la carga del cuidador.

Tabla 86. Análisis de regresión lineal: variables de la persona dependiente y carga del cuidador. N = 153

Modelo: PT. Carga.			
R cuadrado			0,38
R cuadrado corregida			0,37
F			30,15
p			0,000
	ß	t	p
Constante	40,50	5,48	0,000
PT. Índice de Lawton y Brody	- 0, 47	- 6,59	0,000
PT. Escala de valoración socio-familiar	0,15	2,15	0,034
Estado de salud	- 0,15	- 2,04	0,043

Notas. Se presentan las variables por orden de entrada en la ecuación. PT = Puntuación total. p = nivel de significación.

En el caso del factor 1 del instrumento de sobrecarga, la ecuación de regresión incluyó la puntuación total del Índice de Lawton y Brody y el estado de salud, explicando el 37% de la varianza de este factor (Tabla 87). El estado de salud únicamente incrementó en un 1,6% el porcentaje de varianza explicado. De este modo, el nivel más alto de dependencia para llevar a cabo las actividades instrumentales cotidianas así como el mal estado de salud determinan conjuntamente y de forma significativa la presencia de consecuencias negativas del cuidado para el cuidador.

Tabla 87. Análisis de regresión lineal: variables de la persona dependiente y consecuencias negativas del cuidado (Factor 1). N = 153

Modelo: F1. Consecuencias negativas del cuidado.			
R cuadrado			0,38
R cuadrado corregida			0,37
F			45,35
p			0,000
	ß	t	p
Constante	37,63	15,04	0,000
PT. Índice de Lawton y Brody	- 0,54	- 7,78	0,000
Estado de salud	- 0,15	- 2,20	0,029

Notas. Se presentan las variables por orden de entrada en la ecuación. F1 = Factor 1. p = nivel de significación.

Por último, como se puede observar en la tabla 88, la presencia de problemas sociales y familiares, el mal estado de salud, la dependencia para realizar las actividades instrumentales diarias y el mayor número de enfermedades diagnosticadas de la persona dependiente predicen de forma global los sentimientos de incompetencia para continuar con la tarea de cuidados del cuidador. Esta ecuación explica el 26% de la varianza de este factor. En concreto, el estado de salud supuso un incremento de casi un 4% del porcentaje de varianza explicado por la puntuación total de la escala de valoración sociofamiliar.

Tabla **88**. Análisis de regresión lineal: variables de la persona dependiente y sentimientos de incompetencia del cuidador. N = 153

Modelo: F2. Sentimientos de incompetencia.			
R cuadrado			0,28
R cuadrado corregida			0,26
F			14,28
p			0,000
	ß	t	p
Constante	1,35	0,65	0,517
PT. Escala de valoración socio-familiar	0,32	4,22	0,000
Estado de salud	- 0,16	- 2, 09	0,039
PT. Índice de Lawton y Brody	- 0,16	- 2,04	0,044
Nº total de enfermedades diagnosticadas	0,14	1,99	0,049

Notas. Se presentan las variables por orden de entrada en la ecuación. PT = Puntuación total. F2 = Factor 2. p = nivel de significación.

V. CONCLUSIONES

El objetivo principal de esta investigación se ha centrado en analizar las variables asociadas con la sobrecarga de cuidadores informales de personas dependientes, probando de forma particular la eficacia del Servicio de Ayuda a Domicilio —un servicio de respiro— en la reducción de la carga del cuidador. El estudio y la comprensión de la carga experimentada por el cuidador informal de una persona dependiente deben pasar primero por la conceptualización de qué es la dependencia, qué tipo de cuidados necesitan estas personas, y cómo es capaz de convertirse la situación de prestación de cuidados en un factor negativo para los proveedores de esta atención. La revisión teórica y empírica realizada al respecto nos ha permitido delimitar estos puntos. Destacamos a continuación los más relevantes.

La dependencia aparece como una situación en la que una persona necesita la ayuda de otras para realizar las actividades cotidianas (Consejo de Europa, 1998; Rodríguez, 1998; IMSERSO, 1999; WHO, 2000a, 2002a; O'Shea, 2003). La falta o pérdida de independencia física o mental puede estar provocada por múltiples factores, lo que denota la multicausalidad de la dependencia. Como apunta el Modelo de Discapacidad de Verbrugge y Jette (1994), la patología o la lesión sería el núcleo en el que se origina el proceso de discapacidad y dependencia, con la concurrencia de múltiples factores sociodemográficos y psicosociales que inciden sobre el proceso degenerativo funcional de la enfermedad o lesión inicial.

En este sentido, las enfermedades crónicas como las dolencias ostearticulares y cerebrovasculares se encuentran entre las patologías que más relevancia tienen en relación al riesgo de limitación funcional de una persona (IMSERSO, 1999, 2002; Femia, Zarit y Johansson, 2001; WHO, 2002a; Vranderburg et al., 2002; Garcés et al., 2004). Otras patologías apuntadas son las enfermedades agudas con riesgo de cronificación, oncológicas, congénitas, el SIDA (IMSERSO, 1999, 2002; Garcés et al., 2002) y entre las lesiones hallamos los diferentes accidentes de tráfico, domésticos y laborales como potenciales generadores de dependencia (IMSERSO, 1999, 2002).

Por otra parte, tener una edad avanzada, ser mujer, ser viudo, tener un nivel educativo y socioeconómico bajo así como unos hábitos de vida y salud nocivos se encuentran entre los principales factores de riesgo que determinan que el proceso patológico o lesivo se torne en dependencia. De entre estas variables, la edad avanzada —debido a su especial relación con el deterioro físico y el padecimiento de enfermedades, en especial las crónicas— es con certeza la variable que tiene el efecto directo más claro sobre el desarrollo de la dependencia, en cuanto que la asociación entre los otros factores y la limitación en la capacidad funcional dependen frecuentemente de un efecto interactivo entre ellos. Además, habría que añadir que el bajo nivel de maestría, el deterioro cognitivo o la demencia, la depresión, una percepción negativa del propio estado de salud, el aislamiento social y la falta de apoyo social conforman las variables psicosociales que influyen sobre el posible deterioro funcional de la enfermedad o lesión, y, consecuentemente, en una situación de dependencia.

Los avances médicos, sociales y tecnológicos han llevado a una revolución demográfica y epidemiológica acontecida en Europa y en España, que han generado importantes cambios positivos para el bienestar de los ciudadanos: se ha reducido la mortalidad prematura y la prevalencia de las enfermedades infecciosas, ha incrementado la esperanza de vida y se han desarrollado medidas para el control de la natalidad. Este contexto ha provocado una sociedad con una elevada representación de personas de la tercera edad frente a los otros grupos de población, en la que predominan las enfermedades crónicas que no se asocian a la mortalidad pero sí a una multimorbilidad, y con una calidad de vida deteriorada en los últimos años de la vida. Si hacemos cálculos (ver tabla 3, p. 46), los hombres y las mujeres mayores viven casi 2 y 5 años, respectivamente, dependientes de otra persona para realizar las actividades de la vida diaria. Es precisamente en este punto en el que podemos comprender la relevancia actual de la dependencia.

De hecho, en la actualidad en torno al 8% de la población europea de más de 16 años es dependiente, el 3% de la población española de 6 y más años tiene dependencia en algún grado, y el 2,4% de los valencianos tiene limitada su capacidad funcional para realizar las actividades de la vida diaria. Las tasas de dependencia para las personas de 65 y más años giran alrededor del 20% en los tres ámbitos geográficos.

Las personas dependientes suelen requerir la ayuda de otras personas sobre todo para mantenerse en su entorno, como por ejemplo para desplazarse fuera del hogar o llevar a cabo las tareas domésticas. Pero también entre ellas hay un elevado porcentaje que necesita el apoyo de otros para llevar a cabo actividades asociadas con necesidades más básicas (asearse, comer, usar el retrete, etc.). En general, las actividades cotidianas para las que una persona puede ser dependiente son diversas en cuanto que implican tareas directa o indirectamente relacionadas con la cobertura de las necesidades básicas de todo ser humano, y que son necesarias para seguir viviendo de una forma digna y con calidad de vida.

Precisamente los cuidados que se proporcionan a las personas dependientes —los cuidados de larga duración— tienen entre sus objetivos, favorecer la mayor calidad de vida y bienestar físico y psicológico de la persona afectada, además de minimizar y compensar, en la medida de lo posible, la pérdida de autonomía funcional. Implican, por ello, que la asistencia sea suministrada durante un largo período de tiempo, diariamente, de forma constante y cuya intensidad aumenta con el progreso del estado de dependencia. Ambas serían precisamente dos características distintivas de la atención a la dependencia frente a otro tipo de cuidados agudos.

Asimismo, los cuidados de larga duración suponen la provisión de una amplia variedad de servicios —sociales, de salud, de

cuidado personal, tareas domésticas, ayudas técnicas, etc.—
que son proporcionados en el domicilio, en la comunidad o en
una institución por parte de cuidadores formales y/o informales. El cuidado formal sería aquel proporcionado dentro de una
organización pública o privada con o sin ánimo de lucro, por
profesionales sociales y sanitarios, y que requiere una compensación económica.

El cuidado informal es la asistencia suministrada por las
personas del entorno próximo de la persona dependiente (familia, vecinos y amigos), que no poseen formación alguna sobre la
asistencia y que no reciben retribución económica por esta
tarea. El cuidado domiciliario suministrado por cuidadores
informales, en especial los familiares es, por diferentes motivos
—preferencia de los afectados por permanecer en el domicilio,
el coste de los recursos formales y el carácter familista de la
sociedad mediterránea—, el más frecuente. Por lo tanto, la
mayoría de la carga de la atención de larga duración de las
personas dependientes recae sobre los cuidadores informales.
De hecho, el análisis efectuado sobre el cuidado informal aporta
una serie de datos que documenta esta afirmación.

Así, existe aproximadamente un 5% de europeos
cuidadores informales de personas dependientes (INE, 2004a)
y un 15% de los hogares españoles que se dedican a la
asistencia informal (Gabinete de prensa del Ministerio de
Trabajo y Asuntos Sociales, 2004). Los cuidadores informales suelen ser miembros de la familia, habitualmente una
mujer —esposa o hija—, con una edad entre los 45 y los 65
años, sin ocupación laboral, y con un bajo nivel de estudios
y socioeconómico. Además, la provisión de los cuidados suele
caracterizarse por suministrarse en la vivienda de la persona dependiente —casa que a menudo comparten—, de forma
diaria, continua e intensa (que puede representar más de 40
horas semanales), e incluye diversos tipos de servicios que
van desde atención al cuidado personal y realización de
tareas domésticas hasta apoyo emocional. En general, esta
asistencia es asumida por un solo cuidador, responsabilidad

que suele durar años, habiéndose encontrado un promedio de aproximadamente 5 años para las personas dependientes en diferentes ámbitos (National Alliance for Caregiving, 1997; Family Caregiver Alliance, 2001; IMSERSO, 2004).

No es extraño, tras dibujar esta situación, que desde la Psicología, haya sido objeto de preocupación el impacto que la situación de cuidado de una persona dependiente pueda estar generando sobre el cuidador informal. En este sentido, el cuidado informal ha sido conceptualizado como un acontecimiento vital estresante (Zarit, 1998a, 2002), que junto a su cronicidad e imprevisión sobre el momento de su finalización, ha sido asociado a repercusiones negativas sobre el bienestar físico y psicológico del cuidador informal. Esta situación ha sido denominada de forma genérica con el término global de carga del cuidador.

Cuando se ha intentado definir el concepto de carga, los investigadores han encontrado diferentes dificultades, en cuanto que ha aparecido a lo largo de los años de investigación como un fenómeno determinado por múltiples dimensiones, sujeto a variabilidad individual y cuyo proceso de adaptación fluctúa a lo largo del tiempo de cuidado (Zarit, 1996, 1998a). Estas conforman las principales razones por las que se ha defendido que la carga del cuidador debe ser enmarcada dentro de un proceso multidimensional, apareciendo desde la Psicología diferentes modelos teóricos explicativos de la complejidad de la carga del cuidador.

Fundamentalmente, desde el punto de vista teórico, la carga ha sido explicada desde las perspectivas psicológicas del estrés y del afrontamiento (Lavoie, 1999; Gaugler et al., 2000a). En particular, la mayoría de los modelos teóricos que se han desarrollado para explicar la carga y el estrés del cuidador se han basado en la Teoría Transaccional del Estrés de Lazarus y Folkman (1984). En este contexto, el modelo que más ha influido en la comprensión teórica del proceso de la carga del cuidador informal ha sido el Modelo del Proceso del Estrés de Pearlin (Pearlin, Turner y Semple, 1989; Pearlin et al., 1990;

Pearlin, 1991; Aneshensel et al., 1995; Pearlin y Skaff, 1995; Gaugler, Zarit y Pearlin, 1999). Los autores asumen un acercamiento multidimensional para describir cómo el cuidado se convierte en una carga para algunos individuos y puede llevar a reacciones físicas y psicológicas en el cuidador.

En concreto, Pearlin y sus colaboradores defienden, por un lado, la influencia de las características contextuales del cuidador y del receptor de cuidados —por ejemplo, variables sociodemográficas— en la adaptación del cuidador al proceso del estrés del cuidado. Además, proponen que existen varios tipos de estresores que determinan la carga del cuidador. En este sentido, afirman que las demandas del cuidado (estresores primarios objetivos) repercuten sobre los cuidadores provocando en ellos una serie de reacciones emocionales negativas (los estresores primarios subjetivos).

Los estresores primarios pueden a su vez proliferar a otros ámbitos de la vida del cuidador (estresores secundarios) y provocar de forma objetiva repercusiones negativas sobre el tiempo libre, las relaciones sociales, la economía y la situación laboral del cuidador (tensiones de rol) y las valoraciones subjetivas de estas consecuencias llevar a sentimientos disminuidos de autoestima, maestría, sentido del self o competencia (tensiones intrapsíquicas). El proceso del estrés puede verse mediado por variables que mitigan el impacto negativo de las implicaciones del cuidado y que incluyen estrategias de afrontamiento y apoyo social formal e informal que alivia el estrés y la salud mental negativa asociada a la tarea de cuidado.

Zarit (1989, 1990a, 2002) ha ido ampliando este modelo, incluyendo de forma sucesiva las valoraciones secundarias y primarias de la Teoría de Lazarus y Folkman (1984) que, aplicadas al contexto del cuidado, implican de forma respectiva, que el cuidador hace una valoración general de sus propios recursos para afrontar la amenaza de los estresores del cuidado así como una evaluación subjetiva de los estresores primarios objetivos en términos de amenaza o desafío.

Estos acercamientos teóricos no han dejado de confirmar lo que ya hemos mencionado anteriormente: la multidimensionalidad del proceso de la carga del cuidador informal. La revisión de la investigación realizada al respecto denota asimismo las múltiples variables asociadas a la carga del cuidador, así como las diferentes repercusiones sobre el bienestar físico y mental del cuidado.

En este sentido, los estudios han demostrado la existencia de repercusiones negativas sobre la salud física y mental de los cuidadores informales de personas dependientes, llegando incluso a identificar un cuadro clínico que aglutinaría el conjunto de patologías que sufren los cuidadores, denominado como el síndrome del cuidador (Pérez, Abanto y Labarta, 1996; Muñoz et al., 2002; García, Mateo y Maroto, 2004).

Así, los efectos de la carga del cuidador sobre la salud mental de los cuidadores son fundamentalmente depresión y ansiedad así como altos niveles de estrés; hallando asimismo que la probabilidad de desarrollo de estos trastornos es mayor en las mujeres que en los hombres (Schultz y Williamson, 1991; Yee y Schulz, 2000; Family Caregiver Alliance, 2001; Dettinger y Clarkberg 2002), y vinculando también este mayor riesgo con la mayor asunción de responsabilidad en la tarea asistencial (Dettinger y Clarkberg 2002), un mayor número de horas proporcionando los cuidados (Press Release, 2002; Moral et al., 2003), y un mayor deterioro físico y cognitivo del receptor de cuidados (Segura et al., 1998; Roca et al., 2000; Gálvez et al., 2003; Moral et al., 2003).

Entre los efectos sobre la salud física, aunque menos frecuentes e intensos que los anteriores sobre la salud mental, encontramos: evaluaciones negativas de la propia salud, trastornos psicosomáticos e inmunológicos, problemas cardiovasculares y dependencia para realizar las actividades de la vida diaria (Grafstrom et al., 1992; Thompson y Gallagher-Thompson, 1996; Health and Human Services, 1998; The Commonwealth Fund, 1999; Mateo et al., 2000; Langa et al., 2001; Lee et al. 2003). Asimismo, se ha hallado que los cuidadores desatienden sus necesidades de salud, por lo que tienen menos probabilidad de implicarse en conductas preventivas de salud y en la búsqueda de asistencia médica (Schulz y Beach, 1999; The Commonwealth Fund, 1999; International Psychogeriatric Association, 2002; Coristine et al., 2003; Lee et al., 2003; Grunfeld et al., 2004). Estos problemas generan un riesgo incrementado a la mortalidad prematura en los cuidadores (Brown, Potter y Foster, 1990; Schulz y Beach, 1999; Lyons et al., 2002; Family Caregiver Alliance, 2003; Lee et al., 2003).

La carga del cuidador también puede conllevar importantes consecuencias negativas para la persona dependiente, entre las que se encuentran la institucionalización prematura y los malos tratos. Por un lado, la carga del cuidador y el malestar emocional aparecen como fuertes predictores del abandono de la tarea de cuidado y de la consecuente institucionalización de la persona dependiente (Jerrom et al., 1993; Gwyther, 1998; Wackerbath, 1998; Logdon et al., 1999). No obstante, de acuerdo con el Modelo del Proceso del Estrés de Pearlin (Pearlin, Turner y Semple, 1989; Pearlin et al., 1990; Pearlin, 1991; Aneshensel et al., 1995; Pearlin y Skaff, 1995; Gaugler, Zarit y Pearlin, 1999) —en el que se conceptualiza la carga del cuidador como un proceso— la institucionalización no representa una solución a la carga del cuidado: el ingreso de la persona dependiente en un centro conlleva la desaparición de determinados estresores asociados al período de cuidado domiciliario pero la aparición de otros vinculados al cuidado institucional. Además, el estrés desarrollado en la fase de cuidado domiciliario sigue influyendo en la fase de cuidado institucional (Pearlin et al., 1990; Pearlin, 1990; Aneshensel et al., 1995; Pearlin y Skaff, 1995; Zarit, 1996; Gaugler, Pearlin y Zarit, 1999). Por otro lado, se señala que los cuidadores pueden verse implicados en conductas agresivas o violentas hacia el cuidador como consecuencia de la carga que está experimentando, a través de malos tratos o abusos (Benton y Marshall, 1991; McGuire y Fulmer, 1997; Havens, 1999b; Mockus Parks y Novielli, 2000).

Algunos autores han apelado también a la posibilidad de la existencia de repercusiones positivas del cuidado (Stone,

Cafferata y Sangl, 1987; Schultz, Tompkins y Rau, 1988; Lawton et al., 1989; Monteko, 1989; Schulz, Visintainer y Williamson, 1990; Hoyert y Seltzer, 1992; Marks, Lambert y Choi, 2002), señalando algunas investigaciones como las dos consecuencias positivas más relevantes un incremento de la maestría y de los sentimientos de satisfacción por estar asistiendo a la persona dependiente.

Por otro lado, desde el punto de vista empírico, se han realizado múltiples investigaciones para identificar las variables asociadas a la carga del cuidador, destacando las siguientes:

a) Entre las **variables del contexto del cuidado**, una serie de características sociodemográficas del cuidador y de la relación cuidador persona atendida, se asocian a los niveles de carga del proveedor de cuidados.

En concreto, entre las variables sociodemográficas del cuidador, la edad joven, ser mujer, un bajo nivel de ingresos del cuidador y que éste tenga un empleo se ha asociado con niveles más elevados de carga (Scharlach y Boyd, 1999; AARP, 2001; Family Caregiver Alliance, 2001, 2003; Tárraga y Cejudo, 2001; Bass, 2002; Decima Research Inc. y Health Canada, 2002; International Psychogeriatric Association, 2002; Navaies-Waliser, Spriggs y Feldman, 2002).

Asimismo, respecto a la relación entre cuidador y receptor de cuidados, aparecen como variables más fuertemente relacionadas con la carga del cuidador: el vínculo familiar y la convivencia o no de la díada. Los cónyuges experimentan mayores niveles de sobrecarga que los hijos de las personas dependientes (Vitaliano et al., 1991; Tárraga y Cejudo, 2001; International Psychogeriatric Association, 2002), debido fundamentalmente a la mayor cercanía física y emocional de las parejas (Gaugler et al., 2000b), aunque también habría que considerar en este caso la influencia de la variable sexo ya que las hijas y las esposas experimentan similares niveles de carga y superiores que la de los hijos (Zarit, 1990; Goodman,

Zarit y Steiner, 1994; Hawranik y Strain, 2000). La convivencia del cuidador con la persona dependiente se relaciona con elevados niveles de sobrecarga, depresión, aislamiento social y mala salud, generados principalmente por una mayor frecuencia diaria de los cuidados y un mayor compromiso por mantener a la persona en la vivienda (Gilleard, Boyd y Watt, 1982; Zarit, Todd y Zarit, 1986; Morris et al., 1988; Brodaty y Hadzi-Pavlovic, 1990; International Psychogeriatric Association, 2002).

b) Respecto a los **estresores primarios**, aparece de forma contundente la influencia de los problemas conductuales generados por las demencias u otros trastornos mentales —frente a las deficiencias cognitivas y a la dependencia para las actividades de la vida diaria—, como generadores de sobrecarga en el cuidador, malestar emocional, agotamiento y trastornos del estado de ánimo (Bikerl, 1987; Pearson, Verna y Nellet, 1988; Zarit, 1990; Dunkin y Anderson-Haley, 1998; Hawranik y Strain, 2000).

En el caso de ausencia de alguna patología mental, la dependencia para las actividades de la vida diaria, el progresivo deterioro físico y la cantidad de actividades para las que la persona es dependiente, aparecen fuertemente relacionados con la carga del cuidador (Hope et al., 1998; Logsdon et al., 1998; Gaugler et al., 2000a).

Tanto los problemas conductuales como funcionales se han vinculado con la sobrecarga del rol, aunque a lo largo del tiempo los problemas conductuales son los únicos que se asocian con este estresor primario subjetivo (Aneshensel et al., 1995; Gaugler et al., 2000b). Se ha señalado que quizá la relevancia en la predicción de la carga del cuidador sea la imprevisión e irregularidad de las demandas. Los problemas conductuales no son previsibles ni de aparición regular, frente a las características de la enfermedad y de la dependencia que aparecen de forma más sistemática y son asumidas con más naturalidad en el papel de cuidador (Deimling y Bass, 1986; Gaugler et al., 2000b).

c) En cuanto a los **estresores secundarios**, el impacto de la situación de cuidado provoca una multiplicación o proliferación del malestar emocional y de la sobrecarga sobre otras áreas de la vida del cuidador. Las repercusiones son diversas y pueden manifestarse en forma de reducción del tiempo libre, de las actividades de ocio, de las relaciones sociales, aparición de conflictos familiares y matrimoniales (Semple, 1992; Aneshensel et al., 1995; García, Mateo y Gutiérrez, 1999; Roca et al., 2000; Decima Research Inc. y Health Canada, 2002; IMSERSO, 2002; García, Mateo y Eguiguren, 2004).

Destacan también los problemas que aparecen en el ámbito laboral tales como: abandono del trabajo, reducción o reajuste de la jornada laboral, imposibilidad de acceder al mercado laboral, incrementos en la jornada laboral para compensar la pérdida de ingresos provocada por los cuidados, pérdidas de ingresos y efectos negativos sobre la promoción y el ascenso laboral (Killingsworth y Heckman, 1986; Pencavel, 1986; Stone y Short, 1990; Carmichael y Charles, 1998; Havens, 1999b; Jenson y Jacobzone, 2000; Eurostat, 2003). La posibilidad de aparición de estos efectos se incrementa a mayor tiempo de cuidados, a mayor gravedad de la enfermedad, si se es mujer y a mayor edad (Muurinen, 1986; Stone y Short, 1990; Mears, 1998).

El cuidado también repercute económicamente sobre el cuidador. En particular, hay una tendencia hacia una pérdida de poder adquisitivo provocada por la disminución de ingresos provenientes del trabajo, así como aquellos derivados del coste generado por las propias necesidades de la asistencia de la persona dependiente (National Forum on Health, 1997; Decima Research Inc. y Health Canada, 2002; Family Caregiver Alliance, 2003; Grunfeld et al., 2004).

d) Por otro lado, la carga del cuidador puede verse aliviada a través de dos tipos de **mediadores**: las estrategias de afrontamiento y el apoyo social. Se ha indicado que las estrategias centradas en el problema (como la resolución de problemas o la redefinición de la situación de cuidado) son más efectivas para amortiguar los efectos de la carga del cuidador y en la reducción del malestar psicológico que las centradas en la emoción (Haley et al., 1987; Zarit, 1990a; Vitaliano et al., 1991; Pearlin y Skaff, 1995; Saad et al., 1995; Mockus Parks y Novielli, 2000; Yanguas, Leturia y Leturia, 2001). No obstante, se ha defendido que esta relación es compleja y que las diferentes estrategias de afrontamiento tienen efectos en función de la fase del proceso de cuidado en la que se encuentra el cuidador, sobre distintas emociones y en función del estresor primario implicado. En concreto, la maestría sólo sería efectiva durante el cuidado domiciliario, no durante la fase de institucionalización, mientras que las estrategias de afrontamiento centradas en el problema serían efectivas para incrementar el afecto positivo y las focalizadas en la emoción como reductoras del malestar emocional —depresión y ansiedad— (Pruchno y Resch, 1989b; Aneshensel et al., 1995; Zarit, 1998a).

El apoyo social ha aparecido como otra variable mediadora del proceso del estrés, bien a través del sistema informal o de los recursos formales. En este sentido, los resultados de la investigación indican que la asistencia de tipo instrumental y/o emocional suministrada por familiares y vecinos al cuidador informal es eficaz, respectivamente, para reducir la sobrecarga y mejorar el bienestar (Zarit, Reever y Bach-Peterson, 1980; Dunkin y Anderson-Hanley, 1998; Mockus Parks y Novielli, 2000). Aunque estos efectos positivos sobre la carga del cuidador podrían verse eclipsados por la presencia de conflictos familiares (Semple, 1992; MaloneBeach y Zarit, 1995).

Asimismo, el alivio dirigido a cuidadores proporcionado por los recursos formales ha sido objeto de investigación, especialmente los servicios de respiro y los programas de intervención psicosociales. Las ventajas principales de estos recursos, serían, por un lado, su capacidad para disminuir la carga del cuidador, la tensión y el malestar emocional así como las consecuencias negativas sobre las distintas áreas de la vida del cuidador, y por otro, que posibilitan cumplir con las preferencias de la persona dependiente de permanecer en su casa y en la comunidad para recibir los cuidados de larga duración, lo que, de hecho, se asocia con una mayor calidad de vida, bienestar y longevidad (Bowers, 1987; Havens, 1999a; John et al., 2001).

Los servicios de respiro harían referencia fundamentalmente a servicios que se ofertan a la persona dependiente y que permiten descansar temporalmente al cuidador de su responsabilidad y de las demandas, generadas por la asistencia continua. Este tipo de recursos incluye el servicio de ayuda a domicilio, los centros de día y el respiro residencial o nocturno. Permiten la sustitución de la asistencia proporcionada por los cuidadores informales a través de profesionales, proporcionándoles tiempo libre y descanso en el desempeño de sus tareas de atención al receptor de cuidados.

El servicio de ayuda a domicilio —que incluye la provisión de cuidados a la persona dependiente en su propio domicilio— y el centro de día —que implica la asistencia durante el día y de forma ambulatoria de la persona dependiente en un centro para recibir allí los cuidados de larga duración—, conforman las intervenciones que mayor eficacia han demostrado en la reducción de la sobrecarga del cuidador, la mejora del bienestar físico y mental de éste, así como el retraso en la claudicación en el proceso de cuidados (Jarrot y Zarit, 1995; Bourgeois, Schultz y Burgio, 1996; Zarit, 1996; Biegel y Schultz, 1998; Zarit et al., 1998; Lyons y Zarit, 1999; Hawranik y Strain, 2000; Zarit, 2002).

No obstante, también han aparecido algunos estudios que ponen en duda la efectividad de este tipo de programas, debido a la aparición de resultados contradictorios (Lawton, Brody y Saperstein, 1989; Morris, Morris y Britton, 1989; Mullan, 1993; Forde y Pearlman, 1999; Mockus Parks y Novielli, 2000). Las razones encontradas en la bibliografía sobre estos hallazgos dispares señalan que esta ambigüedad puede deberse a que los servicios de respiro:

• Pueden tener efectos adversos si no son fiables, de buena calidad y no se ajustan a las necesidades de los cuidadores y de las personas dependientes (Silver y Wortman, 1980; MaloneBeach, Zarit y Spore, 1992; Kahana, Biegel y Wylde, 1994; Bass, 2002).

• Se infrautilizan, por lo que no se obtienen los efectos esperados sobre la carga del cuidador (George et al., 1986; Mullan, 1993; Zarit, 1996).

• Los cuidadores demandan estos recursos cuando ya están exhaustos o cuando el receptor de cuidados tiene un nivel de dependencia muy grave. Se ha recomendado en este caso utilizar los servicios de respiro de forma preventiva (Knight, Lutzky y Macofsky-Urban, 1993; Zarit, 1996; Rodríguez, 1999).

• Proporcionan un alivio insuficiente motivado por el suministro de un número muy bajo de horas y porque los cuidadores en lugar de descansar o dedicarse a otras actividades de ocio durante el servicio de respiro, dedican el tiempo libre que tienen a realizar otras tareas asistenciales (Berry, Zarit y Rabatin, 1991; Jarrot y Zarit, 1995).

• No se realiza una evaluación previa adecuada del cuidador por lo que no se identifican los objetivos y el tipo de intervención más adecuado a las necesidades manifestadas por el cuidador (Baxter, 2000; Gaugler, Kane y Langlois, 2000; Friss, 2002).

Por su parte los programas de intervención psicosociales, están destinados a mejorar o incrementar las habilidades del cuidador para manejar las situaciones de cuidado o para atender al paciente, por lo que proporcionan por un lado alivio a la carga del cuidador a la vez que mejoran su capacidad asistencial.

Incluyen en general diferentes elementos de intervenciones psicológicas —ventilación de emociones, grupos de ayuda mutua, terapias cognitivas, counseling, habilidades sociales, etc.— y educativas —provisión de información, entrenamiento en resolución de problemas, etc.— Se ha encontrado en la investigación cierta evidencia sobre la eficacia en el alivio de la carga del cuidador y el retraso en la institucionalización de la persona dependiente por el uso de este tipo de programas (Mittleman et al., 1996; Teri et al., 1997; Sánchez, Mouronte y Olazarán, 2001; Gallagher-Thomspon et al., 2003).

Respecto a los componentes educativos, se ha demostrado su especial relevancia en la disminución de la carga del cuidador de personas afectadas por alguna demencia. En este sentido se ha podido constatar la influencia que tiene la conducta del cuidador sobre las conductas impulsivas e imprevisibles del receptor de cuidados, en cuanto que es capaz de disminuir o exacerbar esos problemas conductuales. Así se ha afirmado que las intervenciones sobre la conducta del cuidador a la hora de interactuar con el paciente pueden prolongar la capacidad del cuidador para seguir suministrando el cuidado en el domicilio y mejorar la calidad de vida de ambas partes (Niederehe et al., 1983; Niederehe y Funk, 1987; International Psychogeriatric Association, 2002). Aunque también se ha señalado que este tipo de intervención puede generar cierto malestar sobre el cuidador, por lo que serían más positivas las intervenciones cognitivo-conductuales (Losada et al., 2004).

Se han hallado ciertas limitaciones también en este tipo de programas que indican que:

- Van dirigidos de forma exclusiva al cuidador y a intervenir sobre él para reducir su nivel de carga, sin considerar su relación con la persona cuidada (Yanguas y Pérez, 1997).

- El número limitado de las sesiones de intervención impide un entrenamiento exhaustivo en todos los contenidos del programa. Además se usan medidas generales de carga, por lo que, dado que los programas de intervención han de ser breves, sólo pueden conseguir cambios en dimensiones aisladas del proceso del estrés (Zarit, 1990b).

- Un elevado número de cuidadores rechazan participar en programas dirigidos a reducir su malestar psicológico por dos razones: piensan que no necesitan ayuda o porque no disponen de tiempo para ello (Caserta et al., 1987; Gallagher-Thomspon et al., 2000; Losada et al., 2004).

En España, uno de los principales servicios de respiro disponibles para los cuidadores es el Servicio de Ayuda a Domicilio —SAD—. El SAD se encuentra dentro de la red de servicios sociales generales en todo el territorio español y se ha configurado para la provisión de atención personal doméstica, de apoyo psicosocial y familiar y relaciones con el entorno en el domicilio de la persona dependiente. Sin embargo, aunque a priori su asistencia es amplia y contempla múltiples necesidades de la persona dependiente y de sus cuidadores, la realidad es bien distinta: se suministran básicamente servicios domésticos y la intensidad del servicio no suele superar las 5 horas semanales repartidas entre uno y dos días por semana. Además es provisto por profesionales con un bajo nivel de preparación y cualificación.

Si bien es un servicio destinado a grupos con necesidades sociales y económicas, las personas dependientes y sobre todo las de 65 y más años suelen ser los grandes beneficiarios en España. Al ser un servicio social posee una serie de criterios de acceso fundamentados en la situación personal, familiar, social y en especial económica de la persona.

A pesar de todo ello, el SAD es en general un servicio que puede aportar grandes beneficios tanto desde el punto de vista político y social —la reducción de los costes asistenciales de las personas dependientes— y desde el ámbito de la calidad de vida y del bienestar de la persona dependiente y sus cuidadores —mantiene a la persona en su domicilio, retrasando la institucionalización e incrementando su longevidad—. Quedaría todavía por definir la formación adecuada de los profesionales, y una mayor homogeneidad de sus prestaciones, requisitos y normas de acceso, así como el contenido de sus servicios, a la vez que deberían ampliarse sus servicios en función de las necesidades de los usuarios y cuidadores.

Por todo ello, quisimos comprobar en una muestra de personas dependientes y sus cuidadores, el estado actual de estas cuestiones en el ámbito de la Comunidad Valenciana. Los datos contradictorios sobre la utilidad de los programas de intervención para reducir la carga del cuidador informal nos plantea la duda acerca de su utilidad, así como la necesidad de plantear otro tipo de intervenciones. Estas últimas, al ser la carga un suceso vital estresante explicado a través de perspectivas psicológicas del estrés, han de incluir intervenciones psicológicas. El SAD, al ser un servicio social destinado al cuidado de personas dependientes y cuya extensión se está intentado promocionar por parte de las Administraciones públicas por el problema acuciante del aumento de personas dependientes, podría conformar el marco de intervención e implicación de la psicología en la promoción del bienestar de los cuidadores. Esta tarea motiva el estudio de las principales variables asociadas a la carga del cuidador.

Los resultados más importantes junto a los objetivos e hipótesis planteadas en este trabajo se resumen a continuación y se esquematiza la relación entre los tres conjuntos (objetivos —hipótesis— resultados) en la tabla 89.

1. El primer objetivo de este trabajo planteaba estudiar las características de las personas dependientes, en particular, su perfil sociodemográfico así como su estado de salud física, mental y funcional y su situación social y familiar. Los resultados obtenidos nos permiten concluir que:

1.1. Respecto a las características sociodemográficas de las personas dependientes

Las personas dependientes son en general personas mayores de 64 años —el 82,1%—, con una media de edad que ronda los 75 años, con una sobrerrepresentación de mujeres —el 73,6%—,

viudas (44,3%) o casadas (31,1%), con un bajo nivel de estudios (el
52% no tienen estudios y el 27,7% son analfabetas), pocos ingresos
(inferiores a los 600 euros/mes), y con un único cuidador que les
atiende (51,7%).

1.2. Respecto a sus características de salud y sociofamiliares

Las personas que necesitan ayuda muestran un nivel de
dependencia grave para realizar las actividades instrumentales
de la vida diaria (AIVD). Las actividades para las que necesitan en
mayor medida la ayuda de otros es para la ducha o el baño, subir
y bajar escaleras —ambas ABVD—, para hacer las compras,
cuidar de la casa, y usar los medios de transporte —AIVD—.

Del mismo modo presentan algún grado de deterioro cognitivo
(el 52,1%) y el 30,4% cumple los criterios para el diagnóstico de
la demencia.

No tienen un buen estado de salud en cuanto que lo auto-
perciben en la mayoría de los casos como regular (45,3%) o mala
(26,7%), afirmando casi la mitad de la muestra que su salud ha
empeorado en el último año (47,3%). Además, padecen sobre
todo enfermedades crónicas —en particular del sistema circulatorio (28,3%) y del sistema músculo-esquelético y del tejido
conectivo (16,2%)—, y presentan una media de tres enfermedades diagnosticadas.

Este estado de salud físico y mental conlleva que alrededor del 80% de las personas dependientes se encuentren en
tratamiento activo. En general, el procedimiento clínico al
que se ven sometidos es bastante sencillo (78,7%) —incluye
medicación oral (43,0%) o controles médicos periódicos
(26,4%)—, suministrado en el domicilio (74,7%), más de una
vez al día (51,5%), por personal no sanitario (34,3%) o por el
propio sujeto (26,2%).

La muestra de personas dependientes tiene cierto riesgo de
desarrollar un problema en el ámbito sociofamiliar, provocado

principalmente por bajos ingresos, falta de adecuación de la vivienda y necesidades de apoyo de la red social. Las relaciones familiares son en general normales y adecuadas —60,5%—, aunque casi el 20% tiene ciertos conflictos familiares e insatisfacción con la relación con sus parientes.

> Se cumple la primera hipótesis planteada. Habría que mencionar que respecto a los problemas sociales y familiares hipotetizados, éstos se limitan a problemas socioeconómicos, siendo las relaciones familiares adecuadas.

2. El segundo objetivo establecido en este estudio fue estudiar de forma específica el cuidado informal, planteando por un lado la descripción del perfil sociodemográfico de los cuidadores informales de las personas dependientes, y por otro, el análisis de las principales características relacionadas con la provisión del cuidado informal. Los datos analizados permiten afirmar que:

2.1. En cuanto a las características sociodemográficas de los cuidadores informales

Los cuidadores informales de las personas dependientes son en su mayoría mujeres (62%), tienen una edad media de 62 años, poseen un bajo nivel de estudios (56,1%), y no son activas laboralmente —el 40,5% están jubiladas, el 17,6% se ocupa de su hogar, y sólo el 16,3% trabaja—.

2.2. En cuanto a las características del cuidado informal

El cuidador atiende a su cónyuge (40,5%) o a alguno de sus padres (28,8%), por lo tanto, el cuidador es la pareja o el hijo/a de la persona dependiente. Cuando se considera el sexo del cuidador, los hombres atienden mayoritariamente a su esposa (64,9%) y las mujeres asisten en proporciones similares a su padre/madre (31,2%), a su cónyuge (26,0%) o a su hijo/a (19,8%). En general, las personas dependientes tienen un único cuidador principal que les atiende (54,9%).

El cuidado informal es suministrado diariamente y de forma continuada (86,9%), durante más de 28 horas a la semana (85,0%). No obstante, los cuidadores valoran que sus cuidados son parcial o totalmente insuficientes para las necesidades de la persona dependiente (71,9%).

El 85,6% de los cuidadores informales principales recibe la ayuda de otras personas en el desempeño de su labor de cuidados, principalmente de los hijos (34,3%) —hijas (21,4%) e hijos (12,9%)— y del SAD (18,3%). Este apoyo de terceros es, en su mayoría, diario (52,7%), con un reparto de los cuidados (53,4%) —aunque un 34,4% ayuda de forma ocasional y en caso de urgencia—, y en el 63,3% de los casos se suministra durante 14 horas a la semana o menos. De hecho, el 80,9% opina que la ayuda recibida no es suficiente y que esta carencia de apoyo por parte de otros se debe a su falta de tiempo (35,8%), a que viven lejos (31,3%) y a que no tienen ganas de ayudar (11,3%).

> Se cumple la segunda hipótesis planteada. La edad de los cuidadores es sin embargo algo superior a lo hipotetizado.

3. El tercer objetivo de este trabajo pretendía detallar las particularidades objetivas y subjetivas del SAD. Por un lado, se trataba de describir las características objetivas de los servicios prestados por el SAD y su atención a la dependencia para las actividades de la vida diaria; y por otro lado, analizar las características subjetivas del SAD, a saber, la satisfacción con sus servicios, la relación emocional con sus profesionales y el impacto de este recurso sobre la calidad de vida de los usuarios y los cuidadores. De los resultados obtenidos, podemos concluir que:

3.1. En cuanto a las características objetivas del SAD

Sus servicios son prestados generalmente por la mañana —
antes de las 13h— (69,1%), durante una media de 3 días a la
semana y de 4 horas/semana. Suelen ser proporcionados por un
único auxiliar (87,7%), siempre el mismo profesional (71,6%), y
que no posee una formación específica en auxiliar de ayuda a
domicilio (55,1%). El 49,2% de las personas dependientes han
tenido que esperar un mes o menos para recibir el servicio desde
que lo solicitaron, y un 38,1% utiliza otro recurso formal además
del SAD —en general, teleasistencia (77,8%)—.

El SAD atiende sobre todo actividades relacionadas con la
higiene personal —aseo (34,3%) y ducha-baño (18,2%)— y servicios relacionados con tareas domésticas cotidianas —cuidado de la
casa (66,1%) y realización de compras (14,4%)—. El 45,8% y el
26,3% de los usuarios del SAD no están siendo atendidos en
ninguna ABVD y AIVD, respectivamente. Además, más del 90%
de las personas que necesitan ayuda para la realización de
diversas actividades cotidianas no están siendo atendidos por el
SAD. Por otro lado, un 85,7% de usuarios del SAD que no son
dependientes para el cuidado de la casa reciben ayuda del SAD
para esta actividad, frente a un 44,7% de personas dependientes
para esta actividad que no están siendo sin embargo atendidos.
Asimismo, entre aquellos que reciben los servicios del SAD para
llevar a cabo la actividad cotidiana para la que son dependientes,
un elevado porcentaje no recibe el 100% de la ayuda semanal que
necesitan.

3.2. Respecto a los resultados del análisis de las caracte-
rísticas subjetivas del SAD

Los usuarios y cuidadores están en general satisfechos con el
SAD y con la atención que reciben del SAD a las actividades
básicas e instrumentales de la vida diaria. Los usuarios tienen
una excelente relación emocional con los auxiliares del SAD
(82,4%) y se sienten cómodos y confiados con la atención que les
proporcionan (90,1%).

Los usuarios del SAD y sus cuidadores experimentan un incremento significativo en su calidad de vida gracias a los servicios prestados por el SAD: pasan de informar de una calidad de vida no totalmente satisfactoria antes de recibir el servicio de respiro a una calidad de vida satisfactoria con el SAD. Entre los cuidadores, esta mejora en la calidad de vida se da especialmente en el área de la salud. Asimismo, los usuarios y sus cuidadores que demandan otros servicios al SAD, consideran que su calidad de vida se vería incrementada si fueran atendidas estas demandas.

> Se verifica sólo parcialmente la tercera hipótesis. No se cumplen las siguientes afirmaciones: 1) El SAD se suministrará durante una media de 1 a 2 días a la semana: en nuestra muestra, es proporcionado durante una media de 3 días a la semana; 2) El SAD atenderá de forma suficiente a los usuarios para la realización de las actividades de la vida diaria: la atención no es suficiente ni en el tipo, ni en el número ni en la necesidad semanal de actividades atendidas.

4. *En cuanto al cuarto objetivo referente al estudio de la sobrecarga del cuidador, hemos planteado:*

4.1. Analizar la estructura factorial y la validez psicométrica de la Escala de Sobrecarga del Cuidador de Zarit (Zarit, Reever y Bach-Peterson, 1980; Zarit y Zarit, 1982; Zarit y Zarit, 1983; Zarit, Orr y Zarit, 1985) en la muestra de cuidadores informales

El análisis factorial de la Escala de Sobrecarga del Cuidador arrojó tres factores que explicaban el 54% de la varianza, y que se denominaron en función del contenido de los ítems que saturaron en cada uno de ellos: "Consecuencias negativas del cuidador" (Factor 1), "Sentimientos de incompetencia" (Factor 2) y "Relaciones negativas" (Factor 3). Los tres factores y la puntuación total de esa escala demostraron una adecuada consistencia interna (alpha de Cronbach entre 0,50 y 0,93).

> Se confirma la hipótesis cuarta, que establece la multidimensionalidad de la carga del cuidador.

4.2. y 4.3. Analizar la carga del cuidador así como el papel modulador del SAD sobre la carga del cuidador

Los resultados confirman que los cuidadores informales de usuarios y no usuarios de SAD están sobrecargados, experimentado el segundo grupo un mayor nivel de sobrecarga global. No obstante, esta diferencia no es estadísticamente significativa.

Sí se observan diferencias estadísticamente significativas entre los dos grupos de cuidadores en dos ítems del cuestionario de sobrecarga: los cuidadores de no usuarios de SAD —frente a los cuidadores de usuarios de este servicio de respiro— se sienten más estresados por tener que compaginar las tareas de cuidado con sus responsabilidades cotidianas, y tienen sentimientos más intensos de que no van a ser capaces de continuar proporcionando la asistencia durante más tiempo.

Asimismo, atendiendo a los factores de la escala de sobrecarga, los dos grupos de cuidadores perciben con cierta intensidad la presencia de consecuencias negativas del cuidado, pero presentan escasos sentimientos de falta de competencia para continuar proporcionado una asistencia adecuada, y una ausencia casi total de relaciones negativas con el receptor de cuidados. Los dos grupos de cuidadores se diferencian de forma estadísticamente significativa en sus sentimientos de incompetencia, siendo los cuidadores que no reciben el servicio de respiro los que experimentan en mayor medida estos sentimientos frente a los cuidadores de usuarios de SAD.

> No se cumple la hipótesis quinta. Si bien los cuidadores de no usuarios de SAD perciben una mayor sobrecarga global que el grupo de cuidadores que usan este servicio de respiro, las diferencias entre ambos grupos no son estadísticamente significativas.
>
> – Ambos grupos perciben de forma muy semejante y con cierta intensidad las consecuencias negativas del cuidado, pero sin existir diferencias significativas entre ellos.

> – Los dos grupos de cuidadores no experimentan de forma especialmente elevada ni sentimientos de incompetencia ni relaciones negativas con el receptor de cuidados. No obstante, el servicio de respiro sí modula en alguna medida los sentimientos de incompetencia que tiene el cuidador sobre su propia capacidad para continuar atendiendo a la persona dependiente: los cuidadores de usuarios de SAD informan en menor medida de este tipo de sentimientos que los cuidadores de no usuarios de SAD.

4.4. Evaluar, a nivel bivariado, la relación del nivel de carga de los cuidadores informales con las características del cuidado informal y de los cuidadores informales

La mayor sobrecarga global se asocia con un mayor tiempo suministrando los cuidados, una cobertura total o, por el contrario, insuficiente de las necesidades de cuidado de la persona dependiente, una menor frecuencia de ayuda recibida por parte de otras personas —cuidadores secundarios—, y ser un cuidador del sexo femenino.

La mayor intensidad de consecuencias negativas provocadas por la asistencia informal a una persona dependiente (Factor 1 de la escala de sobrecarga) se relaciona con un mayor tiempo suministrando los cuidados, una cobertura total de las necesidades de cuidado de la persona dependiente, una menor frecuencia de la ayuda recibida de otras personas —cuidadores secundarios—, y ser un cuidador del sexo femenino.

La presencia de sentimientos de incompetencia para seguir proporcionando los cuidados durante más tiempo (Factor 2 de la escala de sobrecarga) es mayor entre aquellos cuidadores informales que cubren totalmente las necesidades de asistencia de la persona dependiente o que, por el contrario, suministran una ayuda insuficiente, que son la pareja de la persona dependiente, tienen una mayor edad y no tienen estudios.

La aparición de relaciones negativas entre cuidador y receptor de cuidados (Factor 3 de la escala de sobrecarga) ocurre entre los cuidadores que cubren totalmente las necesidades de cuidados de la persona dependiente, que no reciben ayuda de otros o poco apoyo de otras personas.

Sólo se cumple parcialmente la sexta hipótesis.

– La periodicidad de los cuidados no se halla relacionada con la sobrecarga global ni con ninguno de los tres factores de carga.

– La cobertura total de las necesidades de cuidados, signo de una elevada intensidad y periodicidad de los cuidados, está asociada con la sobrecarga global y con los tres factores. La provisión de un cuidado insuficiente a las demandas de la persona dependiente determina asimismo el mayor nivel de carga total y de sentimientos de incompetencia.

– La ausencia de apoyo por parte de otras personas para la tarea de cuidados está asociada con relaciones negativas con la persona cuidada y recibir poca ayuda de otros con una mayor sobrecarga global, elevadas consecuencias negativas y sentimientos de incompetencia.

– La edad y el nivel de estudios parecen determinar sólo los sentimientos de incompetencia sobre la habilidad del cuidador para continuar con la tarea asistencial: los cuidadores mayores y sin estudios tienen más elevada esta percepción.

– Ser mujer sólo predice la mayor carga global del cuidador y el mayor número de repercusiones negativas sobre su vida.

– La condición laboral del cuidador no se asocia con su nivel de carga total ni con ninguno de sus factores.

4.5. Evaluar, a nivel bivariado, la relación entre el nivel de carga de los cuidadores informales y las características de salud y sociofamiliares de las personas dependientes

La carga global del cuidador así como la presencia de consecuencias negativas del cuidado (Factor 1) es mayor conforme más elevado es el nivel de dependencia para las actividades básicas e instrumentales de la vida diaria, mayor número de actividades con limitación funcional, mayor nivel de deterioro cognitivo, peor estado de salud, y a mayor presencia de problemas sociofamiliares de la persona dependiente atendida.

El cuidador informal percibe mayor incapacidad para continuar con su rol de cuidador (Factor 2) cuanto mayor es el nivel de dependencia para las actividades básicas e instrumentales de la vida diaria, mayor es el número de actividades con limitación funcional, mayor es su nivel de deterioro cognitivo, peor es el estado de salud, mayor el mayor número de enfermedades diagnosticadas, y a mayor presencia de problemas sociofamiliares de la persona dependiente atendida.

Las relaciones negativas con el receptor de cuidados (Factor 3) sólo vienen determinadas por la presencia de problemas sociofamiliares de la persona dependiente.

Se cumple la séptima hipótesis planteada

4.6. Establecer las variables predictoras de la carga del cuidador informal desde una perspectiva multivariada

⇑ *Respecto a las variables referidas a las características del cuidado y del cuidador:*

Ser mujer y el mayor tiempo semanal de dedicación a los cuidados determinan conjuntamente la carga total del cuidador informal y la aparición de repercusiones negativas del cuidado (Factor 1). Cuando se tiene en cuenta sólo al grupo de cuidadores que reciben la ayuda de otras personas para la realización de las actividades asistenciales a la persona dependiente (N = 133), ser mujer y una menor frecuencia de la ayuda de otros predicen de forma multivariada la sobrecarga global del cuidador y la percepción de las consecuencias negativas (Factor 1). En todos los casos, las ecuaciones de regresión explican un porcentaje muy bajo de la varianza que oscila entre un 7% y un 11%.

Por su parte, no tener estudios y ser el cónyuge de la persona dependiente predicen de forma conjunta los sentimientos de incapacidad del cuidador para poder seguir durante mucho más tiempo atendiendo a la persona dependiente (Factor 2), explicando esta combinación de variables el 6% de la varianza.

La falta de ayuda de otras personas y que el cuidador valore que cubre totalmente las necesidades asistenciales de la persona dependientes predicen de forma conjunta la presencia de los sentimientos negativos del cuidador hacia la persona dependiente (Factor 3). Al considerar únicamente a los cuidadores que reciben apoyo de otras personas para asistir a la persona dependiente, la poca frecuencia en la ayuda recibida por parte de otros para las tareas de cuidado aparece como la única variable que se relaciona con la aparición de este tipo de sentimientos. Estas combinaciones de variables consiguen explicar el 14% y el 7% de la varianza del factor 3, respectivamente.

⇑ *Respecto a las variables de la persona dependiente:*

De forma multivariada, la mayor dependencia para las actividades instrumentales de la vida diaria de la persona dependiente, la mayor intensidad de problemas sociofamiliares sufridos por la persona atendida y su peor estado de salud predicen de forma conjunta la mayor carga global del cuidador informal. La ecuación de regresión explicó el 37% de la varianza.

Asimismo, la mayor dependencia para las actividades instrumentales y el peor estado de salud de la persona dependiente predicen de forma conjunta la mayor frecuencia de repercusiones negativas del cuidado (Factor 1), explicando el 37% de la varianza de este factor.

La mayor intensidad de los problemas familiares, un pobre estado de salud, la mayor dependencia para las actividades instrumentales de la vida cotidiana, y un mayor número de enfermedades diagnosticadas determinan conjuntamente la mayor presencia de sentimientos de incompetencia para continuar durante más tiempo con el cuidado (Factor 2). Esta combinación de variables explicó el 26% de la varianza.

4.7. Plantear orientaciones de intervención dirigidas a aliviar la carga de los cuidadores informales

La consecución de este objetivo se analiza en el apartado de "discusión" en cuanto que consideramos que el planteamiento de este tipo de intervenciones es más factible tras poner en relación el análisis de los resultados de este estudio con la bibliografía más relevante disponible en la actualidad.

Tabla 89. Esquema de la relación entre objetivos-hipótesis-resultados del estudio

OBJETIVOS	HIPÓTESIS	RESULTADOS	SE CONFIRMA LA HIPÓTESIS
1. Objetivos específicos respecto a las personas dependientes			
1.1. Estudiar las características sociodemográficas de las personas dependientes.	**Hipótesis 1.** Las personas dependientes serán en general: - Mujeres mayores con un bajo nivel socioeconómico, - Que tienen un mal estado de salud (una capacidad funcional disminuida, deterioro cognitivo, pluripatología y enfermedades crónicas) así como con problemas sociales y familiares en su entorno próximo.	**Perfil sociodemográfico:** - Personas mayores (media = 75 años). - 74% son mujeres. - Viudas (44%) o casadas (31%). - 80% bajo nivel de estudios. - Ingresos medios bajos (< 600 euros/mes) - 52% tiene un cuidador principal.	Sí. Aunque hay que considerar que, de forma estricta, las relaciones en el ámbito familiar son en general adecuadas.
1.2. Analizar las características de salud física y mental así como la situación social y familiar de las personas dependientes.		**Características de salud, sociales y familiares:** - Dependencia leve para las ABVD. - Dependencia severa para las AIVD. - 52% fallo cognitivo en algún grado. - 72% estado de salud regular o malo, que ha empeorado en el último año (47%). Predominio de enfermedades crónicas – sistema circulatorio (28%) y músculo –esquelético (16%)–, pluripatología (3 enfermedades en promedio). 80% en tratamiento activo, y bajo procedimientos clínicos sencillos (79%). - Riesgo de desarrollar un problema en el ámbito familiar: bajos ingresos, vivienda inadecuada, y falta de apoyo de la red social. Relaciones familiares normales y adecuadas.	

Tabla 89. Esquema de la relación entre objetivos-hipótesis-resultados del estudio

2. Objetivos específicos respecto al cuidado informal.

2.1. Describir el perfil sociodemográfico de los cuidadores informales de personas dependientes.	**Hipótesis 2:** Las personas dependientes serán atendidas para sus cuidados por: - un único cuidador informal cuyo perfil se ajustará al de un familiar del sexo femenino de mediana edad, cónyuge o hija del receptor de cuidados, con un bajo nivel de estudios y sin actividad laboral. - La provisión de los cuidados será muy intensa y con poca e insuficiente ayuda por parte de otras personas.	**Perfil sociodemográfico:** - Mujeres (62%). - Edad media: 62 años. - Bajo nivel de estudios (56%). - No trabajan (82%).	Sí. La edad de los cuidadores es sin embargo algo superior a la hipotetizada.
2.2. Analizar las principales características de la provisión del cuidado informal.		**Características del cuidado informal:** - El cuidador es el cónyuge (41%) o el hijo/a (29%). - Hay un único cuidador principal (55%). - La atención es diaria y continúa (87%) y ocupa más de 28 horas/semana (85%). Los cuidadores opinan que esta asistencia es insuficiente (72%). - Los cuidadores reciben ayuda de otras personas (86%), de los hijos (34%) o del SAD (18%). Esta ayuda es diaria (53%), con reparto de los cuidados (53%), ocupa poco tiempo (14 horas/semana o menos en el 63% de los casos). El 81% considera que este apoyo no es suficiente.	

Tabla 89. Esquema de la relación entre objetivos-hipótesis-resultados del estudio

3. Objetivos respecto al Servicio de Ayuda a Domicilio.		
3.1. Describir las características objetivas de los servicios prestados por el SAD y de su atención a la dependencia para las actividades de la vida diaria.	**Hipótesis 3:** El SAD proporcionará sus servicios durante aproximadamente 5 horas a la semana repartidos en una media de dos días a la semana, y proporcionará principalmente servicios domésticos y de cuidados personales, y atenderá de forma suficiente a los usuarios para la realización de las actividades de la vida diaria para las que indican dependencia. Estarán suministrados por profesionales con poca formación en ayuda a domicilio.	**Características objetivas del SAD:** - Suministrado por la mañana (69%), durante una media de 3 días a la semana y 4 horas semanales. - Acude un solo auxiliar (88%), que suele ser siempre el mismo (72%), y que no tiene formación específica en SAD (55%). - Atienden a la realización del aseo (34%), la ducha-baño (18%), el cuidado de la casa (66%) y hacer las compras (14%). - El 46% y el 26% no está siendo atendido en ninguna ABVD y AIVD, respectivamente. Más del 90% no está siendo atendido en muchas AIVD para las que tienen dependencia; y los que son atendidos en muchos casos no reciben el 100% de la atención semanal requerida. Un 86% de personas sin dependencia para el cuidado de la casa, reciben este servicio mientras que el 45% que sí son dependientes para esta actividad no lo reciben.	Se cumple parcialmente la hipótesis. No se cumplen las siguientes afirmaciones: 1) El SAD se suministrará durante una media de 1 a 2 días a la semana: en nuestra muestra, es proporcionado durante una media de 3 días a la semana. 2) El SAD atenderá de forma suficiente a los usuarios para la realización de las actividades de la vida diaria: la atención no es suficiente ni en el tipo, ni en el número ni en la necesidad semanal de actividades atendidas.

Tabla 89. Esquema de la relación entre objetivos hipótesis-resultados del estudio

3.2. Analizar las características subjetivas del SAD: estudiar la satisfacción con sus servicios, la relación emocional con sus profesionales y el impacto de este recurso sobre la calidad de vida de los usuarios y los cuidadores.	Los usuarios de este servicio de respiro y sus cuidadores estarán satisfechos con los cuidados que suministra, tendrán buena relación con sus profesionales y percibirán una mejora en su calidad de vida gracias a la atención recibida a través de sus prestaciones.	**Características subjetivas del SAD:** - Usuarios y cuidadores están satisfechos con el SAD y con la atención a las ABIVD. - Los usuarios tienen una excelente relación emocional con el auxiliar (82%) y se sienten cómodos y confiados con sus cuidados (90%). - Usuarios y cuidadores perciben una mejora en su calidad de vida gracias al SAD.
4. Objetivos específicos respecto a la carga del cuidador.		
4.1. Analizar la estructura factorial y la validez psicométrica de la Escala de Sobrecarga del Cuidador de Zarit (Zarit, Reever y Bach-Peterson, 1980; Zarit y Zarit, 1982; Zarit y Zarit, 1983; Zarit, Orr y Zarit, 1985) en la muestra de cuidadores informales.	**Hipótesis 4:** La carga del cuidador es multidimensional. El análisis factorial de la Escala de Sobrecarga del Cuidador, en línea con otros estudios realizados en muestras españolas, arrojará tres factores, y tendrá con buena consistencia interna.	SI **Resultados del análisis factorial y de las pruebas de consistencia interna de la escala:** - Tres factores: Consecuencias negativas del cuidado (Factor 1). Sentimientos de incompetencia (Factor 2). Relaciones negativas (Factor 3). - Satisfactoria consistencia interna de la puntuación total y de los tres factores. (alpha de Cronbach entre 0,50 y 0,93).

Tabla 89. Esquema de la relación entre objetivos-hipótesis-resultados del estudio

	Hipótesis 5:	Carga de los cuidadores informales:	No.
4.2. Evaluar el nivel de carga de los cuidadores informales de personas dependientes.	El SAD tendrá un efecto modulador sobre la sobrecarga de los cuidadores informales. En concreto, los cuidadores de personas dependientes no usuarias del SAD frente a los cuidadores de usuarios del SAD percibirán mayor sobrecarga.	- La carga global de los cuidadores de no usuarios de SAD (media = 42,4) es superior a la de los cuidadores de usuarios de SAD (media = 38,5). No existen diferencias significativas entre los dos grupos. - Los cuidadores informales de los dos grupos perciben con cierta intensidad las consecuencias negativas del cuidado (F1), aunque presentan escasos sentimientos de incompetencia (F2), y muy pocos sentimientos negativos hacia la persona cuidada (F3). La media de los dos grupos de cuidadores son estadísticamente diferentes en F2, experimentando los cuidadores de no usuarios de SAD mayores sentimientos de incompetencia (media = 7,9) que los cuidadores de usuarios de SAD (media = 6,2).	Si bien los cuidadores de no usuarios de SAD perciben una mayor sobrecarga global que el grupo de cuidadores que usan este servicio de respiro, las diferencias entre ambos grupos no son estadísticamente significativas. - Ambos grupos perciben de forma muy semejante y con cierta intensidad las consecuencias negativas del cuidado, pero sin existir diferencias significativas entre ellos. - Los dos grupos de cuidadores no experimentan de forma especialmente elevada ni sentimientos de incompetencia ni relaciones negativas con el receptor de cuidados. No obstante, el servicio de respiro sí modula en alguna medida los sentimientos de incompetencia respecto a la capacidad de poder seguir cuidando a la persona dependiente: los cuidadores de usuarios de SAD informan en menor medida de este tipo de sentimientos que los cuidadores de no usuarios de SAD.
4.3. Determinar el papel modulador del SAD sobre la carga de los cuidadores informales de personas dependientes.			

Tabla 89. Esquema de la relación entre objetivos-hipótesis-resultados del estudio

| *4.4. Evaluar a nivel bivariado la relación del nivel de carga de los cuidadores informales con las características del cuidado informal y de los cuidadores informales.* | **Hipótesis 6:** Una mayor sobrecarga de los cuidadores se asociará positivamente con una mayor periodicidad e intensidad semanal de los cuidados, ser la pareja de la persona dependiente, no recibir la ayuda de otras personas de la red informal para el desempeño de la tarea de cuidado u obtener poco apoyo por parte de ellas. Asimismo, los cuidadores de edad avanzada, mujeres, con bajo nivel de instrucción y que trabajan mostrarán niveles más elevados de sobrecarga. | **Relación bivariada:**
Mayor carga global si:
- Más tiempo semanal de cuidados.
- Cubre totalmente o insuficientemente la necesidad de cuidados de la persona dependiente.
- Menos frecuencia de ayuda de otros.
- Cuidadora (ser mujer).
Más consecuencias negativas (Factor 1) si:
- Más tiempo semanal de cuidados.
- Cubre totalmente la necesidad de cuidados de la persona dependiente.
- Menos frecuencia de ayuda de otros.
- Cuidadora (ser mujer).
Más sentimientos de incompetencia (Factor 2) si:
- Cubre totalmente o insuficientemente la necesidad de cuidados de la persona dependiente.
- Es la pareja de la persona dependiente.
- Edad mayor.
- Sin estudios.
Más sentimientos negativos hacia persona dependiente (Factor 3) si:
- Cubre totalmente la necesidad de cuidados de la persona dependiente. | La hipótesis sólo se cumple parcialmente:
- La periodicidad de los cuidados no se halla relacionada con la sobrecarga global ni con ninguno de los tres factores de carga.
- La cobertura total de las necesidades de cuidados, signo de una elevada intensidad y periodicidad de los cuidados, está asociada con la sobrecarga global y con los tres factores. La provisión de un cuidado insuficiente a las demandas de la persona dependiente determina asimismo el mayor nivel de carga total y de sentimientos de incompetencia.
- No recibir la ayuda de otras personas está asociado a relaciones negativas con la persona cuidada y recibir poca ayuda de otros con una mayor sobrecarga global, elevadas consecuencias negativas y sentimientos de incompetencia.
- La edad y el nivel de estudios parecen determinar sólo los sentimientos de incompetencia sobre la habilidad del cuidador para continuar con la tarea asistencial: los cuidadores mayores y sin estudios tienen más elevada esta percepción.
- Ser mujer sólo predice la mayor carga global del cuidador y el mayor número de repercusiones negativas sobre su vida. |

Tabla 89. Esquema de la relación entre objetivos-hipótesis-resultados del estudio

	- El cuidador no recibe ayuda de otras personas. - Ayuda poco frecuente por parte de otros.	- La condición laboral del cuidador no se asocia con su nivel de carga total ni con ninguno de sus factores.
4.5. Evaluar a nivel bivariado la relación entre el nivel de carga de los cuidadores informales y las características de salud y sociofamiliares de las personas dependientes.	**Hipótesis 7:** Una mayor sobrecarga de los cuidadores informales se asociará positivamente con un mayor nivel de dependencia para las actividades básicas e instrumentales de la vida diaria – ABIVD –, un mayor número de ABIVD con dependencia, el deterioro cognitivo, un peor estado de salud, y con una situación sociofamiliar negativa del receptor de cuidados.	**Relación bivariada:** *Más sobrecarga global del cuidador y más consecuencias negativas del cuidado (Factor 1) si:* - Mayor dependencia para las ABVD. - Más ABVD con dependencia. - Mayor dependencia para las AIVD. - Más AIVD con dependencia. - Más deterioro cognitivo. - Peor estado de salud. - Más problemas sociofamiliares. *Más sentimientos de incompetencia (Factor 2) si:* - Mayor dependencia para las ABVD. - Más ABVD con dependencia. - Mayor dependencia para las AIVD. - Más AIVD con dependencia. - Más deterioro cognitivo. - Peor estado de salud. - Mayor número de enfermedades diagnosticadas. - Más problemas sociofamiliares. Sí.

Tabla 89. Esquema de la relación entre objetivos-hipótesis-resultados del estudio

4.6. Establecer las variables predictoras de la sobrecarga de los cuidadores informales desde una perspectiva multivariada.	*Más relaciones negativas con el receptor de cuidados (Factor 3) si:* - Más problemas sociofamiliares.	**Análisis multivariados:** **Variables del cuidador y del cuidado:** *Mayor Carga global:* - Ser mujer. - Mayor tiempo semanal proporcionando los cuidados. Explica el 7% de la varianza. En el caso de los cuidadores que reciben ayuda de otros: - Ser mujer - Menor frecuencia de la ayuda de otros. Explica el 8% de la varianza. *Consecuencias negativas del cuidado (Factor 1):* - Ser mujer. - Mayor tiempo semanal proporcionando los cuidados. Explica el 10% de la varianza. En el caso de los cuidadores que reciben ayuda de otros:

Tabla 89. Esquema de la relación entre objetivos-hipótesis-resultados del estudio

- Ser mujer
- Menor frecuencia de la ayuda de otros.
Explica el 11% de la varianza.

Sentimientos de incompetencia (Factor 2):
- Sin estudios.
- Ser cónyuge.
Explica el 6% de la varianza.

Relaciones negativas (Factor 3):
- No recibir la ayuda de otros.
- Cubrir totalmente la necesidad de los cuidados.
Explica el 14% de la varianza.
En el caso de los cuidadores que reciben ayuda de otros:
- Menor frecuencia de la ayuda de otros.
Explica el 7% de la varianza.

Variables de la persona dependiente:
Carga global:
- Mayor dependencia para las AIVD.
- Más problemas sociofamiliares.
- Peor estado de salud.
Explica el 37% de la varianza.

Tabla 89. Esquema de la relación entre objetivos-hipótesis-resultados del estudio

Consecuencias negativas del cuidado (Factor 1): - Mayor dependencia para las AIVD. - Peor estado de salud. Explica el 37% de la varianza. *Sentimientos de incompetencia (Factor 2):* - Más problemas sociofamiliares. - Peor estado de salud. - Mayor dependencia para las AIVD. - Mayor número de diagnósticos. Explica el 26% de la varianza.	
4.7. Plantear orientaciones de intervención dirigidas a aliviar la carga de los cuidadores informales.	**Se analiza en el apartado de discusión**

VI. DISCUSIÓN

Este estudio confirma el problema al que nos enfrentamos en la actualidad: la dependencia que sufren algunas personas respecto de otras para realizar las actividades de la vida diaria y la carga a la que se ven sometidos aquellos que han de atender y suministrarles los cuidados. Hemos estudiado las variables que están asociadas con la percepción de sobrecarga por parte de los cuidadores informales de personas dependientes, conceptualizando y definiendo el problema, y haciendo un análisis del impacto de un servicio de respiro —el Servicio de Ayuda a Domicilio (SAD)— sobre la carga de los cuidadores informales.

En primer lugar, al igual que se ha documentado en otros estudios (Berkman et al., 1993; Camacho et al., 1993; Bruce et al., 1994; Idler y Kasl, 1995; Zarit, 1998a; Femia, Zarit y Johansson, 2001; Garcés et al., 2004), el perfil de las personas dependientes que se desprende en este trabajo es el de una persona mayor, del sexo femenino, con un bajo nivel socioeconómico, que presenta deterioro cognitivo, afectada de varias enfermedades crónicas y con problemas de aislamiento social. De hecho, estas características evidencian los principales factores que se han asociado con un mayor riesgo de dependencia.

En concreto, la muestra de personas dependientes presenta el patrón de enfermedad que, en muchos estudios, se ha asociado con una mayor limitación en la capacidad funcional: las enfermedades crónicas y en especial las del sistema circulatorio y músculo-esquelético (Femia, Zarit y Johansson, 2001; IMSERSO, 2002; Vrandenburg et al., 2002; WHO, 2002a; Garcés et al., 2004). Asimismo, la elevada edad media de la muestra confirma la asociación ya demostrada por otros autores entre edad avanzada y dependencia (Wiener y Hanley, 1989; Berkman et al., 1993; Parker, Thornslend y Lundberg,

1994; Béland y Zunzunegui, 1995; Rogers, 1995; Crimmins, Hayward y Saito, 1996; Ruigómez y Alonso, 1996; Blanco, 1998; Escudero et al., 1999; Pacolet et al., 2000; Waidman y Liu, 2000; Grundy y Glaser, 2000; Garcés et al., 2002; IMSERSO, 2002; Eurostat, 2003; MTAS, 2005).

Se corrobora asimismo el predominio de otras variables sociodemográficas como factores de riesgo para el desarrollo de la dependencia y que han sido señaladas en investigaciones similares: el sexo femenino (Escudero et al., 1999; Red Centinela, 1999; Observatorio de Personas Mayores, 2000; Waidman y Liu, 2000; Femia, Zarit y Johansson, 2001; Garcés et al., 2004); el bajo nivel de estudios (Abellán y Puga, 2001; Fundación Pfizer, 2001); la viudedad (Béland y Zunzunegui, 1995; IMSERSO, 2002); y el bajo nivel de ingresos (Fundación Pfizer, 2001; IMSERSO, 2002).

Finalmente, factores psicosociales como los problemas de aislamiento por falta de apoyo de la red social y el deterioro cognitivo, característicos asimismo de la muestra de personas de este estudio, demuestran el impacto de estas variables sobre la dependencia, como ya se ha publicado anteriormente (Baltes, Wahl y Schmid-Furstoss, 1990; Magaziner et al., 1990; Schaie, 1990; Camacho et al., 1993; Fitz y Teri, 1994; Gill, Richardson y Tinetti, 1995; Zarit, 1998a; Gaugler et al., 2000b; Dekosky y Orgogozo, 2001; Femia, Zarit y Johansson, 2001; Njegovan et al., 2001; Caro et al., 2002).

Estas variables riesgo, como señala el Modelo de Discapacidad de Verbrugge y Jette (1994), no tienen efectos directos sobre la aparición de la dependencia, sino que modulan el impacto que sobre la misma puede tener una determinada patología o lesión, incrementando la probabilidad de que esta situación de enfermedad derive en dependencia. Efectivamente, la revisión realizada sobre los determinantes de la dependencia —punto 1.2— verifica este hecho (véase Béland y Zunzunegui, 1995; Jacobzone, 1999; Grundy y Glaser, 2000; Casado y López, 2001; IMSERSO, 2002; Pérez, 2003).

Por su parte, los cuidadores de las personas dependientes de nuestro estudio, que les proporcionan cuidados de larga duración en el ámbito informal, cumplen también el perfil sociodemográfico que se describe en la bibliografía: esposas o hijas que no trabajan y con un nivel educativo y socioeconómico bajo (INSERSO, 1995; Decima Research Inc. y Health Canada, 2002; IMSERSO, 2002; García, Mateo y Maroto, 2004; Garcés et al., 2004), que suministran los cuidados con una frecuencia y periodicidad intensa, durante muchas horas al día, como ha quedado patente en los estudios nacionales e internacionales al respecto (National Alliance for Caregiving y AARP, 1997; Health and Human Services, 1998; Defensor del Pueblo, SEGG y Asociación Multidisciplinaria de Gerontología, 2000; Dirección General de Salud Pública, 2000; Consellería de Sanitat, 2002; Decima Research Inc. y Health Canada, 2002; INE, 2002; IMSERSO, 2004; INE, 2004b). No es extraño pensar en la fuerte carga que puede experimentar el cuidador informal, si además consideramos —como muestra este estudio y otros revisados (García, Mateo y Gutiérrez, 1999; García, Mateo y Eguiguren, 2004; IMSERSO, 2004)— que asume ella sola la responsabilidad del cuidado —como cuidador principal— y que recibe muy poca ayuda de otras personas, apoyo que los propios cuidadores consideran insuficiente.

En este último caso, es necesario puntualizar que si bien, como ha señalado Villalba (2002), el cuidador principal suele tener una red de cuidadores secundarios de la red informal que le apoya en la realización de algunas tareas asistenciales, esta ayuda es escasa y representa una ínfima parte de la responsabilidad asumida por el cuidador principal. Este dato lo hemos comprobado en nuestro trabajo y recientemente ha sido señalado en el estudio sobre cuidado informal a personas mayores dependientes publicado por el IMSERSO (2004). En línea con lo que han señalado Garcés y colaboradores (2004), hemos encontrado en esta investigación que los hijos son los principales ayudantes secundarios del cuidador principal, aunque otros estudios señalan que las hermanas, el cónyuge varón y los hijos estarían casi al mismo nivel como principales colaboradores de la tarea asistencial (IMSERSO, 2004). Por otro lado, hay que precisar que, como han hecho constar algunos autores (Mears, 1998; Jenson y Jacobzone, 2000), la influencia del sexo vuelve a aparecer en este caso, mostrando en nuestro estudio que son las hijas las principales ayudantes del cuidador principal. Demostramos, además, que el segundo gran apoyo de los cuidadores informales es el SAD, acorde con los datos hallados en otros países europeos en los que muchos cuidadores principales prefieren recurrir a la ayuda formal cuando requieren algún tipo de apoyo asistencial (Eurostat, 2003).

El análisis del contexto de la dependencia, de la naturaleza de los cuidados que necesitan recibir las personas dependientes, así como de las propias características de la provisión del cuidado informal, nos hace comprender por qué esta situación sobrecarga al cuidador, implicando fuertes repercusiones negativas sobre su bienestar y haciendo peligrar la continuidad y la calidad de la atención a la persona dependiente. Así, por un lado, los cuidadores informales sobrecargados tienen mayor riesgo de sufrir problemas de salud física y mental (George y Gwyther, 1986; Gatz, Bengston y Blum, 1990; Schulz et al., 1995; Whitlatch y Noelker, 1996; Gallart y Connel, 1997; Zarit et al., 1998; Jenson y Jacobzone, 2000; Yee y Schultz, 2000; Lyons et al., 2002; Older's Women League, 2003), claudicar la actividad asistencial e institucionalizar prematuramente a la persona dependiente (Jerrom et al., 1993; Gwyther, 1998; Wackerbath, 1998; Logdon et al., 1999), y maltratar al receptor de cuidados (Benton y Marshall, 1991; McGuire y Fulmer, 1997; Havens, 1999b; Mockus Parks y Novielli, 2000). Por otro lado, la permanencia de la persona dependiente en el domicilio y en la comunidad es fundamental porque se asocia con una mayor longevidad y calidad de vida de la persona dependiente y porque suele ser la elección preferida por la gran mayoría de ellas[22] (Bowers, 1987; Havens, 1999a; John et al., 2001).

---

[22]   Por estas razones "envejecer en casa" se ha convertido también en uno de los principales lemas de la Unión Europea para la articulación de las

Dada esta situación, se ha intentado desde la Psicología encontrar soluciones para aliviar la carga del cuidador informal. Algunas de ellas han surgido de los modelos desarrollados a partir de las perspectivas psicológicas del estrés y que han sido aplicados al contexto del cuidado informal (Lavoie, 1999; Gaugler et al., 2000a): el Modelo del Proceso del Estrés de Pearlin (Pearlin, Turner y Semple, 1989; Pearlin et al., 1990; Pearlin, 1991; Aneshensel et al., 1995; Pearlin y Skaff, 1995; Gaugler, Zarit y Pearlin, 1999); el Modelo Teórico Expandido del Cuidado (Zarit, 1989, 1990); y el Modelo del Proceso del Estrés Modificado de Lazarus y Pearlin (Zarit, 2002). En estos modelos teóricos, el afrontamiento y el apoyo social conforman los dos mediadores de la respuesta de estrés del cuidador a la situación de cuidado.

Los investigadores se han centrado de forma particular en el papel del apoyo social sobre la carga del cuidador, aprovechando la disponibilidad de servicios de respiro dentro de los sistemas formales de protección social. Efectivamente, los servicios de respiro, como por ejemplo los servicios de ayuda a domicilio, han sido objeto de muchos estudios (Zarit, 1990b; Knight, Lutzky y Macofsky-Urban, 1993; Jarrot y Zarit, 1995; Zarit, 1996; Yanguas y Pérez, 1997; Zarit, Gaugler y Jarrot, 1999; International Psychogeriatric Association, 2002) debido a sus beneficios asociados con la permanencia de la persona dependiente en su entorno (Bowers, 1987; Havens, 1999a; John et al., 2001). Por otro lado, han demostrado de forma repetida su eficacia en la disminución de los niveles de carga del cuidador (Zarit, 1990b; Jarrot y Zarit, 1995; Bourgeois, Schultz y Burgio, 1996; Zarit, 1996; Biegel y Schultz, 1998; Zarit et al., 1998; Lyons y Zarit, 1999; Hawranik y Strain, 2000; Fernández-Ballesteros y Díez, 2001; International Psychogeriatric Association, 2002; Whittier, Coon y Aaker, 2002; Zarit, 2002).

_____

políticas sociales en el cuidado de las personas mayores dependientes por parte de sus países miembros.

No obstante, en nuestro estudio, la provisión del SAD no consigue aliviar de forma significativa la intensa sobrecarga experimentada por los cuidadores informales. Este tipo de resultados ya han sido señalados en la bibliografía por otros autores, quienes han afirmado que los cuidados de respiro tienen un impacto variable sobre la carga del cuidador (Lawton, Brody y Saperstein, 1989; Forde y Pearlman, 1999); que la ayuda a domicilio no alcanza un papel tan predominante como para ser capaz de reducir el estrés que los cuidadores experimentaban en la provisión de las tareas de cuidados (Decima Research Inc. y Health Canada, 2002) o que se puede producir un efecto de habituación al recibir ayuda formal (Jones, 1992).

En este sentido, consideramos que la falta de efectividad del SAD sobre la sobrecarga de los cuidadores informales hallada en nuestro estudio puede deberse en parte a que, según nuestros resultados y basándonos en la bibliografía existente, este servicio de respiro suministra una ayuda poco frecuente y proporciona muy pocas horas de servicio a la semana. De hecho, como han señalado otros trabajos, la utilización de servicios mínimos de cuidado y las pocas horas de respiro impiden el descanso de los cuidadores, proporcionándoles muy poco alivio e impidiendo la reducción de los niveles de sobrecarga (George et al., 1986; Mullan, 1993; Berry, Zarit y Rabatin, 1991; Aneshensel et al., 1995; Jarrot y Zarit, 1995; Zarit, 1996). Esta baja intensidad de los servicios de respiro también constituye una característica general del Servicio de Ayuda a Domicilio en España (IMSERSO/FEMP, 1998; Fundación Pfizer, 2001; IMSERSO, 2003; Observatorio de personas mayores, 2004; MTAS, 2005) y en Europa (Rostgaard y Fridberg, 1998).

Otras de las posibles razones de la falta de efectividad sobre la reducción de la carga del cuidador en nuestra investigación, es que el SAD puede no cubrir las necesidades del proveedor de cuidados y de la persona dependiente. El SAD presta en particular servicios domésticos y de cuidados personales, pero no atiende otras tareas cotidianas para las que la persona requiere ayuda. La necesidad de atención psicológica a la sobrecarga real que experimenta el cuidador tampoco es atendida. Así, la falta de ajuste a las necesidades de los cuidadores y de la persona dependiente ha sido identificada como un detractor de la eficacia de los servicios de respiro (Silver y Wortman, 1980; MaloneBeach, Zarit y Spore, 1992; Kahana, Biegel y Wylde, 1994; Bass, 2002). Ésta también es una característica actual del SAD revelada por otros estudios, a saber: se centra en prestar sobre todo servicios domésticos y de cuidados personales (Medina et al., 1998; IMSERSO, 2003; Observatorio de personas mayores, 2004; MTAS, 2005).

Por ello, reivindicamos al igual que lo han hecho Medina y colaboradores (1998) la necesidad de incorporar programas de atención psicológica dentro de los servicios de respiro como es el Servicio de Ayuda a Domicilio. De hecho, estos autores han encontrado que este servicio de respiro es útil para los cuidadores en cuanto que cubre sus necesidades de atención a las tareas domésticas del receptor de cuidados, pero no incluye otros servicios relacionados con las necesidades del propio cuidador —como su sobrecarga—. No se ha desplegado dentro del SAD ningún sistema de prevención y tratamiento al estrés del cuidador y al malestar emocional que conlleva.

Además, en estas últimas argumentaciones podría enmarcarse la explicación al hallazgo presente en este trabajo de que el SAD es capaz de influir sobre la percepción del cuidador acerca de su propia competencia para seguir con el cuidado, pero no sobre la carga global que experimenta ni tampoco sobre las repercusiones negativas sobre su vida o sobre el desarrollo de sentimientos negativos hacia la persona cuidada[23]. En este sentido, la provisión de ayuda instrumental en

---

[23] Recordemos que hemos confirmado que la carga del cuidador es un concepto diverso y multidimensional —ver p. 336-337 del capítulo V de Conclusiones—, es decir, está determinado por varios factores y compuesto por varias dimensiones (Lawton et al., 1989; Pearlin, Turner y Semple, 1989; Pearlin et al., 1990; Zarit, 1990b; Pearlin, 1991; Aneshensel et al., 1995; Pearlin y Skaff, 1995; Montorio et al., 1998; Gaugler, Zarit

forma de tareas domésticas puede influir sobre los sentimientos de incompetencia del cuidador informal en la medida en que se sentiría más seguro, más competente y con más recursos externos para seguir proporcionado los cuidados, al saberse ayudado y al trasladar la realización de determinadas actividades de cuidado a los auxiliares del SAD. No obstante, es una argumentación que necesita ser probada en futuras investigaciones, máxime si tenemos en cuenta que las puntuaciones obtenidas en este factor son bastante bajas.

Las explicaciones a los niveles elevados de sobrecarga global del cuidador así como la resistencia al cambio pueden entenderse si estudiamos las variables asociadas a la carga del cuidador, en concreto, las referentes a las características de la provisión del cuidado, del cuidador y de la persona dependiente. Lo que planteábamos era comprobar, una vez llegados aquí, hasta qué punto eran modificables determinadas características asociadas a la carga para plantear futuras intervenciones desde la Psicología.

En concreto, de entre las variables sociodemográficas del cuidador, ser mujer parece ser el único determinante de la mayor sobrecarga global del cuidador así como de la percepción de consecuencias negativas del cuidado. Esta relación también ha sido encontrada por otros autores (Chappell y Reid, 2002; Navaies-Waliser, Spriggs y Feldman, 2002). Sin embargo, el sexo del cuidador no influiría sobre sus sentimientos de incompetencia ni sobre sus relaciones negativas con la persona cuidada, lo que mantiene la idea de que esta variable es una de

---

y Pearlin, 1999; Zarit, 2002); y en línea con lo señalado por otros autores (Martín et al., 1996; Montorio et al., 1998) respecto a la multidimensionalidad de la carga del cuidador, tal como se evalúa a través de la Entrevista de Sobrecarga del Cuidador de Zarit —usada en este estudio—, hemos encontrado tres componentes de la carga: las consecuencias negativas del cuidado, los sentimientos de incompetencia acerca de la propia capacidad del cuidador para seguir proporcionada los cuidados de larga duración, y el desarrollo de sentimientos negativos hacia la persona atendida.

las más relacionadas con la aparición de repercusiones negativas del cuidado en el ámbito laboral. Realmente el cuidado
representa un coste de oportunidad para las mujeres en cuanto
que son las que en mayor medida se ven sometidas a cambios en
su condición laboral, abandonando definitiva o temporalmente
el mercado laboral, reestructurando su empleo o incluso impidiendo su primer acceso al mercado de trabajo (Mears, 1998;
García, Mateo y Gutiérrez, 1999; Family Caregiver Alliance,
2003; García, Mateo y Maroto, 2004). Esta situación tiene
importantes efectos sobre la autoestima, el desarrollo personal,
la posibilidad de acceso a una red de apoyo social de las
cuidadoras y limita además su capacidad económica, y en
consecuencia, de independencia (García, Mateo y Eguiguren,
2004).

Por otro lado, aparece un patrón muy curioso. Contrariamente a los resultados encontrados en otros trabajos (Gilleard,
Boyd y Watt, 1982; Zarit, Todd y Zarit, 1986; Morris et al., 1988;
Brodaty y Hadzi-Pavlovic, 1990; Vitaliano et al., 1991; Decima
Research Inc. y Health Canada, 2002; International
Psychogeriatric Association, 2002), la edad joven del cuidador
informal no aparece asociada a una mayor carga global ni a
mayores consecuencias negativas sobre la vida, ni a mayores
sentimientos negativos hacia la persona cuidada. La edad, al
igual que lo hace también el nivel de estudios del cuidador
informal —variable de la que no hemos encontrado datos en
otras investigaciones en su relación con la carga—, se relaciona
exclusivamente con la creencia por parte del cuidador informal
sobre su capacidad para continuar con la tarea asistencial. Así,
los cuidadores mayores y aquellos sin estudios experimentan,
en mayor medida, una falta de competencia suficiente para
seguir proporcionando los cuidados.

Por último, la condición laboral tampoco se asocia con la
carga del cuidador, a diferencia de los datos de otros estudios
(Neal et al., 1993; Scharlach y Boyd, 1999; Bass, 2002). Probablemente este resultado dispar sea debido al bajo porcentaje de
cuidadores de la muestra que tienen que compaginar las dos

tareas. Por consiguiente es un tema que queda abierto a la espera de su confirmación en sucesivos trabajos.

El análisis de las variables relacionadas con las características propias de la provisión del cuidado, nos señala, al igual que ha afirmado Bass (2002), que el mayor tiempo y responsabilidad invertida en el suministro de la asistencia —evaluadas en nuestro estudio a través de las variables de un mayor tiempo semanal y una cobertura totalmente suficiente de los cuidados— determinan la carga global del cuidador informal. Ambas variables también han aparecido como predictores del deterioro de la salud mental de los cuidadores (Press Release, 2002; Moral et al., 2003). Respecto a las tres dimensiones de la carga, hay que puntualizar que el mayor tiempo semanal invertido en el suministro de la atención se asocia con mayor frecuencia de repercusiones negativas de la tarea de cuidado, pero no con una mayor percepción de incompetencia para seguir con la tarea o la presencia de sentimientos negativos hacia la persona cuidada. En este sentido, la mayor inversión temporal en el cuidado podría incrementar las percepciones de falta de tiempo para uno mismo, para las actividades de ocio o para las relaciones sociales, asociadas repetidamente con una mayor sobrecarga (Chappell y Reid, 2002; García, Gutiérrez y Maroto, 2004) y con la pérdida de apoyo social (Yanguas, Leturia y Leturia, 2001).

Otra de las variables estudiadas que ha demostrado su relación con la carga del cuidador ha sido el tipo de vínculo que une al proveedor de cuidados y a la persona dependiente. Acorde con otros trabajos (Gilleard, Boyd y Watt, 1982; Zarit, Todd y Zarit, 1986; Morris et al., 1988; Brodaty y Hadzi-Pavlovic, 1990; Vitaliano et al., 1991; Tárraga y Cejudo, 2001; International Psychogeriatric Association, 2002), hemos hallado que es el cónyuge frente a los hijos, el cuidador informal que más carga experimenta; aunque en nuestro caso concreto esta asociación sólo aparece vinculada a mayores sentimientos de incompetencia para seguir proporcionando los cuidados. Este resultado estaría, por lo tanto, de acuerdo con las afirmaciones de Gaugler y colaboradores (2000b) quienes han defendido que la mayor inversión emocional y cercanía física de los cónyuges explica su mayor sobrecarga, cuyas consecuencias negativas pueden perpetuarse afectando a su capacidad para seguir suministrando una adecuada asistencia domiciliaria de larga duración.

Otras variables, relacionadas con la carga, y referidas a las características del cuidado suministrado, tienen que ver con la ayuda recibida de otras personas para la tarea del cuidado. De forma similar a como hemos comprobado con el SAD, no se cumplen las afirmaciones sobre la efectividad del apoyo social —instrumental— en la disminución de los niveles de sobrecarga global (Aneshensel et al., 1995; Commissaris et al., 1995; Yanguas, Leturia y Leturia, 2001) al igual que lo han señalado otros autores (Stommel, Given y Given, 1990; Cossette y Lévesque, 1993; Zarit, 1996, 1998a), aunque sí parece ser un determinante importante en la aparición de relaciones negativas con la persona dependiente. Así, los cuidadores que no reciben la ayuda de otras personas en su tarea asistencial experimentan más sentimientos negativos hacia la persona dependiente que los que son apoyados por otros. Como ha evidenciado Zarit (1996, 1998a), el área del apoyo social en su relación con la carga del cuidador es compleja, por lo que la influencia positiva de esta dimensión sobre la carga del cuidador no puede confirmarse. Podemos intuir, según los resultados obtenidos en este estudio, que la importancia de la relación entre el apoyo social recibido y la sobrecarga se centra en la frecuencia con la que éste se recibe. Esta investigación señala que la eventualidad de esta ayuda está asociada a una mayor sobrecarga global, más consecuencias y relaciones negativas. Por otro lado, se ha argumentado también que la ausencia de esta relación puede deberse a la presencia de conflictos familiares (Semple, 1992; MaloneBeach y Zarit, 1995; Mockus Parks y Novielli, 2000).

En cuanto a las variables asociadas a la persona dependiente o demandas de cuidado, la dependencia para las actividades cotidianas aparece como un importante factor generador de carga: tanto a nivel de sobrecarga global, como de consecuencias negativas del cuidado y de sentimientos de incompetencia. En este sentido, hemos hallado que los elevados niveles de dependencia para las actividades básicas e instrumentales de la vida diaria así como el deterioro cognitivo se asocian con mayores niveles de carga. Contrariamente a los estudios presentes en la bibliografía que han estado defendiendo la supremacía de los problemas conductuales y cognitivos sobre los de capacidad funcional (Bikerl, 1987; Pearson, Verna y Nellet, 1988; Zarit, 1990a; Baumgarten et al., 1994; Dunkin y Anderson-Haley, 1998; Zarit, 1998a; Hawranik y Strain, 2000; Gaugler et al., 2000b; Mockus Parks y Novielli, 2000), defendemos que ambos son importantes determinantes de la sobrecarga global del cuidador así como de la percepción de consecuencias negativas del cuidado y del desarrollo de sentimientos de incompetencia hacia el desempeño de la tarea asistencial.

Además, la acumulación de actividades cotidianas con dependencia y el mal estado de salud, relacionadas ambas con un mayor deterioro físico, aparecen en este estudio asociadas a una mayor carga global, mayores repercusiones negativas del cuidado y mayores sentimientos de incompetencia, al igual que lo señalaron otros autores (Zarit, Todd y Zarit, 1986; Aneshensel et al., 1995; Walker et al., 1996; Alspaugh et al., 1999; Gaugler et al., 2000b; Grunfeld et al., 2004). El mayor número de enfermedades diagnosticadas aparece, sin embargo, asociado únicamente a mayores sentimientos de incompetencia para seguir con el cuidado; parece, por lo tanto, que esta variable influye sobre el cuidador informal haciéndole sentirse todavía más desbordado y reafirmando su falta de capacidad para continuar con una atención que le genera una mayor demanda.

Se observa finalmente que la situación sociofamiliar de la persona dependiente repercute negativamente sobre el cuidador en todos los ámbitos definidos de la sobrecarga. En cualquier caso, y atendiendo al contenido de los ítems de la escala utilizada para evaluar esta variable y a los resultados obtenidos a nivel de funcionalidad familiar, hay que señalar que son los factores de tipo socioeconómico, más que los de relaciones familiares, los que exacerban los sentimientos de sobrecarga del cuidador informal. Lanzamos una posible explicación en la línea de que la falta de recursos económicos de la persona dependiente, la no disponibilidad de una vivienda adecuada así como su reducida red social pueden estar limitando los recursos de su cuidador principal. Por ejemplo, la falta de recursos económicos de la persona atendida puede generar una sobrecarga económica sobre el cuidador; habiendo ya confirmado que el coste de su asistencia tiene graves repercusiones sobre el cuidador (National Forum on Health, 1997; Decima Research Inc. y Health Canada, 2002; Family Caregiver Alliance, 2003; Grunfeld et al., 2004).

En definitiva, diversas variables referidas tanto al contexto del cuidado y del cuidador como a la persona cuidada, han mostrado en nuestro estudio asociaciones importantes con diferentes aspectos de la sobrecarga experimentada por parte del cuidador. Cuando estas variables fueron analizadas desde una perspectiva multivariada considerando, por un lado, las características del cuidado y del cuidador y, por otro, las referidas a las demandas del cuidado, los resultados evidenciaron la mayor relevancia de estas últimas, frente a las primeras, a la hora de determinar los niveles de sobrecarga del cuidador informal.

En este sentido, las variables de la persona dependiente que predicen de forma conjunta la carga del cuidador consiguen explicar en torno al 40% de la varianza. En concreto, las variables que se asocian a una mayor carga global y/o a algunos de sus componentes son: una mayor dependencia para la realización de las actividades instrumentales de la vida diaria, un peor estado de salud, un mayor número de enfermedades diagnosticadas, y la presencia de problemas sociofamiliares. Así, la relevancia de la dependencia para llevar a cabo las actividades básicas de la vida diaria así como del deterioro cognitivo para determinar los niveles de sobrecarga del cuidador aparecidos a nivel bivariado, pierden su importancia como predictores de la sobrecarga si existen otras características asociadas al estado de salud, a la presencia de problemas socioeconómicos y a la dependencia para realizar las actividades instrumentales de la vida cotidiana. Se reitera aquí la primacía de los problemas en la capacidad funcional de la persona dependiente frente a los cognitivos en la determinación de la sobrecarga del cuidador informal, frente a lo señalado por otros autores (Bikerl, 1987; Dunkin y Anderson-Haley, 1988; Pearson, Verna y Nellet, 1988; Zarit, 1990a; Hawranik y Strain, 2000).

Respecto a las variables del cuidado y del cuidador, los resultados señalan que el grupo de variables que predicen de forma multivariada la carga del cuidador no consigue explicar más del 14% de la varianza. Concretamente, las características asociadas a una mayor carga global y/o algunos de sus componentes son: ser mujer, cónyuge de la persona cuidada, no tener estudios, dedicar mucho tiempo a las tareas de cuidado, cubriendo la totalidad de las necesidades de la persona dependiente y no recibir ayuda de otras personas para las tareas de cuidado o recibirla con poca frecuencia.

Por último señalar que, el mayor peso de las variables asociadas a la persona dependiente y a las necesidades de cuidado, en la determinación de la carga experimentada por el cuidador, encontrada en nuestro estudio, manifiesta la importancia de los denominados estresores primarios objetivos en el Modelo del Proceso de Estrés de Pearlin (Pearlin, Turner y Semple, 1989; Pearlin et al., 1990; Pearlin, 1991; Aneshensel et al., 1995; Pearlin y Skaff, 1995; Gaugler, Zarit y Pearlin, 1999).

El análisis exhaustivo que hemos realizado hasta aquí nos permite extraer una serie de conclusiones que son relevantes a la hora de proponer estrategias de intervención destinadas al alivio de la sobrecarga del cuidador informal:

a) Las variables que aparecen determinando en mayor medida de forma conjunta la sobrecarga del cuidador son las asociadas a la propia enfermedad y situación social de la persona dependiente.

b) La mayor frecuencia y la atención intensa invertida en el cuidado determina los elevados niveles de sobrecarga.

c) La falta de ayuda de otros y en especial la baja frecuencia con la que se recibe es importante a la hora de sufrir altos niveles de sobrecarga.

d) El SAD como servicio de respiro de las actividades de cuidado no ha demostrado su efectividad en esta investigación como mediador de la sobrecarga del cuidador informal. No obstante, hay que tener en cuenta que:

d.1. En otros estudios, sí ha aparecido asociado a una menor sobrecarga del cuidador (Jarrot y Zarit, 1995; Bourgeois, Schultz y Burgio, 1996; Zarit, 1996; Biegel y Schultz, 1998; Zarit et al., 1998; Lyons y Zarit, 1999; Hawranik y Strain, 2000; Zarit, 2002).

d.2. Diversos estudios señalan también que el SAD está asociado a un mayor bienestar físico y psicológico de las personas dependientes y de sus cuidadores, se trata de un recurso de proximidad alentado por las políticas europeas de "envejecer en casa", a la vez que permite un ahorro al sistema de protección social dado que se trata de un servicio formal de menor coste frente a la hospitalización y la institucionalización de la persona dependiente en una residencia (Defensor del Pueblo, SEGG y Asociación Multidisciplinaria de Gerontología, 2000; Garcés, 2000; Rodríguez, 2000a). Además, el reparto equilibrado entre ayuda formal e informal es una preferencia de la mayoría de las familias españolas para la continuidad de sus cuidados (MTAS, 2005).

d.3. Pueden estar presentes, en este trabajo, determinados detractores de la eficacia del SAD sobre la carga del cuidado que pueden ser resolubles, como son: la falta de atención a las necesidades del cuidador —como puede ser la atención psicológica a su sobrecarga— o la falta de realización de actividades alternativas de ocio por parte del cuidador informal mientras se recibe el SAD.

e) Los sentimientos de incompetencia son importantes en la determinación de los niveles de sobrecarga y están asociados a la vejez y a la falta de estudios.

Estas consideraciones nos llevan a afirmar que las intervenciones para aliviar la carga del cuidador que se planteen desde la Psicología y el Trabajo Social deben combinar servicios de respiro e intervenciones psicológicas o psicosociales como ya han establecido otros autores en campos más específicos como el de los cuidadores informales de pacientes con demencia o de hemodiálisis (Brodaty, 1992; Gallart y Connell, 1998; Belasco y Sesso, 2002; International Psychogeriatric Association, 2002). Estas intervenciones permitirían disminuir la sobrecarga del cuidador informal y su malestar emocional, incrementar su bienestar y su calidad de vida, y retrasar su claudicación; beneficios que ya han sido evidenciados en la bibliografía (Antonucci y Jackson, 1990; Brubacker, 1990; Kolosky y Montgomery, 1993; Friss et al., 1995; Montorio et al., 1995). De hecho, es precisamente este tipo de actuaciones a favor del bienestar de los cuidadores informales y del manteniendo del sistema informal de cuidados en España, lo que se está reivindicando desde el Libro Blanco de la Dependencia (MTAS, 2005) —documento base para el desarrollo del futuro Sistema Nacional de la Dependencia en España—.

En definitiva, los programas de intervención para aliviar la carga del cuidador se deben diseñar desde una perspectiva multidimensional. Tal como han definido Toseland y Rossiter (1989) y Brodaty (1992), las intervenciones a la sobrecarga del cuidador incluirían principalmente los siguientes elementos: apoyo psicológico, actividades de formación/educación —ambos se incluirían bajo la denominación de programas psicosociales o psicoeducativos (descritos en el apartado 5.1 del capítulo II de este libro)— y el desarrollo de sistemas de apoyo social.

Por un lado, se ha demostrado la efectividad de la aplicación de distintos componentes psicológicos y educativos sobre la carga de los cuidadores informales en distintos grupos de pacientes dependientes como es el caso de cuidadores de enfermos oncológicos (Robinson et al., 1998; Patterson et al., 2000; Barreto, Molero y Pérez, 2000; Haley, 2003) y de personas mayores dependientes o con demencia (Zarit y Leitsch, 2001; Gallagher-Thompson et al., 2003).

El apoyo psicológico incluiría diversas técnicas de intervención psicológica como la ventilación de emociones, terapia cognitiva, entrenamiento en relajación, etc, dirigidas a aliviar el malestar emocional asociado a la situación de cuidados. En nuestro caso, por ejemplo, sería especialmente útil la aplicación de estas técnicas para disminuir la elevada sobrecarga que experimenta la muestra de cuidadores informales utilizada en este estudio.

El apoyo educativo incluiría la información así como el aprendizaje de habilidades, estrategias y técnicas conductuales y cognitivo —conductuales para el afrontamiento y el manejo de la situación de cuidado. Los resultados obtenidos en este trabajo nos indican que podría ser oportuna la incorporación de técnicas cognitivo— conductuales para modificar los pensamientos irracionales de los cuidadores como ejemplo "no debo pedir ayuda a mis familiares, ya que ellos tienen su propia vida y problemas" o técnicas conductuales para saber pedir ayuda. Losada y colaboradores (2004) han probado recientemente estas estrategias en una muestra de cuidadores de enfermos con demencia, obteniendo resultados óptimos sobre la reducción del estrés percibido.

Asimismo, la utilización de este componente sería también relevante para informar y formar a los cuidadores informales sobre la dependencia y el deterioro físico —variables muy relevantes en este estudio en la determinación de la sobrecarga—. Estas variables son difícilmente modificables por parte del cuidador, por lo que la intervención debería centrase en enseñar a desarrollar estrategias de afrontamiento como la redefinición de la enfermedad o aceptar la dependencia como un proceso asociado al envejecimiento o a la enfermedad del paciente. Por último, las personas mayores y con un bajo nivel de estudios de nuestra investigación se verían en particular beneficiadas del aprendizaje de habilidades de asistencia para incrementar su percepción de competencia en la atención a la persona dependiente y evitar así la claudicación de la atención.

La propuesta que se realiza es que los componentes de intervención psicológica descritos arriba deben incluirse dentro de SAD. De esta forma, el SAD, como sistema de apoyo social formal, conformaría el marco de la intervención en el que en primer lugar se proporcionaría un respiro a las actividades asistenciales del cuidador informal. Además, se incluirían, como un servicio propio de este recurso, una serie de componentes psicológicos y educativos ajustados a las necesidades de los cuidadores y determinados por la evaluación de los estresores asociados a su sobrecarga. Desde nuestra perspectiva, este programa de intervención multidisciplinar para aliviar la carga de los cuidadores informales se podría viabilizar operativamente introduciendo al profesional de la Psicología en el SAD, el cual desarrollaría las siguientes funciones:

1) Formación de los auxiliares del Servicio de Ayuda a Domicilio en:

1.1. Técnicas de habilidades sociales, escucha activa, estrategias de comunicación, etc. El aprendizaje de estas estrategias por parte de los auxiliares les ayudará a interactuar de forma más positiva con el receptor de cuidados, a la vez que permitirá la instrucción a los cuidadores informales sobre las mejores estrategias de interacción con el paciente.

1.2. La administración de instrumentos de la evaluación de la carga de los cuidadores para detectar a los cuidadores sobrecargados y, por lo tanto, susceptibles de intervención psicológica.

2) Detección e identificación de las áreas de intervención. En función de los resultados de la evaluación de la sobrecarga, el psicólogo realizará una entrevista por teléfono o acudirá al domicilio para completar la información necesaria y ajustar la intervención a las necesidades de los cuidadores informales.

3) Realización de intervenciones a través diferentes componentes psicológicos y educativos. Las intervenciones serán, en general, en grupo. Dado que se ha observado que los cuidadores suelen ser reacios a acudir a sesiones grupales (Losada et al., 2004), se aprovechará el momento en el que el auxiliar del SAD está en el domicilio para que los cuidadores deban asistir a las sesiones. Se contempla asimismo la intervención psicológica por teléfono, en cuanto que ha demostrado su efectividad en cuidadores de mujeres con cáncer de mama (Donelly et al., 2000). Se considera la posibilidad de incluir el uso de nuevas tecnologías como la videoconferencia en cuanto que se trata de una modalidad de intervención eficaz (Varona, 2001) —a nivel grupal e individual— que puede subsanar también la dificultad o la no disponiblidad para dejar durante algún período de tiempo a la persona dependiente para acudir a la sesión de intervención.

Se trata por lo tanto de un campo de actuación que posibilita la intervención de los profesionales de la Psicología de la Salud. Las repercusiones negativas de la sobrecarga de los cuidadores informales de personas dependientes sobre su salud pueden impedir un adecuado proceso de cuidado y atención a las personas que, por su enfermedad, son dependientes de otros para realizar las actividades de la vida diaria. Todo ello requiere de una atención especializada a través de la participación activa de los profesionales de esta disciplina que permitirá la adaptación psicológica y social de los cuidadores informales al proceso de dependencia de la persona atendida, facilitándoles la asunción positiva de su rol de cuidador, el alivio de su sobrecarga y el aumento de su calidad de vida y del enfermo dependiente.

VII. REFERENCIAS BIBLIOGRÁFICAS

AARP (2001). *In the Middle: A report on Multicultural Boomers Coping with Family and Aging Issues.* Washington, DC: AARP.

Abellán, A. y Puga, S. (2001). *La dependencia entre los mayores.* En CECS, 8º Informe España 2001. Madrid: Fundación Encuentro.

Addington-Hall, J.M.; MacDonald, L.D.; Chamberlain, J.; Freeling, P.; Bland, J.M. y Raferty, J. (1992). Randomized controlled trial of effects of coordinating care for terminally ill cancer patients. *BMJ*, 305, 1317-1322.

Albert, M.; Smith, L.A.; Scherr, P.A.; Taylor, J.O.; Evans, D.A. y Funkenstein HH. (1991). Use of brief cognitive tests to identify individuals in the community with clinically diagnosed Alzheimer's disease. *Int J Neurosci*, 57, 167-178.

Alspaugh, M.E.L.; Stephens, M.A.P.; Townsend, A.L.; Zarit, S.H. y Greene, R. (1999). Longitudinal patterns of risk for depression in dementia caregivers: Objective subjective primary stress as predictores. *Psychology and Aging*, 14, 34-43.

Aneshensel, C., Pearlin, L., Mullan, J., Zarit, S.H. y Whitlatch, C.J. (1995). *Profiles in caregiving: The unexpected career.* New York: Academic Press.

Anthony-Bergstone, C.R.; Zarit, S.H. y Gatz, M. (1988). Symptoms of psychological distress among caregivers of dementia patients. *Psychology and Aging*, 3, 245-248.

Antonucci, T. y Jackson, J. (1990). Apoyo social, eficacia interpersonal y salud: Una perspectiva del transcurso de la vida. En L. Carstensen y B. Edelstein: *Intervención psicológica y social.* Barcelona: Martínez Roca, pp. 129-149.

Arai, A. y Washio, M. (1995). Burden felt by family caring for the elderly members needing care in southern Japan. *Ageing and Mental Health*, 3, 158-164.

Arno, P. S. (2002). The economic value of informal caregiving, U.S., 2000. Comunicación presentada a la *Annual Meeting of the American Association for Geriatric Psychiatry*. Florida.

Assous, L. y Ralle, P. (2000). La prise en charge de la depéndance des personnes âgées: une comparaison internationale. *DREES: Études et Résultats*, 74.

Bains, M. (2003). Projecting future needs: Long-term projections of public expenditure on health and long-term care for EU Member States. En OECD: *A Disease-based Comparison of Health Systems: What is best and at what cost?* Paris: OECD, pp. 145-162.

Baltes, M.M.; Wahl, H.W. y Schmid-Furstoss, U. (1990). The daily life of elderly Germans: Activity patterns, personal control, and functional health. *Journal of Gerontology: Psychological Sciences*, 45, P.173-P.179.

Barreto, M.P.; Molero, M. y Pérez, M.A. (2000). Evaluación e intervención psicológica en familias de enfermos oncológicos. En F. Gil (ed.): *Manual de Psicooncología*. Madrid: Nova Sidonia Oncología, 137-171.

Bass, D.M. (2002). *Content and implementation of a caregiver assessment*. Issue Brief, National Family Caregiver Support Program. Washington, D.C.: U.S. Administration on Aging, 2.

Bass, D.M. y Bowman, K. (1990). The transition from caregiving to bereavement: the relationship of care-related strain and adjustment to death. *Gerontologist*, 30, 35-42.

Bass, D.M. y Noelker, L.S. (1997). Family caregiving: A focus for aging research and intervention. En K. Ferraro (ed.): *Gerontology perspectives and issues*. New York, NY: Springer Publishing Company, 243-264.

Bass, D.M.; McClendon, M.J.; Deimling, G.T. y Mukherjee, S. (1994). The influence of diagnosed mental impairment on family caregiver strain. *Journal of Gerontology: Social Sciences*, 49, S146-S155.

Bass, D.M.; Noelker, L.S. y Rechlin, L.R. (1996). The moderating influence of service use on negative consequences. *Journal of Gerontology*, 51B (3), S121-S131.

Baumgarten, M. (1989). The health of persons giving care to demented elderly: a critical review of the literature. *Epidemiology*, 42, 1137-1148.

Baumgarten, M.; Hanley, J.A.; Infante-Rivard, C.; Battista, R.N.; Becher, R. y Gauthier, S. (1994). Health of family members caring for elderly personas with dementia: A longitudinal study. *Ann. Intern. Med.*, 120, 126-132.

Bausell, R.B. (1986). *A practical guide to conducting empirical research*. New York: Harper & Row Publishers, 20-30.

Baxter, E.C. (2000). Caregiver Assessment: Learn about the Caregiver, Distinct from the Person with Dementia. *Alzheimer's Care Quarterly*, 1, 62-70.

Bazo, M.T. (1991). El estatus familiar y la salud, elementos clave en la institucionalización de personas ancianas. *Rev Gerontol*, 1991, 1.

Bazo, M.T. (1998). El cuidador familiar en las personas ancianas con enfermedades crónicas: el caso de los pacientes con enfermedad de Alzheimer. *Revista Española Geriatría y Gerontología*, 33, 49-56.

Baztán, J.J.; González, J.I. y Del Ser, T (1994). Escalas de actividades de la vida diaria. En T. Del Ser y J. Peña-Casanova: *Evaluación neuropsicológica y funcional de la demencia*. Barcelona: J. R. Prous Editores, pp. 137-164.

Baztán, J.J.; Pérez del Molino, J.; Alarcón, T.; San Cristóbal, E.; Izquierdo, G. y Manzarbeitia, J. (1993). Índice de Barthel: instrumento válido para la valoración funcional de pacientes con enfermedad cerebrovascular. *Revista Española Geriatría y Gerontología*, 28, 32-40.

Béland, F. y Zunzunegui, M.V. (1995). La salud y las incapacidades funcionales. Elaboración de un modelo causal. *Rev. Gerontología*, 5, 259-273.

Belasco, A.G. y Sesso, R. (2002). Burden and quality of life of caregivers for hemodialysis patients. *Am J Kidney Dis*, 39 (4), 805-812.

Bellón, J.A.; Delgado, A.; Luna, J.D. y Lardelli, P. (1996). Validez y fiabilidad del cuestionario de función familiar Apgar-familiar. *Atención Primaria*, 18 (6), 289-296.

Benton, D. y Marshall, C. (1991). Elder abuse. *Clinics in Geriatric Medicine*, 7 (4), 831-845.

Berkman, L.F. (1983). Assessment of social networks and social support in the elderly. *J Am Geriatr Soc*, 31, 743-749.

Berkman, L.F.; Seeman, T.E.; Albert, M.; Blazer, D.; Kahn, R.; Mohs, R.; Finch, C.; Schneider, E.; Cotman, C.; McClearn, G.; Nesselroade, J.; Featherman, D.; Garmezy, N.; McKhann, G.; Brim, G.; Prager, D. y Rowe, J. (1993). High, usual, and impaired functioning in community-dwelling older men and women: Findings feom the MacArthur Foundation Research Network on Succesful Aging. *Journal of Clinical Epidemiology*, 46, 1129-1140.

Berry, G.L.; Zarit, S.H. y Rabatin, V.X. (1991). Caregiver activity on respite and nonrespite days: A comparison of two service approaches. *The Gerontologist*, 31, 830-835.

Bertrán, J. y Pasarín, A. (1992). La escala de Barthel en la valoración funcional de los ancianos. *Revista Española Geriatría y Gerontología*, 27(8), 135.

Biegel, D. y Schulz, R. (1998). Caregiving and caregiver interventions in aging and mental illness. *Family Relations*, 48, 345-354.

Biegel, D.E.; Bass, D.M.; Schulz, R. y Morycz, R. (1993). Predictors of in-home and out-of-home service use by family caregibers of Alzheimer's disease patients. *Journal of Aging and Health*, 5, 419-438.

Biegel, D.E.; Sales, E. y Schulz, R. (1991). *Family caregiving in chronic illness*. Newbury Park: Sage.

Biopsicología.net (2004). N6: Discapacidad-2.2.4.4.1. Instrumentos para la valoración de la capacidad física y las actividades de la vida diaria. www.biopsicología.net/fichas/page_5282.html.

Birkel, R. C. (1987). Toward a social ecology of the home-care household. *Psychology and Aging*, 2 (September), 294-301.

Biurrun, A.; Artaso, B. y Goñi, A. (2003). Apoyo social en cuidadores familiares de enfermos con demencia. *Geriatrika*, 19, 181-187.

Blanco, A.; Antequera, R. y Aires, Mª. M. (2002). Percepción subjetiva del cáncer. En Mª. R. Días y E. Durá (coords.): *Territórios da Psicología Oncológica*. Lisboa: Climepsi.

Blanco, E. (1998). Personas dependientes. *Minusval.*, núm. 112. Madrid: IMSERSO.

Blanes, A.; Gil, F. y Pérez, J. (1996). *Población y actividad en España: evolución y perspectivas.* Barcelona: Servicio de Estudios de la Caixa, Colección Estudios e Infomes, n° 5.

Boaz, R. F. (1996). Full-time employment and informal caregiving in the 1980s. *Medical Care*, 34 (6), 524-536.

Bookwala, J. y Schulz, R. (1998). The role of neuroticism and mastery in spouse caregiving assessment of response to a contextual stressor. *Journals of Gerontology: Psychological Sciences*, 53B, P155-P164.

Bourgeois, M.; Schulz, R. y Burgio, L. (1996). Interventions for caregivers of patients with Alzheimer's disease: A review and analysis of content, process, and outcomes. *International Journal on Aging and Human Development*, 43, 35-92.

Bowers, B. (1987). Intergenerational caregiving: adult caregivers and their aging parents. *Advanced Nursing Science*, 9, 20-31.

Braithwaite, V. (1992). Caregiving burden: making the concept scientifically useful and policy relevant. *Res Aging*, 14, 3-27.

Brodaty H. y Green A. (2000). Family caregivers for people with dementia. En J. O'Brien; D. Ames y A. Burns (eds.): *Dementia.* (2ª edición). London: Arnold.

Brodaty, H. (1992). Carers: training informal carers. En T. Arie (ed.): *Advances in Psychogeriatrics.* Edinburgh: Churchill Livingstone.

Brodaty, H. y Hadzi-Pavlovic, D. (1990). Psychosocial effects on carers of living with persons with dementia. *Aust N Z J Psychiatry*, 24, 351-361.

Brodaty, H.; Green, A.; Banerjee, S.; Mittelman, M.; Schulz, R.; Whitehouse, P.; Harvey, R.; Powell, M.; Prince, M.; Rios, D. y Zarit, S. (2002). Towards harmonisation of caregiver outcome measures. *Brain Aging*, 2 (4), 3-12.

Brown, L.J.; Potter, J.F. y Foster, B.G. (1990). Caregiver burden should be evaluated during geriatric assessment. *J Am Geriatr Soc*, 38, 455-60.

Brubaker, T. (1990). *Family relationschip in later life.* Newbury Park: Sage.

Bruce, M.L.; Seeman, T.E.M.; Merrill, S.S. y Blazer, D.G. (1994). The impact of depressive symptomatology on physical disability: MacArthur Studies of Successful Aging. *American Journal of Public Health*, 84, 1796-1799.

Burdz, M.P.; Eaton, W.O. y Bond, J.B. Jr. (1988). Effect of respite care on dementia and nondementia patient: boundary ambiguity and mastery. *Fam Process*, 29, 1-10.

Burns, A.; Lawlor, B. y Craig, S (1999). *Assessment Scales in Old Age Psychiatry*. London: Martin Duniz Ltd.

Cabrera, A.; Menéndez, A.; Fernández, A.; Acebal, V.; García, J.V.; Díaz, E. y Salamea, A. (1999). Evaluación de la fiabilidad y validez de una escala de valoración social en el anciano. *Atención Primaria*, 23, 434-440.

Callahan, J.J., Jr. (1989). Play it again Sam-There is no impact. *The Gerontologist*, 29, 5-6.

Camacho, T.C.; Strawbridge, W.J.; Cohen, R.D. y Kaplan, G.A. (1993). Functional ability in the oldest old: Cumulative impact of risk factors from the preceding two decades. *Journal of Aging and Health*, 5, 439-454.

Cantor, M. y Little. V.C. (1985). Aging and Social Care. En R.H. Binstock y E. Shanas (eds.): *Handbook of Aging and the Social Sciences*. New York: Van Nostrand Reinhold.

Cantor, M.H. (1975). Life space and social support system of the inner city elderly of New York. *Gerontologist*, 15, 23-27.

Caplan, G. (1974). *Support systems and community mental health: Lectures on concept development*. New York: Behavioral Publications.

Carmichael, F. y Charles, S. (1998). The Labour Market Costs of Community Care. *Journal of Health Economics*, 17 (6), 747-67.

Caro, J.; Ward, A.; Ishak, W.; Miglaccio-Walle, K.; Getsios, D.; Papadopoulos, G. y Torfs, K. (2002). To what degree does cognitive impairment in Alzheimer's disease predict dependence of patients on caregivers? *BMC Neurol.*, 19, 2 (1), 6.

Cartwright, J.C.; Archbold, P.G.; Stewart, B.J. y Limandri, B. (1994). Enrichment processes in family caregiving to frail elders. *Advanced Nursing Science*, 17, 31-43.

Casado, D. y López, G. (2001). *Vejez, dependencia y cuidados de larga duración. Situación actual y perspectivas de futuro.* Colección Estudios Sociales, núm. 6. Barcelona: Fundación La Caixa.

Caserta, M.S.; Luna, D.A.; Wright, S.D. y Redburn, D.E. (1987). Caregivers to dementia patients: The utilization of community services. *The Gerontologist,* 27 (2), 209-214.

Casey, B.; Oxley, A.; Whitehouse, E.; Antolin, P.; Duval, R. y Leibfritz, W. (2003). *Policies for an ageing society: recent measures and areas for further reforms-Economics Department Working Papers nº 369. ECO/WKP (2003) 23.* Paris: OECD.

Cassileth, B.R.; Lusk, E.J.; Strouse, T.B.; Miller, D.S.; Brown, L.L. y Cross, P.A. (1985). A psychological analysis of cancer patients and their next-of-kin. *Cancer,* 55, 72-76.

Centro de Investigaciones Sociológicas —CIS— (1994). *Encuesta sobre el Apoyo Informal. 2ª fase.* Madrid: CIS.

Centro de Investigaciones Sociológicas —CIS— (1998). *Encuesta sobre la soledad en las personas mayores.* Madrid: CIS.

CERMI (2004). *La protección de las situaciones de dependencia en España: Una alternativa para la atención de las personas en situación de dependencia desde la óptica del sector de la discapacidad, nº 12.* Comité Español de Representantes de Personas con Discapacidad-CERMI.

Chappell, N.L. y Penning, M. (1996). Behavioural problems and distress among caregivers of people with dementia. *Ageing Soc,* 16, 57-73.

Chappell, N.L. y Reid, C. (2002). Burden and well-being among caregivers: examining the distinction. *The Gerontologist,* 42, 772-780.

Cheng, W.C.; Schuckers, P.L.; Hauser, G.; Burch, J.; Emmett, J.G.; Walker, B.; Law, E.; Wakefield, D.; Boyle, D.; Lee, M. y Thyer, B.A. (1994). Psychosocial needs of family caregivers of terminally ill patients. *Psych Rep,* 75, 1243-1250.

Chenowith, B. y Spencer, B. (1986). Dementia: The experience of family caregivers. *The Gerontologist,* 26, 267-272.

Chou, K.R.; Chu, H.; Tseng, C.L. y Lu, R. B. (2003). The measurement of caregiver burden. *J. Med. Sci.,* 23 (2), 73-82.

Cid, J. y Damián, J. (1997). Valoración de la discapacidad física: El Índice de Barthel. *Revista Española de Salud Pública*, 2 (71), 127-137.

Clark, H.; Dyer, S. y Horwood, J. (1998). *That bit of help.* London: The Policy Press and Joseph Rowntree Foundation.

Cobb, S. (1976). Social support and health through the life course. En M.W. Riley (ed.): *Aging from birth to death.* Boulder, CO: Westview Press.

Cochrane, J.J.; Goering, P.N. y Rogers, J.M. (1997). The mental health of informal caregivers in Ontario: an epidemiological survey. *Am J Public Health*, 87, 2002-2007.

Cohen, C.A.; Gold, D.P.; Shulman, K.I.; Wortley, J.T.; McDonald, G. y Wargon, M. (1993). Factors determining the decision to institutionalize dementing individuals: A prospective study. *Gerontologist*, 33, 714-72.

Cohen, D.; Luchins, D.; Eisdorfer, C.; Paveza, G.; Ashford, J.; Gorelick, P.; Hirschman, R.; Freels. S.; Levy, P.; Semia, T. y Shaw, H. (1990). Caring for Relatives with Alzheimer's Disease: The Mental Health Risks to Spouses, Adult Children, and Other Family Caregivers. *Behavior, Health and Aging*, 3 (1), 171-182.

Cohen, S. y Wills, T.A. (1985). Stress, social support, and the buffering hypothesis. *Psychological Bulletin*, 98, 310-357.

Cohen, S.R.; Bultz, B.D.; Clarke, J.; Kuhl, D.R.; Poulson, M.J.; Baldwin, M.K., et al. (1997). Well-being at the end of life: Part 1. A research agenda for psychosocial and spiritual aspects of care from the patient's perspective. *Cancer Prev Control*, 1 (5), 333-342.

Cohler, B.; Groves, L.; Borden, W. y Lasarus, L. (1989). Caring for family members with Alzheimer's disease. En E. Light y B. Lebowits (eds.): *Directions for research.* Washington, DC: U.S. Government Printing Office, pp. 50-105.

Colerick E.G. y George L.K. (1986). Predictors of institutionalization among caregivers of patients with Alzheimer's disease. *Journal of the American Geriatrics Society*, 34, 493-498.

Collin. C; Davis. S.; Horne V. y Wade, D.T. (1987). Reliability of the Barthel ADL Index. *Int J Rehab Res*, 10, 356-357.

Comallonga, M.I. e Izquierdo, G. (1993). Valoración social en el anciano. En A. Salgado y M.T. Alarcón (eds.): *Valoración del paciente anciano*. Barcelona: Masson, pp. 105-124.

Comisión de las Comunidades Europeas (2001). *Comunicación de la Comisión al Consejo, al Parlamento Europeo, al Comité Económico y Social y al Comité de las Regiones: El futuro de la asistencia sanitaria y de la atención a las personas mayores: garantizar la accesibilidad, la calidad y la sostenibilidad financiera-05.12.2001 (COM (2001) 723 final)*. Bruselas: Comisión de las Comunidades Europeas.

Comisión Interministerial de Ciencia y Tecnología (2003). *Plan Nacional de Investigación Científica, Desarrollo e Innovación Tecnológica 2004-2007. Volumen II: Áreas Prioritarias*. Madrid: Ministerio de Ciencia y Tecnología.

Commissaris, C.J.; Jolles, J.; Verhey, F.R., Jr. y Kok, G.J. (1995). Problems of caregiving spouses of patients with dementia. *Patient Education and Counseling*, 25 (2), 143-149.

Consejo de Europa (1998). Recomendación nº 98 (9) relativa a la dependencia, adoptada el 18 de septiembre de 1998.

Consellería de Sanitat (2002). *Encuesta de Salud de la Comunidad Valenciana (2000-2001)*. Valencia: Generalitat Valenciana, Consellería de Sanitat.

Corin, E.E. (1987). *Les dimensions sociales et psychiques de la santé: outils méthodologiques et perspectives d'analyse*. Québec: Commission d'Enquête sur les Services de Santé et les Services sociaux, Synthèse critique 10.

Coristine, M.; Crooks, D.; Grunfeld, E.; Stonebridge, C. y Christie, A. (2003). Caregiving for women with advanced breast cancer. *Psychooncology*, 12, 709-719.

Cossette, S., y Levesque, L. (1993). Caregiving tasks as predictors of mental health of wife caregivers of men with chronic obstructive pulmonary disease. *Research in Nursing and Health*, 16, 251-263.

Covinsky, K.E.; Goldman, L. y Cook, E.F. (1994). The impact of serious illness on patients' families. *JAMA*, 272, 1839-1844.

Cranswick, K. (2001). *Canada's caregivers. Canadian social trends backgrounder*. Ottawa: Statistics Canada.

Creasey, G. L.; Myers, B. J.; Epperson, M. J. y Taylor, J. (1990). Couples with an elderly parent with Alzheimer's disease: Perceptions of familial relationships. *Psychiatry*, 53, 44-51.

Crimmins, E.M.; Hayward, M.D. y Saito, Y. (1996). Differentials in active life expectancy in the older population of the United States. *Journal of Gerontology: Social Sciences*, 51B, S111-S120.

Cruz-Jentoff, A.J. (1992). Valoración pronóstica de la valoración funcional. *Revista Española de Geriatría y Gerontología*, 27 (8), 68.

Davey, A.; Femia, E.E.; Shea, D.G.; Sundström, G.; Berg, S. y Smyer, M.A. (1999). How many elders receive assistance?: A Cross-National Comparison. *Journal of Aging and Health*, 2 (11), 199-221.

Davies, B.; Judge, K.; Chesterman, J. et al. (1998). *Evaluating community care for elderly people (ECCEP). Bulletin nº 2*. Kent, London y Manchester: ECCEP Team at PSSRU.

Davis, P.B.; Morris, J.C. y Grant, E. (1990). Brief screening tests versus clinical staging in senile dementia of the Alzheimer type. *J Am Geriatr Soc*, 38, 129-135.

De Andrés, J. (2004). Desigualdades en los servicios de protección de la dependencia para personas mayores. *Gaceta Sanitaria*, 18 (Supl 1), 126-131.

De la Revilla, L.; Aybar, R.; De los Ríos, A. y Castro, J.A. (1997). Un método de detección de problemas psicosociales en la consulta del médico de familia. *Atención Primaria*, 19, 133-137.

Decima Research Inc. y Health Canada (2002). *National Profile of Family Caregivers in Canada-2002. Final Report.* Ottawa: Health Canada.

Defensor del Pueblo Andaluz (1995). *Informe sobre el Servicio de Ayuda a Domicilio en las capitales andaluzas. Infome al Parlamento de Andalucía.* Sevilla: Defensor del Pueblo Andaluz.

Defensor del Pueblo, SEGG y Asociación Multidisciplinaria de Gerontología (2000). *La atención sociosanitaria en España: Perspectiva gerontológico y otros aspectos conexos. Recomendaciones del Defensor del Pueblo, la Sociedad Española de Geriatría y Gerontología y de la Asociación Multidisciplinaria de Gerontología.* Madrid: Portal Mayores (IMSERSO-CSIC).

Deimling, G. y Bass, D. (1986). Symptoms of Mental Impairment among Elderly Adults and Their Effects on Family Caregivers. *Journal of Gerontology*, 41, 778-784.

Deimling, G.T.; Bass, D.M.; Townsend, A.L. y Noelker, L.S. (1989). Care-related stress: A comparison of spouse and adult-child caregivers in shared and separate households. *Journal of Aging and Health*, 1, 67-82.

Dekosky, S.T. y Orgogozo, J.M. (2001). Alzheimer disease, costs and dimensions of treatment. *Alzheimer Dis Assoc Disord*, 15 (suppl 1), S3-7.

Del Ser, T. y Peña Casanova, J. (1994). *Evaluación neuropsicológica y funcional de la demencia*. Barcelona: JR Prous Editores.

Demers, A. y Lavoie, J.P. (1996). Effect of Support Groups on Family Caregivers to the Frail Elderly. *La Revue canadienne du vieillissement*, 15(1), 129-144.

Dettinger, E. y Clarkberg, M. (2002). Informal caregiving and retirement timing among men and women: Gender and caregiving relationships in late midlife. *Journal of Family Issues*, 23 (7), 857-879.

Díaz, Mª.E.; Domínguez, O. y Toyos, G. (1994). Resultados de la aplicación de una escala de valoración sociofamiliar en Atención Primaria. *Revista Española de Geriatría y Gerontología*, 29 (4), 239-245.

Dirección General de Acción Social, del Menor y de la Familiar —DGASMF— y FEMP (2000). *La atención domiciliaria (documento provisional). PG/Nº2/2000/EVALUACIÓN/18 bis*. Madrid: Ministerio de Trabajo y Asuntos Sociales, Secretaría General de Asuntos Sociales, Dirección General de Acción Social, del Menor y de la Familiar, Subdirección General de Programas de Servicios Sociales.

Dunkin, J.J. y Anderson-Hanley, C. (1998). Dementia caregiver burden: a review of the literature and guidelines for assessment and intervention. *Neurology*, 51 (suppl. 1), S53-S60.

Durá, E. y Garcés, J. (1991). La teoría del apoyo social y sus implicaciones para el ajuste psicosocial de los enfermos oncológicos. *Revista de Psicología Social*, 2 (6), 257-271.

Dura, J.R.; Stukenberg, K.W. y Kiecolt-Galser, J.K. (1991). Anxiety and depressive disorders in adult children caring for demented parents. *Psychol Aging*, 6, 467-473.

Durán, MA. (1999). *Los costes invisibles de la enfermedad*. Bilbao: Fundación BBV.

Del Ser, T. y Peña Casanova, J. (1994). *Evaluación neuropsicológica y funcional de la demencia*. Barcelona: JR Prous ed.

Donnely, J.M.; Komblith, A.B.; Fleishman, S.; Zuckerman, E.; Raptis, G.; Hudis, C.A.; Hamilton, N.; Payne, D.; Massie, M.J.; Norton, L. y Holland, J.C. (2000). A pilot study of interpersonal psychotherapy by telephone with cancer patients and their partners. *Psycho-Oncology*, 9 (1), 44-56.

Dirección General de Salut Pública (2000). Atenció a ancians dependents. *Sentinilla*, nº 11, Consellería de Sanitat, pp. 1.

Dirección General de Salut Pública (1999). Atenció a ancians dependents. *Sentinilla*, nº 8, Consellería de Sanitat, pp. 1.

Economic Policy Commitee (2001). *Budgetary challenges posed by ageing populations: the impact on public spending on pensions, health and long term care for the elderly and possible indicators of the long term care sustainability of public finances*. Brussels: European Commission.

Edelbak, P.G.; Samuelsson, G. e Ingvad, B. (1995). How elderly people rank order the quality characteristics of home services. *Ageing and Society*, 15 (1), 83-103.

Edelman, P. (1986). The impact of community care to the home-bound on provision of informal care (Special Issue). *Gerontologist*, 26, 263.

Eggebeen, D.J. (1992) Family structure and intergenerational exchange. *Research on Aging*, 14, 427-447.

Eissa, A.; Andrew, M. J. y Baker, R.A. (2003). Postoperative confusion assessed with the Short Portable Mental Status Questionnaire. *ANZ J. Surg.*, 73, 697-700.

Erkinjuntti, T.; Sulkava, R.; Wilkström, J. y Autio, L. (1987). Short Portable Mental Status Questionnaire as a screening test for dementia and delirium among the elderly. *J Am Geriatr Soc*, 29, 433-437.

Escudero, Mª.C.; López, I.; Fernández, N.; López, G.; Ibañez, A.; García, R. y Delgado, J. C. (1999). Prevalencia de incapacidad funcional no reconocida en la población mayor de 74 años. *Revista Española de Geriatría y Gerontología*, 34, 86-91.

Esping-Andersen G. (1997). *Welfare states at the end of the century: the impact of labour market, family and demographic change*. Paris: Family, market and community, OECD, Social Policy Studies nº 21.

Esping-Andersen, G. (1999). *Social Foundations of Postindustrial Economies*. Oxford: Oxford University Press.

Ettner, S.L. (1995). The Impact of "Parent Care" on Female Labor Supply Decisions. *Demography*, 32 (1), 63-79.

Ettner, S.L. (1996). The Opportunity Costs of Elder Care. *Journal of Human Resources*, 31 (1), 189-205.

Eurostat (1999). *European Community Household Panel*. Bruxelles: European Communities.

Eurostat (2003). *Feasibility Study-Comparable Statistics in the Area of Care of Dependent Adults in the European Union. Working Papers and Study*. Luxembourg: Office for Official Publications of the European Communities.

Family Caregiver Alliance (2000). *California's Caregiver Resource Center System Annual Report Fiscal Year 1999-2000*. San Francisco, CA: Family Caregiver Alliance.

Family Caregiver Alliance (2001). *Fact Sheet: Selected Caregiver Statistics*. San Francisco, CA: Family Caregiver Alliance.

Family Caregiver Alliance (2003). *Fact Sheet: Women and Caregiving: Facts and Figures*. San Francisco, CA: Family Caregiver Alliance.

Fast J. y Mayan M. (1998). *Paying for Care: Repercussions for Women Who Care, the case of Canada*. Alberta: University of Alberta, mimeo.

Femia, E.E.; Zarit, S.H. y Johansson, B. (1997). Predicting change in activities of daily living: a longitudinal study of the oldest old in Sweden. *Journal of Gerontology: Psychological Sciences*, 6 (52B), 294-302.

Femia, E.E.; Zarit, S.H. y Johansson, B. (2001). The disablement process in very late life: a study of the oldest-old in Sweden. *Journal of Gerontology: Psychological Sciences*, 1 (56B), 13-23.

Fernández, J.A. (1998). *Proyección de la población española*. FEDEA: Documento de trabajo 98-11.

Fernández, J.N. (2002). Resultados de la Encuesta sobre Discapacidades, Deficiencias y Estado de Salud. En *Jornadas técnicas sobre dependencia: nuevo reto de la política social*. Logroño: Consejeria de Salud y Servicios Sociales, Dirección General de Servicios Sociales.

Fernández-Ballesteros, R. y Díez, J. (2001). *Libro Blanco sobre la Enfermedad de Alzheimer y trastornos afines. Vol. I y II*. Madrid: CAJA MADRID Obra Social.

Ferrell, B.R.; Grant, M.; Chan, J.; Ahn, C. y Ferrell, B.A. (1995). The impact of cancer pain education on family caregivers of elderly patients. *Oncol Nurs Forum*, 22, 1211-1218.

Fillenbaum, G.; Herman, A.; Williams, K.; Prosnitz, B. y Burchett, B. (1990). Sensitivity and specificity of standarized screens of cognitive impairment and dementia among elderly black and white community residents. *J Clin Epidemiol*, 43, 651-660.

Fillenbaum, G.G. (1980). Comparison of two brief tests of organic brain impairment, the MSQ and the Short Portable MSQ. *J Am Geriatr Soc*, 28, 381-384.

Fior, S. (1997). Quotidienneté de l'aide professionnelle à domicile auprès des personnes âgées à Paris. *Revue française des Affaires Sociales*, octubre, 81-85.

Fiore, J.; Becker, J. y Coppel, D.B. (1983). Social network interactions: A buffer or stress. *American Journal of Community Psychology*, 11, 423-429.

Fitting, M.; Rabins, P.; Lucas, J. y Eastham, J. (1986). Caregivers for dementia patients: a comparison of husbands and wives. *The Gerontologist*, 26, 248-252.

Fitz, A.G. y Teri, L. (1994). Depresión, cognition, and functional ability in patients with Alzheimer's disease. *Journal of the American Geriatrics Society*, 42, 186-191.

Flórez, J.A. (1996). *Enfermedad de Alzheimer: aspectos psicosociales.* Editorial EdikaMed.

Flórez, J.A. (2004). El estrés familiar ante la enfermedad de Alzheimer: Síndrome del cuidador. Curso de Verano de la Universidad de Cantabria: *Familia, Sociedad y enfermedad de Alzheimer: Actuación ética integral y nuevos dispositivos.* Cantabria.

Folkman, S. y Lazarus, R.S. (1980). An analysis of coping in a middle-aged community sample. *Journal of Health and Social Behavior,* 21, 219-239.

Folkman, S. y Lazarus, R.S. (1985). If it changes it must be a process: Study of emotion and coping during three stages of a college examination. *Journal of Personality and Social Psychology,* 48, 150-170.

Folkman, S.; Lazarus, R.S.; Dunkel-Schetter, C.; DeLongis, A. y Gruen, R.J. (1986). Dynamics of a stressful encounter: Cognitive appraisal, coping, and encounter outcomes. *Journal of Personality and Social Psychology,* 50, 992-1003.

Forde, O.T. y Pearlman, S. (1999). Breakaway: A social supplement to caregivers' support groups. *Am J Alz Dis,* 14, 120-124.

Fradkin, L.G. y Health, A. (1992). *Caregiving of older adults.* Santa Barbara, CS: ABC-CLIO, Inc.

Franks, M. M. y Stephens, M. A. P. (1996). Social support in the context of caregiving: Husbands' provision of support to wives involved in parent care. *Journal of Gerontology,* 51B, P43-P52.

Freedman, V.A. y Martin, L.G. (1999). The role of education in explaining and forecasting trends in functional limitations among older americans. *Demography,* 36 (4), 461-473.

Friss, L. (2002). *The State of the Art: Caregiver assessment in practice settings.* San Francisco: Family Caregiver Alliance, National Center on Caregiving.

Friss, L. y Kelly, K. (1995). A well-deserved break: Respite programs offered by California's statewide system of caregiver resource centers. *The Gerontologist,* 5 (35), 701-706.

Fundación Pfizer (2001). *Dependencia y necesidades asistenciales de los mayores en España. Previsión al año 2010.* Madrid: Fundación Pfizer.

Gabinete de Prensa del Ministerio de Trabajo y Asuntos Sociales (2004). "Comparecencia de Amparo Valcarce en el Senado: El 22% de los mayores viven completamente solos". 1 de octubre de 2004. http://www.tt.mtas.es/periodico/.

Gallagher, D.; Lovett, S. y Zeiss, A. (1985). Interventions with caregivers of frail elderly persons. En M. Ory y K. Bond (eds): *Aging and Health Care: Social Science and Policy Perspectives.* New York: Tavistock, 167-190.

Gallagher, D.; Rose, J.; Rivera, P.; Lovett, S. y Thompson, L. (1989). Prevalence of Depression in Family Caregivers. *The Gerontologist,* 4 (29), 449-456.

Gallagher, D.E. (1985). Intervention strategies to assist caregivers of frail elders: current research status and future research directions. *Annual Review of Gerontology and Geriatrics,* 5, 249-282.

Gallagher-Thompson, D.; Coon, D.W.; Solano, N.; Ambler, C.; Rabinowitz, Y. y Thompson, L.W. (2003). Change in indices of distress among Latino and Anglo female caregivers of elderly relatives with dementia: site-specific results from the REACH national collaborative study. *Gerontologist,* 43(4), 580-591.

Gallagher-Thompson, D.; Lovett, S.; Rose, J.; McKibbin, C.; Coon, D.; Futterman, A. y Thompson, L. (2000). Impact of psychoeducational interventions on distressed family caregivers. *Journal of Clinical Geropsychology,* 6, 91-110.

Gallant, M. P. y Connell, C. M. (1998). The stress process among dementia spouse caregivers: Are caregivers at risk for negative health behavior change? *Research on Aging, 20* (3), 267-297.

Gallart, M.P. y Connell, C.M. (1997). Predictors of decreased self-care among spouse caregivers of older adults with dementing illnesses. *Journal of Aging and Health,* 9, 373-395.

Gálvez, J.; Ras, E.; Hospital, I. y Vila, A. (2003). Perfil del cuidador principal y valoración del nivel de ansiedad y depresión. *Atención Primaria,* 31, 338.

Garcés, J. (2000). *La nueva sostenibilidad social.* Barcelona: Ariel.

Garcés, J.; Ródenas, F. y Sanjosé, V. (2003). Towards a new welfare state: the social sustainability principle and health care strategies. *Health Policy,* 65, 201-215.

Garcés, J.; Ródenas, F. y Sanjosé, V. (2004). Care needs among the dependent population in Spain: an empirical approach. *Health and Social Care in the Community*, 12 (6), 466-474.

Garcés, J.; Zafra, E.; Ródenas, F. y Megía, Mª.J. (2002). *Estudio sobre demanda y necesidades de asistencia sociosanitaria en la Comunidad Valenciana*. Valencia: Generalitat Valenciana, Consellería de Sanitat, Escuela Valenciana de Estudios para la Salud (EVES).

Garcés, J.; Zafra, E.; Ródenas, F.; Sanjosé, V. y Megía, Mª.J. (2004). *Encuesta de necesidades en población atendida en servicios sociosanitarios de la Comunidad Valenciana 2001*. Valencia: Generalitat Valenciana, Consellería de Sanitat.

García, M.M.; Mateo, I. y Eguiguren, A.P. (2004). El sistema informal de cuidados en clave de desigualdad. *Gaceta Sanitaria*, 1B (Supl 1), 132-139.

García, M.M.; Mateo, I. y Gutiérrez, P. (1999). *Cuidados y cuidadores en el sistema informal de salud*. Granada: Escuela Andaluza de Salud Pública e Instituto Andaluz de la Mujer.

García, M.M.; Mateo, I. y Maroto, G. (2004). El impacto de cuidar en la salud y la calidad de vida de las mujeres. *Gaceta Sanitaria*, 1B (Supl 2), 83-92.

García-Montalvo, J.I.; Rodríguez, L. y Ruipérez, I. (1992). Validación del cuestionario de Pfeiffer y la escala de incapacidad mental de la Cruz Roja en la detección del deterioro mental en los pacientes externos de un servicio de geriatría. *Rev Esp Geriatr Gerontol*, 27, 129-133.

Gatz, M.; Bengston, V.L. y Blum, M.J. (1990). Caregiving families. En J. E. Birren y K.W. Schaie (Eds.): *Handbook of the psychology of aging* (3ª edición). San Diego, CA: Academic Press, pp. 404-426.

Gaugler, J.E.; Davey, A.; Pearlin, L.I. y Zarit, S.H. (2000b). Modeling Caregiver Adaptation Over Time: The Longitudinal Impact of Behavior *Problems. Psychology and Aging*, 3 (15), 437-450.

Gaugler, J.E.; Edwards, A.B.; Femia, E.E.; Zarit, S.H.; Parris Stephen, M.; Townsend, A. y Greene, R. (2000a). Predictors of Institutionalization of Cognitively Impaired Elders: Family Help and the Timing of Placement. *Journal of Gerontology: Psychological Sciences*, 4 (55B), 247-255.

Gaugler, J.E.; Leitsch, S.A.; Zarit, S.H. y Pearlin, L.I. (2000c). Caregiver Involvement Following Institutionalization: Effects of Preplacement Stress. *Research on Aging*, 4(22), 337-359.

Gaugler, J.E.; Zarit, S.H. y Pearlin, L.I. (1999). Caregiving and institutionization: perceptions of family conflict and socioemotional support. Int'l. J. *Aging and Human Development*, 49 (1), 1-25.

Gaugler, J.E; Kane, R.A. y Langlois, J. (2000). Assessment of Family Caregivers of Older Adults. Em R.L. Kane y R.A. Kane (eds.): *Assessing Older Persons: Measures, Meaning and Practical Applications*. New York: Oxford University Press, pp. 320-359.

Gelfand, D. (1999). *The aging network: programs and services* (5ª ed.). New York: Springer.

George, L.E. y Gwyther, L.P. (1986). Caregiver Well-Being: A Multidimensional Examination of Family Caregivers of Demented Adults. *Gerontologist*, 26, 253-259.

George, L.K. y Gwyther, L.P. (1984). The Dynamics of Caregiver Burden: Changes in Caregiver Well-Being Over Time. Comunicación presentada a la *Annual Meetings of the Gerontological Society of America*. San Antonio (Texas).

Gerritsen, J.C. y van der Ende, P.C. (1994). The development of a caregiving burden scale. *Age Ageing*, 23, 483-491.

Gill, T.M.; Richardson, E.D. y Tinetti, M.E. (1995). Evaluating the risk of dependence in activities of daily living among community-living older adults with mild to moderate cognitive impairment. *Journal of Gerontology: Medical Sciences*, 50, M235-M241.

Gilleard, C.J.; Boyd, W.D. y Watt, G. (1982). Problems in caring for the elderly mentally infirm at home. *Arch Gerontol Geriatr*, 1, 151-158.

Given, C.W.; Given, B.; Stommel, M.; Collins, C.; King, S. y Franklin, S. (1992). The Caregiver Reaction Assessment (CRA) caregivers to persons with chronic physical and mental impairments. *Res Nurs Health*, 15, 271-283.

Godfrey, M.; Randall, T.; Long, A. y Grant, M. (2000). *Home Care. Review of Effectiveness and Outcomes*. Exeter: Centre for Evidence-Based Social Services, University of Exeter.

Gómez-Busto, F.; Ruiz de Alegría, K.; Martín, A.; San Jorge, B. y Letona, J. (1999). Perfil del cuidador, carga familiar y severidad de la demencia en tres ámbitos diferentes: domicilio, centro de día y residencia de válidos. *Revista Española Geriatría Gerontología*, 34 (3), 141-149.

Goodman, C.R.; Zarit, S.H. y Steiner, V. (1994). Self-appraisal as predictor of stein in caregiving. Comunicación presentada a la *Meeting of the Gerontological Society of America*. Atlanta (Georgia).

Gorri, A.; Lara, R.; Idoate, V.; Alenza, J.F. y Galilea, P. (2003). Comunidad Foral de Navarra. En C. Alemán, J. Garcés y A. Gutiérrez (coords): *Políticas sociales en la España de las Autonomías. Tomo II.* Madrid: Escuela Libre Editorial, pp. 1.439-1.784.

Gottlieb, B.H. y Johnson, J. (2000). Respite programs for caregivers of persons with dementia: a review with practice implications. *Aging and Mental Health*, 4, 119-129.

Gough, I. y Thomas, T. (1994). Need satisfaction and welfare outcomes: theory and explanation. *Social Policy & Administration*, 28 (1), 33-57.

Gracia, E.; Herrero, J. y Musitu, G. (1995). *El apoyo social*. Barcelona: PPU.

Grad, J. y Sainsbury, P. (1963). Mental Illness and the Family. *The Lancet*, 1, 544-547.

Grafstrom, M.; Fratiglioni, L.; Sandman, P.O. y Winblad, B. (1992). Health and social consequences for relatives of demented and non-demented elderly. A population-based study. *J Clin Epidemiol*, 45, 861-70.

Granger, C.V.; Albrecht, G.L. y Hamilton, B.B. (1979). Outcome of comprehensive medical rehabilitation: measurement by PULSES Profile and the Barthel Index. *Arch Phys Med Rehabil*, 60, 145-154.

Grau, J.; Romea, S.; Franch, J.; Sánchez, M.; Ruiz, C. y Fuertes, A. (1996). Indicadores para valorar la problemática social en la práctica diaria asistencial. *Atención Primaria*, 10, 546-550.

Greene, V. (1983). Substitution between formally and informally provided care for the impaired elderly in the community. *Med. Care*, 21, 609-619.

Greene, V.L. y Ondrich, J.I. (1990). Risks factors for nursing home admissions and exits: a discrete-time hazard function approch. *Journal of Gerontology: Social Sciences*, 45, S250-S258.

Grundy, E. y Glaser, K. (2000). Sociodemographic differences in the onset and progression of disability in early old age: a longitudinal study. *Age and Ageing*, 29, 149-157.

Grunfeld, E.; Coyle, D.; Whelan, T.; Clinch, J.; Reyno, L.; Earle, C.C.; Willan, A.; Viola, R.; Coristine, M.; Janz, T. y Glossop, R. (2004). Family caregiver burden: results of a longitudinal study of breast cancer patients and their principal caregivers. *CMAJ*, 170 (12), 1795-1801.

Gubrium, J.F. y Lynott, R.J. (1987). Measurement and the interpretation of burden in the Alzheimer's disease experience. *J Aging Stud*, 1, 265-285.

Gudex, C. y Lafortune, G. (2000). *An inventory of health and disability-related surveys in OECD countries —DEELSA/ELSA/WD(2000)5— occasional papers no. 44.* Labour market and social policy. Paris: OECD.

Gutman, G.M.; Milstein, S.; Killam, J.; Lewis, D. y Hollander, M.J. (1993). Adult day care centres in British Columbia: client characteristics, reason for referral and reasons for non-attendance. *Health Reports*, 5 (3), 321-333.

Gwyther, L.P. (1998). Social sigues of the Alzheimer's patient and family. *Am J Med*, 104 (4A), 17S-21S.

Haglund, R.M.J. y Schuckit, M.A. (1976). A clinical comparison of tests of organicity in elderly patients. *J Gerontol*, 31, 654-659.

Haley, W. (1989). Group Intervention for Dementia Caregivers: A Longitudinal Perspective. *The Gerontologist*, 29, 478-480.

Haley, W. E., Levine, E. G., Brown, S. L. y Bartolucci, A. A. (1987). Stress appraisal, coping and social support as predictors of adaptational outcome among dementia caregivers. *Psychology and Aging*, 2, 323-330.

Haley, W.E.; Brown, S.L. y Levine, E.G. (1987). Experimental evaluation of the effectiveness of group intervention for dementia caregivers. *The Gerontologist*, 27, 376-382.

Haley, WE. (2003). The costs of family caregiving: implications for geriatric oncology. *Crit Rev Oncol Hematol*, 48(2), 151-158.

Hassinger, M.J. (1986). Community-dwelling dementia patients whose relatives sought counseling services regarding patient care: predictors of institutionalization over a one-year follow-up period (Dissertation). *University of Southern California*, 376.

Havens, B. (1999a). *Home-based and long-term care.* Geneva: World Health Organization.

Havens, B. (1999b). *Home-based and long-term care: Home Care Issues at the Approach of the 21st Century from a World Health Organization Perspectiva, An Annotated Bibliography.* Geneva: World Health Organization.

Hawranik, P.G. y Strain, L.A. (2000). *Health of Informal Caregivers: Effects of gender, employment, and use of home care services.* Winnipeg (Manitoba): University of Manitoba, Centre on Aging.

Hayman, J.A.; Langa, K.M. y Kabeto, M.U. (2001). Estimating the cost of informal caregiving for elderly patients with cancer. *J Clin Oncol*, 19, 3219-3225.

Health and Human Services (1998). *Informal Caregiving: Compassion in Action. Department of Health and Human Services.* Washington (DC): Based on data from the National Survey of Families and Households (NSFH).

Hennessy, P. (1995). *Social protection for dependent elderly people: Perspectives from a review of OECD countries-Occasional papers nº 12.* OECD: Labour market and Social.

Herbert, G.; Moore, J. y Johnson, A. (2000). *Leicestershire County Council Home Care Services in 1999.* Leeds: Nuffield Institute for Health.

Hibbard, J.; Neufeld, A. y Harrison, M.J. (1996). Gender differences in the support networks of caregivers. *Journal of Gerontological Nursing*, 22 (9), 15-23.

Hinton, J. (1994). Can home care maintain an acceptable quality of life for patients with terminal cancer and their relatives? *Palliat Med*, 8, 183-196.

Holmes, T.H. y Rahe, R.H. (1967). The social readjustment rating scale. *Journal of Psychosomatic Research*, 11, 213-218.

Holroyd, J. (1987). *Questionnaire on Resources and Stress.* Brandon (Vermont): Clinical Psychology Publishing Company.

Holzman Jenkins A. (1998). *Paying for Care: Repercussions for Women Who Care, the case of Austria*. Vienna: Sozialökonomische Forschungsstelle, Mimeo.

Hooyman, N.R. y Gonyea, J. (1995). *Feminist perspectives on family care: Politics for gender justice*. Thousand Oaks (CA): Sage.

Hope, T.; Keene, J.; Gedling, K.; Fairburn, C.G. y Jacoby, R. (1998). Predictors of institutionalization for people with dementia living at home with a carer. *International Journal of Geriatric Psychiatry*, 13, 682-690.

Horowitz, A. (1985). Sons and Daughters as Caregivers to Older Parents: Differences in Role Perfomance and Consequences. *The Gerontologist, 25*(6), 612-617.

Houts, P.; Nezu, A.M.; Maguth Nezu, C. y Bucher, J.A. (1996). The prepared family caregiver: a problem-solving approach to family caregiver education. *Patient Educ Couns*, 27, 63-73.

Howell, D. (1986). The impact of terminal illness on the spouse. *J Palliat Care*, 2(1), 22-30.

Hoyert, D. L. y Seltzer, M. M. (1992). Factors related to the well-being and life activities of family caregivers. *Family Relations*, 41, 74-81.

Hughes, C.B. y Caliandro, G. (1996). Effects of social support, stress, and level of illness on caregiving of children with AIDS. *J Paediatr Nurs*, 11, 347-358.

Haley, WE. (1997). The family caregiver's role in Alzheimer's disease. *Neurology*, 48 (suppl 6), S25-S29.

Idler, E.L. y Kasl, S.V. (1995). Self-ratings of health: Do they also predict changes in functional ability? *Journal of Gerontology: Social Sciences*, 50Bm, S344-S353.

Ikegami, N.; Hirdes, J.P. y Carpenter, I. (2002). Évaluer la qualité des soins de longue durée en institution et à domicile. En OCDE: *Être à la hauteur: mesurer et améliorer la perfomance des systèmes de santé dans los pays de l' OCDE*. Paris: OCDE.

IMSERSO (1999). *La protección social de la dependencia*. Madrid: Ministerio de Trabajo y Asuntos Sociales, Secretaría General de Asuntos sociales, Instituto de Migraciones y Servicios Sociales.

IMSERSO (2003). *II Plan de Acción para las personas con discapacidad 2003-2007.* Madrid: Ministerio de Trabajo y Asuntos Sociales, Secretaría General de Asuntos Sociales, IMSERSO.

IMSERSO (2004). *Situación y evolución del apoyo informal a los mayores en España. Avance de resultados: informe descriptivo.* Madrid: Ministerio de Trabajo y Asuntos Sociales, Secretaría General de Asuntos Sociales, IMSERSO.

IMSERSO/FEMP (1998). *Evolución y extensión del Servicio de Ayuda a Domicilio en España.* Madrid: Ministerio de Trabajo y Asuntos Sociales, Secretaría General de Asuntos Sociales, Instituto de Migraciones y Servicios Sociales.

IMSERSO (2002). *Las personas mayores en España. Informe 2002: Datos estadísticos estatales y por comunidades autónomas.* Vol. I. Madrid: Ministerio de Trabajo y Asuntos Sociales, Secretaría General de Asuntos Sociales, Instituto de Migraciones y Servicios Sociales, Observatorio de personas mayores.

INE (2005). Encuesta Nacional de Salud 2003. Disponible en: http://www.ine.es/inebase/cgi/um?M = %2Ft15%2Fp419&O = inebase&N = &L=

INE (2004a). Panel de Hogares de la Unión Europea 1994-1999. www.ine.es.

INE (2004b). Cifras de población. Madrid: INE.

INSERSO (1995). *Cuidados en la vejez. El apoyo informal.* Madrid: Ministerio de Asuntos Sociales, INSERSO.

Institute of Medicine (1986). *Improving quality of care in Nursing Homes.* Washington, D.C.: National Academy Press.

INE (2002). *Encuesta sobre Discapacidades, Deficiencias y Estado de Salud 1999, Resultados detallados.* Madrid: INE.

International Psychogeriatric Association (IPA) (2002). *Behavioral and Psychological Symptoms of Dementia (BPSD) Educational Pack.* International Psychogeriatric Association.

IMSERSO (1999). *La Protección Social de la Dependencia.* Madrid: IMSERSO.

IMSERSO (1993). *Plan Gerontológico Nacional.* Madrid: Ministerio de Asusntos Sociales, Instituto Nacional de Servicios Sociales, INSERSO.

INSERSO (1990). *Ayuda a Domicilio.* Madrid: Ministerio de Asusntos Sociales, Instituto Nacional de Servicios Sociales, INSERSO.

Izal, M. y Montorio, I. (1994). Evaluación del medio y del cuidador del demente. En T. del Ser y J. Peña Casanova (eds.): *Evaluación neuropsicológica y funcional de la demencia.* Barcelona: Prous, pp. 201-222.

Jacobzone, S. (1999). *Ageing and care for frail elderly persons: an overview of international perspectives-Occasional Papers nº 38.* Paris: OECD, Directorate for Education, Employment, Labour and Social Affairs, Labour Market and Social Policy.

Jacobzone, S.; Cambois, E.; Chaplain, E. y Robine, J.M. (1999). *The health of older persons in OECD countries: Is it improving fase enough to compensate for population ageing?-Ocasional Papers nº 37.* OECD: Labour Market and Social Policy.

Jamieson, A. (1991). Home care provision and allocation. En A. Jamieson (eds): *Home care for older people in Europe. A comparison of policies and practices.* New York: Oxford University Press.

Jarrot, S.E. y Zarit, S.H. (1995). The effects of day care on time usage by employed and non-employed caregivers. Comunicación presentada a la *48th Annual Scientific Meeting of the Gerontological Society of America Council.*

Jenkins, T. S.; Parham, I.A. y Jenkins, L. R. (1985). Alzheimer's Disease: Caregivers Perceptions of Burden. *Journal of Applied Gerontology*, 4, 40-57.

Jenson, J. y Jacobzone, S. (2000). *Care allowances for the frail elderly and their impact on women care-givers. Labour Market and Social Policy-Occasional Papers nº 41.* Paris: OECD; Directorate for Education, Employment, Labour and Social Affairs; Employment, Labour and Social Affairs Committee.

Jerrom, B.; Mian, I. y Rukanyake, N.G. (1993). Stress on relative caregivers of dementia sufferers, and predictors of the breakdown of community care. *Int J Geriatrm*, 8, 331-337.

Jiménez, A. (2004). Perfiles de dependencia de la población española y necesidades de cuidados de larga duración: Anexo Estadístico. En J. Sánchez: *Libro Verde sobre la Dependencia en España.* Madrid: Ergón.

Jiménez, A. y Huete, A. (2002). *La discapacidad en España: datos epidemiológicos. Aproximación desde la Encuesta sobre Discapacidades, Deficiencias y Estado de Salud de 1999.* Madrid: Real Patronato sobre Discapacidad, Ministerio de Sanidad y Consumo.

Joël, M.E. y Martin, C. (1998). *Paying for Care, les répercussions pour les femmes soignantes des politiques en matière de prise en charge des personnes âgées dépendantes.* Paris: LEGOS Université Paris Dauphine IEP Université de Rennes I: Mimeo.

Joël, E.M. y Martin, C. (1997). La part des arbitrages économiques et familiaux dans l'organisation du soutien à domicile des personnes âgées dépendantes. *Revue Française des Affaires Sociales,* octobre, 95-109.

John, R.; Hennessy, C.H.; Dyeson, T.B. y Garrett, M.D. (2001). Toward the conceptualization and measurement of caregiver burden among Pueblo Indian family caregivers. *Gerontologist,* 41, 210-219.

Johnson, C.L. (1983). Dyadic family relations and social support. *Gerontologist,* 23, 377-383.

Johnson, C.L. y Catalano, D.J. (1983). A longitudinal study of family supports to impaired elderly. *The Gerontologist,* 6, 612-618.

Jones, G.M.M. (1992). A communication model of dementia: with particular reference to Alzheimer's disease. En G.M.M. Jones y B.M.L. Miesen (eds): *Caregiving in dementia.* London: Routledge, 437-53

Kahana, E.; Biegel, D. y Wykle, M. (ed.) (1994). *Family caregiving across the lifespan.* Newbury Park, CA: Sage Publications.

Kalish, D.W.; Aman, T. y Buchele, L.A. (1998). *Social and health policies in OECD countries: a survey of current programmes and recent developments-Occasional papers nº 33.* OECD: Labour market and Social.

Kane, R.A. y Kane, R.L. (1981). *Assessing the Elderly: A Practical Guide to Measurement.* New York: Springer.

Kasper, J.D. y Shore, A.D. (1994). Cognitive impairment and problem behaviors as risks factors for institutionalization. *The Journal of Applied Gerontology,* 13, 371-385.

Kasper, J.D.; Steinbach, U. y Andrews, J. (1990). *Factors associated with ending caregiving among informal caregivers to the functionally and cognitively impaired elderly population.* Washington: U.S. Department of Health and Human Services.

Katz, S.; Ford, A.B.; Moskowitz, R.W.; Jackson, B.A. y Jaffe, M.A. (1963). The index of ADL: a standardized measure of biological and psychological function. *JAMA*, 185, 914-919.

Kiecolt-Glaser, J.K.; Dura, J.R.; Speicher, C.E.; Trask, O.J. y Glaser, R. (1991). Spousal caregivers of dementia victims: longitudinal changes in immunity and health. *Psychosom Med*, 53, 345-362.

Kiecolt-Glaser, J.K.; Glaser, R.; Shuttleworth, E.C.; Dyer, C.S.; Ogrocki, P. y Speicher, C.E. (1987). Chronic stress and immunity in family caregivers of Alzheimer's disease victims. *Psychosomatic Medicine*, 49, 523-535.

Killingsworth, M. R. y Heckman, J.J. (1986). Female Labor Supply: A Survey. En O. Ashenfelter y R. Layard (ed.): *Handbook of labor economics*. North-Holland, pp. 103-124.

Kinney, J. y Stephens, M.A.P. (1989). Hassles and Uplifts of Giving Care to a Family Member with Dementia. *Psychology and Aging*, 4, 402-418.

Kinsella, G.; Cooper, B.; Picton, C. y Murtagh, D. (1998). A review of the measurement of caregiver and family burden in palliative care. *Journal of Palliative Care*, 14 (2), 37-45.

Kissane, D.W.; Bloch, S.; Burns, W.I.; Patrick, J.D.; Wallace, C.S. y McKenzie, D.P. (1994). Perceptions of family functioning and cancer. *Psycho-Oncol*, 3, 259-269.

Kniesner, T.J. y LoSasso, A.T. (1999). New Evidence on Intergenerational Risk Sharing. Comunicación presentada a la *American Economic Association meeting*. New York.

Knight, B. G., Lutzky, S. M. y Macofsky-Urban, F. (1993). A meta-analytic review of interventions for caregiver distress: Recommendations for future research. *The Gerontologist*, 3, 240-248.

Kosberg, J.I. y Cairl, R.E. (1986). The Cost of Care Index: a case management tool for screening informal care providers. *Gerontologist*, 26, 273-278.

Koslosky, K. y Montgomery, R.J. (1993). The effects of respite on caregivers of Alzheimer's patients: One year evaluation of the Michigan model respite programs. *Journal of Applied Gerontology*, 12, 4-17.

Kristjanson, L.J. y Ashcroft, T. (1994). The family's cancer journey: a literature review. *Cancer Nurs*, 17, 1-17.

Kropf, N. (2000). Home health and community services. En R.L. Schneider, L. Robert, N.P.Kropf y A.J. Kisor (eds.): *Gerontological Social Work* (2ª ed.). Belmont, CA: Wadsworth, pp. 167-190.

La Parra, D. (2001). Contribución de las mujeres y los hogares más pobres a la producción de cuidados de salud informales. *Gaceta Sanitaria*, 15, 498-505.

Lakdalla, D. y Philipson, T. (1999). *Aging and the Growth of Long-Term Care*. NBER Working Paper Series, N° 6980. Paris: OECD.

Lakra, R. (2002). *Responsabilities for Care throughout the Life Span: A Brief Look at the Family and Long-Term Care Laws of Sweden, Canada and the U.S. with a particular focus on the Ageing*. Geneva: World Health Organization.

Langa, K. M.; Chernew, M. E.; Kabeto, M. U.; Herzog, A. R.; Ofstedal, M. B. Y Willis, R. J. (2001). National estimates of the quantity and cost of informal caregiving for the elderly with dementia. *Journal of General Internal Medicine*, 16 (11), 770-778.

Laukkanen, P.; Karppi, P.; Heikkinen, E. y Kaupinnen, M. (2001). Coping with activities of daily living in different care setting. *Age and Ageing*, 30, 489-494.

Lavoie, J.P. (1999). *La structuration familiale de la prise en charge des parents âgés: Définitions profanes et rapports affectifs*. Tesis doctoral. Montréal: Université de Montréal.

Lawton, M.; Brody, E. y Saperstein, A. (1989). A controlled study of respite service for caregivers of Alzheimer's patients. *Gerontologist*, 29, 8-16.

Lawton, M.; Moss, M.; Kleban, M.H.; Glicksman, A. y Rovine M. (1991) A two factor model of caregiving appraisal and psychological well-being. *Journals of Gerontology: Psychological Sciences*, 46, P181-P189.

Lawton, M.P. (1972). Assessing the competence of older people. En D. Kent, R. Kastenbaum y S. Sherwood (Eds): *Research Planning and Action for the Elderly*. Nueva York: Behavioral Publications.

Lawton, M.P. y Brody, E.M. (1969). Assessment of older people: self-maintaining and instrumental activities of daily living. *Gerontologist*, 9, 179-186.

Lawton, M.P.; Kleban, M.H.; Moss, M.; Rovine, M. y Glicksman, A. (1989). Measuring Caregiving Appraisal. *Journal of Gerontology*, 44, P61-P71.

Lazarus, R.S. (1991). *Emotion and Adaptation*. New York: Oxford University Press.

Lazarus, R.S. y Folkman, S. (1984). *Stress, Appraisal and Coping*. New York: Springer.

Lazarus, R.S. y Folkman, S. (1986). *Estrés y procesos cognitivos*. Barcelona: Martínez Roca.

Lazarus, R.S. y Folkman, S. (1987). Transactional theory and research on emotions and doping. *European Journal of Personality*, 1, 141-169.

Lee, S. L.; Colditz, G. A.; Berkman, L. F. y Kawachi, I. (2003). Caregiving and risk of coronary heart disease in U.S. women: A prospective study. *American Journal of Preventive Medicine*, 24 (2), 113-119.

Lesher, E.L. y Whelihan, W.M. (1986). Reliability of mental status instruments administered to nursing home residents. *J Consult Clin Psychol*, 54, 726-727.

Li, L.W.; Seltzer, M.M. y Greenberg, J.S. (1999). Change in depressive symptoms among daughter caregivers: an 18-month longitudinal study. *Psychology & Aging*, 14, 206-219.

Lin, N. y Ensel, W. (1989). Life stress and health: Stressors and resources. *American Sociological Review*, 54, 382-399.

Lindholm, C.; Burström, B. y Diderichsen, F. (2002). Class differences in the social consequences of illness? *Journal of Epidemiology and Community Health*, 56, 188-192.

Litwak, E. (1985). *Helping the Elderly: The Complementary Roles of Informal Networks and Formal Systems*. New York: Guildford Press.

Litwak, E. y Kulls, S. (1987). Technology, proximity, and measures of kin support. *Journal of Marriage and the Family*, 49, 649-661.

Loewen, S.C. y Anderson, B.A. (1988). Reliability of the Modified Motor Assessment scale and the Barthel Index. *Phys Ther*, 68, 1077-1081.

Logdon, R.G.; Gibbons, L.E.; McCurry, S.M. y Teri, L. (1999). Quality of life in Alzheimer's disease: patient and caregiver reports. *Gerontologist*, 5, 21-32.

Logdson, R.G.; Teri, L.; McCurry, S.M.; Gibbonds, L.E.; Kukull, W.A. y Larson, E.B. (1998). Wandering: A significant problem among community-residing individuals with Alzheimer's disease. *Journal of Gerontology: Psychological Sciences*, 53B, P294-P299.

Losada, A.; Izal, M.; Montorio, I.; Márquez, M. y Pérez, G. (2004). Eficacia diferencial de dos intervenciones psicoeducativas para cuidadores de familiares con demencia. *Revista de Neurología*, 38 (8), 701-708.

Lowenthal, M.F. y Berkman, P. (1967). *Aging and mental disorders in San Francisco*. San Francisco: Jossey-Bass.

Lyons y Zarit (1999). Formal and Informal Support: The great divide. *International Journal of Geriatric Psychiatry*, 14, 183-196.

Lyons, K.S.; Zarit, S.H.; Sayer, A.G. y Whitlatch, C.J. (2002). Caregiving as a Dyadic Process: Perspectives from Caregiver and Receiver. *Journal of Gerontology: Psychological Sciences*, 3 (57B), 195-204.

Madruga, F.; Castellote, F.J.; Serrano, F.; Pizarro, A.; Luengo, C. y Jiménez, E.F. (1992). Indice de Katz y escala de Barthel como indicadores de respuesta funcional en el anciano. *Revista Española Geriatría y Gerontología*, 27(8), 130.

Magaziner, J.; Simonsick, E.M.; Kashner, T.M.; Hebel, J.R. y Kenzora, J.E. (1990). Predictors of functional recovery one year following hospital discharge for hip fracture. *Journal of Gerontology Medical Sciences*, 45, M101-M107.

Mahoney, F.I. y Barthel, D.W. (1965). Functional Evaluation: The Barthel Index. *Md State Med J*, 14 (2), 61-65.

Majerovitz, S.D. (1995). Role of family adaptability in the psychological adjustment of spouse caregivers to patients with dementia. *Psychology-and-Aging*, 3 (10), 447-457.

Malonebeach, E. y Zarit, S. (1995). Dimensions of social support and social conflict as predictors of caregiver depression. *International psychogeriatrics*, 7(1), 25-36.

MaloneBeach, E.E.; Zarit, S.H. y Spore, D.L. (1992). Caregivers' perceptions of case management and community-based services: Barriers to service use. *Journal of Applied Gerontology*, 11, 146-159.

Mangone, C.A.; Sanguinetti, R.M.; Baumann, P.D.; González, R.C.; Pereyra, S. y Bozzola, F.G. (1993). Influence of feelings of burden on the caregiver´s perception of the patient´s functional status. *Dementia*, 4, 287-293.

Manton, K. G.; Corder, E. y Stallard, E. (1997). Chronic disability trends in elderly United States populations: 1982-1994. *Proc. Natl. Acad. Sci.*, 94, 2593-2598.

Marks, N.; Lambert, J. D. y Choi, H. (2002). Transitions to caregiving, gender, and psychological well-being: A prospective U.S. national study. *Journal of Marriage and Family*, 64, 657-667.

Martín, M.; Salvadó, I.; Nadal, S.; Miji, L.C.; Rico, J.M.; Lanz, P. y Taussig, M.I. (1996). Adaptación para nuestro medio de la Escala de Sobrecarga del Cuidador (Caregiver Burden Interview) de Zarit. *Revista Española Geriatría y Gerontología*, 6, 338-346.

Mateo, I.; Millán, A.; García, M.M.; Gutiérrez, P.; Gonzalo, E. y López, L.A. (2000). Cuidadores familiares de personas con enfermedad neurodegenerativa: perfil, aportaciones e impacto de cuidar. *Atención Primaria*, 26, 25-34.

McAuley, W.J.; Travis, S.S. y Safewright, M. (1990). The relationship between formal and informal health care services for the elderly. En S.M. Stahl (ed.): *The Legacy of Longevity: Health and Health Care in Later Life*. Newbury Park, CA: Sage.

McConnel, S. y Riggs, J.A. (1994). A Public Policy Agenda: Supporting Family Caregiving. En M.A. Cantor (Ed.): *Family Caregiving: Agenda for the Future*. San Francisco, CA: American Society on Aging.

McGuire, P. y Fulmer, T. (1997). Elder abuse. En C.K. Cassel, H.J. Cohen, E.B. Larson, D.E. Meier, N.M. Resnick, L.Z Rubenstein, et al (eds.): *Geriatric medicine* (3ª ed.). New York: Springer-Verlag, pp. 855-864.

McKinlay, J.B.; Crawford, S.L. y Tennstedt, S.L. (1995). The everyday impacts of providing informal care to dependent elders and their consequences for the care recipients. *Journal of Aging and Health*, 7, 497-528.

McMillan, S.C. (1996). Quality of life of primary caregivers of hospice patients with cancer. *Cancer Pract*, 4, 191-198.

Mears, J. (1998). *Paying for Care: Repercussions for Women Who Care, the case of Australia*. University of Western Sydney, Department of Social Policy and Human Services, Faculty of Arts and Social Sciences: Mimeo.

Medina, M.E.; Fernández, J.; Fuentes, M. y Hernández, M. (1998). Evaluación del impacto en cuidadores de usuarios del Servicio de Ayuda a Domicilio. *Anales de Psicología*, 14 (1), 105-126.

Messeri, P.; Silverstein, M. y Litwak, E. (1993). Choosing optimal support groups: A review and reformulation. *J. Health Soc. Behav.*, 34, 122-137.

MetLife Mature Market Institute, National Alliance for Caregiving y The National Center on Women and Aging (1999). The Metlife juggling act study: Balancing caregiving with work and the costs involved.

Michel, J.P.; Kressig, R. y Gold, G. (1997). Dependency: possible risk or inevitable outcome. *Schweiz. Med. Wochenschr.*, 127 (43), 1796-1801.

Ministerio de Sanidad y Consumo. (1997). *Encuesta Nacional de Salud*. Madrid: Ministerio de Sanidad y Consumo.

Ministerio de Trabajo y Asuntos Sociales —MTAS— (2005). *Libro Blanco de la Dependencia*. Madrid: Ministerio de Trabajo y Asuntos Sociales.

Mitchell, J. y Krout, J.A. (1998). Discretion and service use among older adults: The behavioural model revisited. *Gerontologist*, 38 (2), 159-168.

Mittelman, M.S.; Ferris, S.H.; Shulman, E.; Steinberg, G. y Levin, B. (1996). A family intervention to delay nursing home placement of patients with Alzheimer's Disease: a randomized controlled trial. *JAMA*, 276, 1725-31.

Mittleman, M.S.; Ferris, S.H.; Shulman, E.; Steinberg, G.; Ambinder, A.; Mackell, J.A. y Cohen, J. (1995). A Comprehensive Support Program: Effect on Depression in Spouse Caregivers of Alzheimer's Disease Patients. *The Gerontologist*, 35, 792-802.

Mockus Parks, S. y Novielli, K.D. (2000). A practical guide to caring for caregivers. *American Family Physican*, 15, 2215-2219.

Monteko, A.K. (1989). The frustration, gratifications and well-being of dementia caregivers. *The Gerontologist*, 29, 166-172.

Montgomery, R. (1989). As AARP grows, so does criticism of its priorities. *Seatle Times*, 12.

Montgomery, R.J.V. y Borgatta, E.F. (1989). The Effect of Alternative Support Strategies on Family Caregivers. *The Gerontologist*, 29, 457-464.

Montgomery, R.J.V. y Kosloski, K. (1994). A longitudinal análisis of nursing home placement for dependent elders cared for by spouses vs adult children. *J. Gerontol.*, 49, S62-S74.

Montgomery, R.J.V.; Gonyea, J.G. y Hooyman, N.R. (1985). Caregiving and the experience of subjective burden. *Fam Relations*, 34, 19-26.

Montorio, I. (1994). *La persona mayor. Guía aplicada de evaluación psicológica*. Madrid: INSERSO.

Montorio, I.; Díaz, P.; Izal, M. (1995). Programas y servicios de apoyo a familiares cuidadores de ancianos dependientes. *Revista Española de Geriatría y Gerontología*, 3 (30), 157-168.

Montorio, I.; Izal, M.; López, A. y Sánchez, M. (1998). La Entrevista de Carga del Cuidador. Utilidad y validez del concepto de carga. *Anales de Psicología*, 14 (2), 229-248.

Montoro, J. (1999). Consecuencias psicosociales del cuidado informal a personas mayores. *Rev Int Sociol*, 23, 7-29.

Moral, M.S.; Juan, J.; López, M.J. y Pellicer, P. (2003). Perfil y riesgo de morbilidad psíquica en cuidadores de pacientes ingresados en su domicilio. *Atención Primaria*, 32, 77-87.

Morán, C. (2005), "El Gobierno creará un sistema público de asistencia a personas dependientes". Periódico "El País", 21 de enero de 2005, pág. 5 (sección Sociedad).

Moritz, D.J.; Kasl, S.V. y Berkman, L.F. (1989). The health impact of living with a cognitively impaired elderly spouse: Depressive symptoms and social functioning. *Journal of Gerontology*, 44, S17-S27.

Morris, M. (2002). *Gender-sensitive home and community care and caregiving research: a synthesis paper*. Ottawa: National Coordinating Group of Health Care Reform and Women, Health Canada.

Morris, L. W.; Morris, R.G. y Britton, P.G. (1989). Social Support networks and formal support as factores influencing the psychological adjustement of spouse caregivers of dementia sufferers. *International Journal of Geriatric Psychiatry*, 4, 47-51.

Morris, R.G.; Morris, L.W. y Britton, P.G. (1988). Factors affecting the well being of the carers of dementia sufferers. *Br J Psychiatry*, 153, 147-156.

Mullan, J.T. (1993). Barriers to the use of formal services amonh Alzheimer's caregivers. En S.H. Zarit, L.I. Pearlin y K.W. Schaie (eds.): *Caregiving systems: Informal and formal helpers*. Hillsdale, NJ: Erlbaum, pp. 241-259.

Muñoz F.; Espinosa, J.M.; Portillo, J. y Benítez, M.A. (2002). Cuidados paliativos: atención a la familia. *Atención Primaria*, 30, 576-580.

Muurinen, J.M. (1986). The Economics of Informal Care: Labor Market Effects in the National Hospice Study. *Medical Care*, 24 (1), 10007-10017.

Nagi, S.Z. (1979). The concept and measurement of disability. En E.D. Berkowitz (ed.): *Disability policies and government programs*. New York: Praeger, pp. 1-15.

Nagi, S.Z. (1991). Disability concepts revisited: Implications for prevention. En A.M. Pope y A.R. Tarlov (eds): *Disability in America: Toward a national agenda for prevention*. Washington, DC: National Academy Press.

National Alliance for Caregiving y AARP (1997). *Family caregiving in the U.S.: Findings from a national survey*. Washington, DC: National Alliance for Caregiving y AARP.

National Forum on Health (1997). C*anada Health Action: Building on the legacy. Volume 1. The Final Report.* Ottawa: Health Canada.

Navaie-Waliser, M.; Spriggs, A. y Feldman, P.H. (2002). Informal caregiving. Differential experiences by gender. *Med Care*, 40, 1249-1259.

Navarro, V.; de Andrés, J.; Julián, N.; Plana, A.; Quiroga, A.; Sada, C.; Santacana, A. y Soria, F. (2001). *La atención domiciliaria de los mayores en la ciudad de Barcelona: Propuestas para su universa- lización*. Barcelona: Universidad Pompeu Fabra, Instituto de Educación Continua (IDEC), Programa de Investigación en Políti- cas Públicas y Sociales.

Neal, M.B.; Chapman, N.J.; Ingersoll-Dayton, B. y Emlen, A.C. (1993). *Balancing work and caregiving for children, adults, and elders*. Newbury Park, CA: Sage.

Newman, S. (2002). *Insuring your future: what caregivers need to know about long-term care insurance*. San Francisco: Family Caregiver Alliance, National Center on Caregiving.

Niederehe, G. y Frugé, E. (1984). Dementia and family dynamics: Clinical research issues. *Journal of Geriatric Psychiatry*, 17, 21- 56.

Niederehe, G. y Funk, J. (1987). Family interaction with dementia patients: caregiver styles and their correlates. Comunicación pre- sentada a la *95th annual convention of the American Psychological Association*. New York.

Niederehe, G.; Frugé, E.; Woods, A.M.; Scott, J.C.; Volpendasta, D.; Nielsen-Collins, K.E.; Moye, G.; Gibbs, H. y Wiegand, C. (1983). Caregiver stress in dementia: clinical outcomes and family considerations. Comunicación presentada a la *Annual meeting of the Gerontological Society of America*. San Francisco.

Nijboer, C.; Tempelaar, R.; Sanderman, R.; Triemstra, M.; Spruijt, R.J. y van den Bos, G.A. (1998). Cancer and caregiving: the impact on the caregiver's health. *Psychooncology*, 7, 3-13.

Njegovan, V.; Man-Son-Hing, M.; Mitchell, S.L. y Molnar, F.J. (2001). The hierarchy of functional loss associated with cognitive decline in older personas. Journal of Gerontology: Medical Sciences, 56 (10), M638-643.

Noelker, L.S. y Bass, D.M. (1989). Home care for elderly persons: linkages between formal and informal caregivers. *J. Geront.*, 44 (2), S63-S70.

Noonan, A.E. y Tennstedt, S.L. (1997). Meaning in caregiving and its contribution to caregiver well-being. *Gerontologist*, 37, 785-94.

Novak, M. y Guest, G. (1989). Application of a multi-dimensional caregiver burden inventory. *The Gerontologist*, 29 (6), 798-803.

O'Shea (2003). *La mejora de la calidad de vida de las personas mayores dependientes*. Grupo de expertos en la mejora de la calidad de vida de las personas mayores dependientes (CS-QV). Comité Europeo de Cohesión Social (CECS). Council of Europe.

Oberst, M.T.; Thomas, S.E.; Gass, K.A. y Ward, S.E. (1989). Caregiving demands and appraisal of stress among family caregivers. *Cancer Nurs*, 12, 209-215.

Observatorio de personas mayores (2000). Boletín sobre el envejecimiento: perfiles y tendencias. Número 2, junio. Ministerio de Trabajo y Asuntos Sociales, Secretaría de Asuntos Sociales, IMSERSO.

OCDE (1993). *L'aide aux personnes âgées dépendantes*. París: OCDE.

OCDE (1994a). L'aide aux personnes âgées dépendantes: les questions de politique sociale. En OCDE: *Les nouvelles orientations de la politique sociale*. Paris: OCDE.

OCDE (1994b). *Protéger les personnes âgées dépendantes. Nouvelles orientations*. Paris: OCDE.

OECD (1998). *The Future of Female-Dominated Occupations*. Paris: OECD.

Older Women's League (2003). *Women and long-term care*. http://www.owl-national.org

OMS (2002). *Informe sobre la salud en el mundo 2002: Reducir los riesgos y promover una vida sana*. Ginebra: Organización Mundial de la Salud.

Observatorio de personas mayores (2004). *Servicios Sociales para personas mayores en España. Enero 2003*. Madrid: Ministerio de Trabajo y Asuntos Sociales, Secretaría de Estado de Servicios Sociales, Familias y Discapacidad, IMSERSO, Observatorio de personas mayores.

Pacolet, J.; Bouten, R.; Lanoye, H. y Versieck, K. (2000). *Social Protection for Dependency in Old Age: A study of the fifteen EU Member States and Norway*. Hampshire (England): Ashgate.

Pacolet, J.; Versieck, K. y Bouten, R (1993). *Protección social para personas mayores dependientes.* Bruselas: Unión Europea, Dirección General V.

Pagel, M.D.; Becker, J. y Coppel, D.B. (1985). Loss of control, self-blame and depression: an investigation of espouse caregivers of Alzheimer's disease patients. *Journal of Abnormal Psychology*, 94, 169-182.

Palau, N. (1996). L'atenció domiciliaria adreçada a la gent gran: cap a la reformulació de programes. *Quaderns de Serveis Sociales*, 11, 34-40.

Panting, D. y Merry, P.H. (1972). The Long-Term Rehabilitation of Severe Head Injuries with Particular Reference to the Need for Social and Medical Support for the Patient's Family.*Rehabilitation*, 28, 33-37 (1972).

Parker, M.G.; Thorslund, M. y Lundberg, O. (1994). Physical function and social class among Swedish oldest old. *Journal of Gerontology: Social Sciences*, 49, S106-S201.

Patterson, P.; Moylan, E.; Bannon, S. y Salih, F. (2000). Needs analysis of a cancer education program in south western Sydney. *Cancer Nursing*, 23 (3), 186-192.

Pearlin, L.I. (1991). The careers of caregivers. *Gerontologist*, 32, 647-652.

Pearlin, L.I. (1994). Conceptual strategies for the study of caregiver stress. En E. Light, C. Niederehe y B.D. Lebowitz (eds.): *Stress effects on family caregivers of Alzheimer´s patients.* Nueva York: Springer.

Pearlin, L.I. y Schooler, C (1978). The structure of coping. *Journal of Health and Social Behavior*, 19, 12-21.

Pearlin, L.I. y Skaff, M.M. (1995). Stressors in adaptation in late life. E M. Gatz (ed.): *Emerging issues in mental health and aging.* Washington: APA.

Pearlin, L.I.; Lieberman, M.A.; Menaghan, E.G. y Mullan, J.T. (1981). The stress process. *J Health Soc Behav*, 22, 337-356.

Pearlin, L.I.; Menaghan, E.G.; Lieberman, M.A. y Mullan, J.T. (1981). The stress process. *Journal of Health and Social Behavior*, 22, 337-356.

Pearlin, L.I.; Mullan, J.T.; Semple, S.J. y Skaff, M.M. (1990). Caregiving and the Stress Process: An Overview of Concepts and Their Measures. *Gerontologist*, 30, 583-594.

Pearlin, L.I.; Turner, H.A. y Semple, S.J. (1989). Coping and the mediation of caregiver stress. En E. Light y B. Lebowitz (eds): *Alzheimer's disease treatment and family stress: Directions for research*. Washington, DC: U.S. Government Printing Office, pp. 198-217.

Pearson, J.; Verna, S. y Nellet, C. (1988). Elderly psychiatric patient status and caregiver perceptions as predictors of caregiver perceptions as predictors of caregiver burden. *The Gerontolologist*, 28, 79-83.

Pencavel, J. H. (1986). Labor Supply of Men: A Survey. En O. Ashenfelter y R. Layard (ed.): Handbook of labor economics. North-Holland, pp. 3-102.

Penning, M.J. (1990). Receipt of assistance by elderly people: Hierarchical selection and task specificity. *The Gerontologist*, 30, 220-227.

Pérez, J. (1998). La demografía y el envejecimiento de las poblaciones. En A.S. Staab y L.C. Hodges: *Enfermería Gerontológica*. México, DF: McGraw Hill, pp. 451-463.

Pérez, J. (2003). *La madurez de masas*. Madrid: Ministerio de Trabajo y Asuntos Sociales, Secretaría de Asuntos Sociales, IMSERSO, Colección Observatorio de Personas Mayores.

Pérez, J.M.; Abanto, J. y Labarta, J. (1996). El síndrome del cuidador en los procesos de deterioro cognoscitivo (demencia). *Atención Primaria*, 18, 194-202.

Pérez, L. (2002). Formas de convivencia, relaciones personales y la experiencia de envejecer. En Observatorio de Personas Mayores: *Las personas mayores en España: Informe 2002*. Vol. I. Madrid: Ministerio de Trabajo y Asuntos Sociales, Secretaría General de Asuntos Sociales, IMSERSO, pp. 269-330.

Pfeiffer, E.A. (1975). A short portable mental status questionnaire for the assessment of organic brain deficits in elderly patients. *J Am Geriatr Soc*, 22, 433-441.

Philp, I.; McKee, K.J. y Meldrum, P. (1995). Community care for demented and nondemented elderly people: a comparison study of financial burden, service use, and unmet needs in family supporters. *BMJ*, 310, 1503-1506.

Pillemer, K. y Suitor, J.J. (1992). Violence and violent feelings. What causes them among family caregivers. *J Gerontol*, 47, S165-S172.

Pitrou, A. (1997). Vieillesse et famille: qui soutien l'autre? *Lien social et Politiques-RIAC*, 38, 145-158.

Pless, I.B. y Satterwhite, B. (1973). A measure of family functioning and its application. *Soc. Sci.Med.*, 7, 613-621.

Poulshock, S. W. y Deimling, S.G. (1984). Familias caring for elders in residence: issues in the measurement of burden. *J. Gerontol*, 39, 230-239.

Pratt, C.; Schamall, V.; Wright, S. y Cleland, M. (1985). Burden and doping strategies of caregivers to Alzheimer's patients. *Fam. Relat.*, 34, 27-33.

Pratt, C.; Schmall, V. y Wright, S. (1986). Family caregivers and dementia. *J Contemp Soc Work*, 67, 119-124.

Press Release (2002). Reverberations of family illness: A longitudinal assessment of informal caregiving and mental health status in the nurses' health study. *American Journal of Public Health*.

Preston, S.H. y Taubman, P. (1994). Socioeconomic differences in adult mortality and health status. En L.G. Martin y S.H. Preston (eds): *Demography of Aging*. National Academy Press, p. 179-318.

Pruchno, R.A. y Resch, N.L. (1989a). Husbands and wives as caregivers: Antecedent of depression and burden. *The Gerontologist*, 29, 159-165.

Pruchno, R.A. y Resch, N.L. (1989b). Aberrant behaviors and Alzheimer's disease: Mental health effects on spouse caregivers. *Journal of Gerontology: Social Sciences*, 44 (5), S177-S182.

Pruchno, R.A., Michaels, J.E., Potashnik, S.L. (1990). Predictors of institutionalization among Alzheimer's disease victims with caregiving spouses. *Journal of Gerontology, Social Sciences*, 45, S259-S266.

Pruchno, R.A.; Kleban, M.H.; Michaels, J.E. y Dempsey, N.P. (1990). Mental and physical health of caregiving spouses: development of a causal model. *Journal of Gerontology*, 45 (5), P192-P199.

Querejeta, M. (2003). Discapacidad/Dependencia: Unificación de criterios de valoración y clasificación. Madrid: IMSERSO.

Rabins, P.; Mace, N. y Lucas, M. (1982). The Impact of Dementia on the Family. *Journal of the American Medical Association*, 248, 333-335.

Raveis, V.H.; Karus, D. y Pretter, S. (1999). Correlates of anxiety among adult daughter caregivers to a parent with cancer. *J Psychosoc Oncol*, 17, 1-26.

Red Centinela (1999). *Estudio de la Fragilidad en ancianos mediante el Índice de Katz*. Valencia: Documento de trabajo, Red Centinela, Generalitat Valenciana.

Redinbaugh, E.M.; MacCallum, R.C. y Kiecolt-Glaser, J.K. (1995). Recurrent syndromal depression in caregivers. *Psychology and Aging*, 10, 358-368.

Ritchie, K.; Touchon, J. y Ledesert, B. (1998). Progressive disability in senile dementia is accelerated in the presence of dementia. *International Journal of Geriatric Psychiatry*, 13, 459-461.

Roberts, B.L.; Dunkle, R. y Haug, M. (1994). Physical, psychological and social resources as moderators of the relationship of stress to mental health of the very old. *Journal of Gerontology: Social Sciences*, 49, S35-S43.

Robinson, B. (1983). Validation of a caregiver strain index. *J Gerontol*, 38, 344-348.

Robinson, K. (1990). The relationship between social skills, social support, self-esteem and burden in adult caregivers. *J Adv Nurs*, 15, 788-795.

Robinson, K.D.; Angeletti, K.A.; Barg, F.K.; Pasacreta, J.V.; McCorkle, R. y Yasco, J.M. (1998). The development of a Family Caregiver Cancer Education Program. *Journal of Cancer Education*, 13 (2), 116-121.

Roca. M; Úbeda, I; Fuentelsaz, C.; López, R; Pont, A.; García, L. et al. (2000). Impacto del hecho de cuidar en la salud de los cuidadores familiares. *Atención Primaria*, 26, 53-67.

Rodríguez P. (2004, en prensa). *Política social para la atención a las personas mayores*. Granada: Ed. Fundación Iberoamericana de formación. Universidad de Granada.

Rodríguez, E.; Gea, A.; Gómez, A. y García, J.M. (1996). Estudio de la función familiar a través del cuestionario Apgar. *Atención Primaria*, 17, 338-341.

Rodríguez, P. (1995). El apoyo informal a las personas mayores. En Baura et al.: *Las personas mayores dependientes y el apoyo informal*. Baeza: Universidad Internacional de Andalucía "Antonio Machado".

Rodríguez, P. (1997). El SAD. Conceptualización y objetivos generales. En SEGG: *El Servicio de Ayuda a Domicilio. Programación del Servicio. Formación para auxiliares*. Madrid: Ed. Panamericana.

Rodríguez, P. (1998). El problema de la dependencia en las personas mayores. *Documentación Social*, 112, 33-63.

Rodríguez, P. (1999). El problema de la dependencia en las personas mayores. En L. Bermejo (dir.): *Atención sociosanitaria para personas mayores dependientes (Aplicaciones para el trabajo en equipo interdisciplinar)*. Consulting Dovall, pp. 19-32.

Rodríguez, P. (2000a). Introducción general. En P. Rodríguez y C. Valdivieso (coords): *El Servicio de Ayuda a Domicilio. Programación del Servicio. Manual de Formación para Auxiliares*. Madrid: Editorial Médica Panamericana, pp. 21-30.

Rodríguez, P. (2000b). El Servicio de Ayuda a Domicilio (SAD). En P. Rodríguez y C. Valdivieso (coords): *El Servicio de Ayuda a Domicilio. Programación del Servicio. Manual de Formación para Auxiliares*. Madrid: Editorial Médica Panamericana., pp. 31-42.

Rodríguez, P. y Sancho, Mª.T. (1999). Servicios sociales y sanitarios para personas mayores en situación de fragilidad o dependencia. En L. Bermejo (dir.): *Atención sociosanitaria para personas mayores dependientes (Aplicaciones para el trabajo en equipo interdisciplinar)*. Consulting Dovall, pp 33-46.

Rogers, R.G. (1995). Sociodemographic characteristics of long-lived and healthy individuals. *Population and Development Review*, 21, 33-58.

Rogosa, D.R. (1996). Myths and methods: Myths about longitudinal research plus supplemental questions. En J.M. Gottman (ed.): *The analysis of change*. Mahwah: Erlbaum, pp. 3-66.

Rolfson, D.B.; McElhaney, J.E.; Jhangri, G.S. y Rockwood, K. (1999). Validity of the confusion assessment method in detecting postoperative delirium in the elderly. *Inr. Osychigeriatr.*, 11, 431-438.

Rosenthal, C. (1997). Le soutien des familles canadiennes à leurs membres vieillissants: changements de contexte. *Lien Social et Politiques-RIAC*, nº 38.

Ross, C.E. y Mirowsky, J. (1999). Refining the association between education and heath: the effects of quantity, credential and selectivity. *Demography*, 36 (4), 445-460.

Rostgaard, T. y Fridberg, T. (1998). *Caring for Children and Older People: A comparison of European Policies and Practices.* Copenhagen: Social Security in Europe 6, The Danish National Institute of Social Research 98: 20.

Rubenstein, L.Z.; Robbins, A.S.; Schulman, B.L.; Rosado, J.; Osterweil, D. y Josephson, K.R. (1988). Falls and instability in the elderly. *Journal of American Geriatric Society*, 36 (3), 266-78.

Ruigómez, A. y Alonso, J. (1996). Validez de la medida de capacidad funcional a través de las actividades básicas de la vida diaria en la población anciana. *Revista Gerontológico*, 6, 215-223.

Saad, K.; Hartman, J.; Ballard, C.; Kurian, M.; Graham, C. y Wilcock, G. (1995). Coping by the carers of dementia sufferers. *Age Aging*, 24, 495-498.

Sánchez-Cánovas, J. (1991). Evaluación de las estrategias de afrontamiento. En G. Buela-Casal y V.E. Caballo (comps): *Manual de psicología clínica aplicada.* Madrid: Siglo Veintiuno.

Sánchez, P., Mouronte, P. y Olazarán, J. (2001). Beneficios de un programa de formación del cuidador en la demencia: experiencia piloto desde la enfermería especializada. *Revista de Neurología*, 33(5): 422-424.

Sánchez-Cánovas, J. y Sánchez-López, Mª P. (1994). *Psicología diferencial: diversidad e individualidad humanas.* Madrid: Centro de Estudios Ramón Areces.

Sancho, T. (1994). Un lugar para vivir. Alojamientos alternativos para mayores. *Revista Española de Geriatría y Gerontología*, 29 (3).

Sandín, B. (1995). El estrés. En A. Belloch, B. Sandín y F. Ramos (eds): *Manual de Psicopatología.* vol.2. Madrid: MacGraw-Hill, pp. 3-52.

Saraceno C. (1997) Family change, family policies and the restructuring of welfare. En OECD: *Family, market and community, Social Policy Studies n° 21*. Paris: OECD.

Schacke, C. y Zank, S. (1998). Family care of patient with dementia: differential significance of specific stress dimensions for the well-being of varegivers and the stability of the home nursing situation. *Z Gerontol Geriatr*, 31 (5), 771-791.

Schaie, K.W. (1990). The optimization of cognitive functioning in old age: Predictions based on cohort-sequential and longitudinal data. En P.B. Baltes y M.M. Baltes (eds.): *Successful aging: Perspectives from the behavioral sciences*. New York: Cambridge University Press, pp. 94-117.

Scharlach, A. E. y Boyd, S.L. (1989). Caregiving and employment: Competing or complementary roles? *The Gerontologist*, 34, 378-385.

Schoenfelder, D.P.; Swanson, E.A.; Specht, J.K.; Maas, M. y Johnson, M. (2000). Outcome indicators for direct and indirect caregiving. *Clinical Nursing Research*, 9, 47-69.

Schott-Baer, D. (1993). Dependent care, caregiver burden, and self-care agency of spouse caregivers. *Cancer Nurs*, 16, 230-236.

Schultz, R.; Tompkins, C.A. y Rau, M.T. (1988). A longitudinal study of the impact of stroke on primary support persons. *Psychology and Aging*, 3, 131-141.

Schulz, R. y Beach, S.R. (1999). Caregiving as a risk factor for mortality: the caregiver health effects study. *JAMA*, 282, 2215-2219.

Schulz, R. y Williamson, G.M. (1991). A 2-year longitudinal study of depression among Alzheimer's caregivers. *Psychology & Aging*, 6, 569-579.

Schulz, R.; O'Brien, A.T.; Bookwala, J. y Fleissner, K. (1995). Psychiatric and physical morbidity effects of dementia caregiving prevalence, correlates, and causes. *Gerontologist*, 35, 771-791.

Schulz, R.; Visintainer, P. y Williamson, G. M. (1990). Psychiatric and Physical Morbidity Effects of Caregiving. *Journal of Gerontology: Psychological Sciences*, 45, 181-191.

Schulz, R.; Visitainer, P. y Williamson, G.M. (1990). Psychiatric and physical morbidity effects of caregiving. *Journal of Gerontology*, 45, 181-191.

Schumacher, K.L.; Dodd, M.J. y Paul, S.M. (1993). The stress process in family caregivers of persons receiving chemotherapy. *Res Nurs Health*, 16, 395-404.

Scott, J.P. y Roberto, K.A. (1985). Use of informal and formal support networks by rural elderly poor. *Gerontologist*, 25, 624-630.

Segura, J.M.; Bastida, N.; Martí, N. y Riba, M. (1998). Los enfermos crómicos domiciliarios y su repercusión en los cuidadores principales. *Atención Primaria*, 21 (7), 431-436.

Selye, H. (1954). *Stress*. Barcelona: Científico Médica.

Selye, H. (1960). *La tensión en la vida*. Buenos Aires: Cía. Gral. Fabril.

Selye, H. (1983). The stress concept: Past, present, and future. En C.L. Cooper (ed.): *Stress research*. New York: Wiley, pp. 1-20.

Semple, S.J. (1992). Conflict in Alzheimer's carefiving families: Its dimensions and consequences. *Gerontologist*, 32, 648-655.

Shanas, E. (1962). *The Health of Older People: A Social Survey*. Cambridge, Mass.: Harvard University Press.

Shanas, E. (1979). The family as a social support system in old age. *Gerontologist*, 19, 169-174.

Silver, R.L. y Wortman, C.B. (1980). Coping with undesirable life events. En M.E.P. Seligman y J. Garber (eds): *Human helplessness: Theory and application*. New York, NY: Academic Press, pp. 279-351.

Silverstein, M. y Litwak, E. (1993). A task-specific typology of integenerational family structure in later life. *The Gerontologist*, 33, 258-264.

Skaff, M.M.; Pearlin, L.I. y Mullan, J.T (1996). Transitions in the caregiving career: effects on sense of mastery. *Psychol Aging*, 11, 247-257.

Smilkstein, G. (1978). The family APGAR: a proposal for a family function test and its use by physicians. *J Fam Pract*, 6, 1231-1239.

Smilkstein, G.; Ashworth, C. y Montano, D. (1982). Validity and reliability of the Family APGAR as a test of family function. *J Fam Pract*, 15, 303-311.

Smits, C.H.M.; Deeg, D.J.H. y Jonker, C. (1997). Cognitive and emotional predictors of disablement in older adults. *Journal of Aging and Health*, 9, 204-221.

Smyer, M.A.; Hofland, B.F.; Jonas, E.A. et al. (1979). Validity study of the Short Portable Mental Status Questionnaire for the elderly. *J Am Geriatr Soc*, 27, 263-269.

Snyder, B. y Keefe, K. (1985). The unmet needs of family caregivers for frail and disabled adults. *Social Work in Health Care*, 10 (3), 1-14.

Sörensen, S.; Pinquart, M. y Duberstein, P. (2002). How effective are interventions with caregivers? An updated metaanalysis. *Gerontologist*, 42, 356-372.

Spector, W. D. et al. (2000). *The Characteristics of Long-Term Care Users* (AHRQ Publication No. 00-0049). Rockville, MD.: Agency for Healthcare Research and Policy.

Statistics Canada (1997). *A Portrait of Seniors in Canada*. Ottawa: Housing Family and Social Statistics Division.

Steinbach, U. (1992). Social networks, institutionalization and mortality among elderly people in the United States. *Journal of Gerontology: Social Sciences*, 47, S183-S190.

Stephens, M.A.P.; Norris, V.K.; Kinney, J.M.; Ritchie, S.W. y Grotz, R.C. (1988). Stressful situations in caregiving: Rekationships between caregiver coping and well being. *Psychology and Aging*, 3, 208-209.

Stetz, K.M. (1986). *The Experience of Spouse Caregiving for Persons with Advanced Cancer.* Unpublished dissertation. Seattle (Washington): University of Washington.

Stommel, M.; Given, C.W. y Given, B.A. (1993). The cost of cancer home care to families. *Cancer*, 71, 1867-1874.

Stone, R.; Cafferata, G.L. y Sangl, J. (1987). Caregivers of the Frail Elderly: A National Profile. *The Gerontologist*, 5 (27), 616-626.

Stone, R.I. y Short, P.F. (1990). The competing demands of employment and informal caregiving to disabled elders. *Medical Care*, 28 (6), 513-526.

Strawbridge, W.J. y Wallhagen, M.I. (1991). Impact of family conflict on adult child caregivers. *Gerontologist*, 31, 770-777.

Suitor, J. J. y Pillemer, K. (1992). Status transitions and marital satisfaction: The case of adult children caring for elderly parents suffering from dementia. *Journal of Social and Personal Relationships*, 9, 549-562.

Sundström, G. (1994). Les solidarities familiales: tour d'horizon des tendances. En OCDE: *Protéger les personnes âgées dependants*. Paris: Nouvelles Orientations, OCDE.

Sunsdtröm, J.L. y Hassing, L.B. (2003). State provision down, offspring's up: the reverse substitution of old age care in Sweden. *Ageing and Society*, 22, 1-13.

Talkingtton-Boyer, S. y Snyder, D.K. (1994). Assessing impact on family caregiver to Alzheimer's disease patients. *The American Journal of Family Therapy*, 22, 57-66.

Tárraga, L. y Cejudo, J.C. (2001). El perfil del cuidador del enfermo de Alzheimer. En R. Fernández-Ballesteros y J. Díez (coord.): *Libro Blanco sobre la Enfermedad de Alzheimer y Trastornos Afines, vol. I*. Madrid: Caja Madrid Obra Social.

Tárraga, L.I.; Cejudo, J.C.; Anglès, J.; Cañabate, P. y Boada, M. (2000). Análisis de la sobrecarga de cuidadores informales en la demencia. *Revista Española de Geriatría y Gerontología*.

Teri, L.; Truax, P.; Logsdon, R.; Uomoto, J.; Zarit, S.H. y Vitaliano, P.P. (1992). Assessment of behavior problems in dementia: the revised memory and behavior problems checklist. *Psychology and Aging*, 7, 622-631.

Teri, L. Logsdon, R.G.; Uomoto, J. y McCurry, S.M. (1997). Behavioral treatment of depression in dementia patients: A controlled clinical trial. *Journal of Gerontology*, 52, P159-P166.

The Commonwealth Fund (1999). *Informal caregiving (Fact Sheet)*. New York: The Commonwealth Fund.

The Stationary Office (1998). *Informal carers: results of an independent study carried out on behalf of the Department of Health as part of the 1995 General Household Survey*. London: Office for National Statistics, Social Survey Division.

Thompson, E.H.; Futterman, A.M.; Gallagher-Thompson, D.R. y Lovett, S.B. (1993). Social support and caregiving burden in family caregivers of frail elders. *J. Gerontol.*, 48, S245-S254.

Thompson, L.W. y Gallagher-Thompson, D.R. (1996). Practical issues related to maintenance of mental health and positive wellbeing in family caregivers. En L.L. Carstensen, B.D. Edelstein y L. Dornbrand (ed.): *The practical handbook of clinical gerontology.* Thousand Oaks: Sage, pp. 129-152.

Tinker, A. (1994). Le role des politiques de logement dans l'aide aux personnes âgées. En OCDE: *Protéger les personnes dépendantes.* Paris: Nouvelles orientations, OCDE.

Tobaruela, J.L. (2002). *Residencias: Perfil del usuario e impacto del ingreso.* Tesis doctoral. Madrid: Facultad de Medicina, Universidad Complutense de Madrid.

Toseland, R.W. y Rossiter, C.M. (1989). Group interventions to support family caregivers: A review and analysis. *The Gerontologist*, 29, 438-448.

Toseland, R.W.; Rossiter, C. y Labrecque, M. (1989). The effectiveness of peer-led and professionally-led groups to support caregivers. *The Gerontologist*, 29 (4), 457-464.

Turner, R.J. y Noh, S. (1988). Physical disability and depression: A longitudinal análisis. *Journal of Health and Social Behavior*, 29, 23-37.

US Senate Special Committee on Aging (2000). *Developments in Aging: 1997 and 1998, Volume 1, Report 106-229.* Washington, DC: US Senate Special Committee on Aging.

Varona (2001). Theory and design of a supportive program for caregivers of homebound cancer patients. *Dissertation Abstracts International: Section B: Social Sciences and Psychological Sciences*, 61 (8-B), 4434.

Verbrugge, L.M. y Jette, A.M. (1994). The disablement process. *Social Science and Medicine*, 38, 1-14.

Villalba, C. (2002). *Abuelas cuidadoras*. Colección Políticas de Bienestar Social. Valencia: Tirant Lo Blanch.

Vitaliano, P.P.; Maiuro, R.; Ochs, H. y Russo, J. (1989). A model of burden in caregivers of DAT patients. En E. Light y B.D. Lebowitz (eds): *Alzheimer´s disease treatment and family stress: directions for research.*

Vitaliano, P., Russo, J., Young, H.M., Teri, L., y Maiuro, R. (1991) Predictors of burden in spouse caregivers of individuals with Alzheimer's disease. *Psychology and aging*, 6 (3), 392-406.

Vitaliano, P.P.; Young, H.M. y Russo, J. (1991). Burden: a review of measures used among caregivers of individuals with dementia. *Gerontologist*, 31, 67-75.

Vradenburg, J.A.; Simoes, E.J.; Jackson-Thompson, J. y Murayi, T. (2002). The prevalence of arthritis and activity limitation and their predictors in Missouri. *J. Community Health*, 27 (2), 91-107.

Wackerbarth, S. (1998). A predictive model of nursing home placement: the perspective of caregivers with Alzheimer's disease. *AHSR & FHSR Annual Meeting Abstract Book*, 13, 195-196.

Wagner, D.L. (1997). *Long-Distance Caregiving for Older Adults.* Washington, DC: Healthcare and Aging, National Council on the Aging.

Waidman, T.A. y Liu, K. (2000). Disability trenes among elderly persons and implications for the future. *Journal of Gerontology*, 55B (5), S298-307.

Walker, A.J.; Acock, A.C.; Bowman, S.R. y Li, F. (1996). Amount of care given and caregiving satisfaction: A latent growth curve analysis. *Journal of Gerontology*, 51, P130-P142.

Wallhagen, M.I. (1988). *Perceived Control and Adaptation in Elderly Caregivers. Unpublished doctoral dissertation.* Seattle (Washington): School of Nursing, University of Washington.

Wallsten, S.M. (1993). Comnparing patterns of stress in daily experiences of elderly caregivers and noncaregivers. *International Journal of Aging and Human Development*, 37 (1), 55-68.

Watanabe, M.; Kono, K.M. Tanioka, Y.; Orita, Y.; Dote, T. y Yoshida, Y. (1994). The effects of a day service center on the physical and mental condition and lifestyle of the disabled elderly living at home. *Japanese Journal of Hygiene*, 49 (5), 861-868.

Weitzner, M.A.; McMillan, S.C. y Jacobsen P.B. (1999). Family caregiver quality of life: differences between curative and palliative cancer treatment settings. *J Pain Symptom Manage*, 17, 418-28.

Wellwood, I.; Dennis, M.S. y Warlow, C.P. (1995). A comparision of the Barthel Index and the OPCS disability instrument used to measure outcome after acute stroke. *Age ageing*, 24, 54-57.

Whitlatch, C.J. y Noelker, L.S. (1996). Caregiving and caring. En J.E. Birren (ed.): *Encyclopedia of Gerontology*. New York: Academic press, pp. 253-268.

Whitlatch, C.J.; Zarit, S.H. y von Eye, A. (1991). Efficacy of interventions with caregivers: A reanalysis. *The Gerontologist*, 31, 9-14.

Whittier, S.; Coon, D. y Aaker, J. (2002). *Caregiver support interventions (Research Brief No. 10)*. Washington, DC: National Association of State Units on Aging.

WHO (1980). *International classification of impairments, disabilities and handicaps*. Geneva: World Health Organization.

WHO (2000a). *Towards an International Consensus on Policy for Long Term Care of the Aging*. Geneva: World Health Organisation.

WHO (2000b). *Long-Term Care Laws in Five Developed Countries. A Review-WHO/NMH/CCL/00.2*. Geneva: World Health Organization.

WHO (2001). *International Classification of Functioning, Disability and Health*. Geneva: World Health Organization.

WHO (2002a). *Current and future long-term care needs: An análisis based on the 1990 WHO study The Global Burden Disease and the International Classification of the Functioning, Disability and Health*. Geneva: The World Health Organization, Collection on Long Term Care.

WHO (2002b). *Lessons for Long-Term Care Policy. The Cross-Cluster Initiative on Long-Term Care-WHO/NMH/CCL/02.1*. Geneva: World Health Organization.

WHO (2003). *International Statistical Classification of Diseases and Related Health Problems 10th Revision Version for 2003*. Geneva: World Health Organization. Disponible: http://www3.who.int/icd/vol1htm2003/fr-icd.htm.

WHO (2004). *International Classification of Diseases (ICD)*. Geneva: World Health Organization. Disponible: http://www.who.int/classifications/icd/en.

Wiener, J. (2001). The Role of Informal Support in Long-Term Care. Presentado al *Bridging the Limousine-Train-Bicycle Divide" WHO Meeting on Long-term Care*. Annecy (Francia).

Wiener, J.M. y Hanley, R.J. (1989). *Measuring the activities of daily living among the elderly: a guide to National Surveys*. Washington, D.C.: U.S. Department of Health and Human Services.

Williams, L.A. (2003). Informal caregiving in Dynamics With a Case Study in Blood and Marrow Transplantation. *Oncology Nursing Forum*, 4 (30), faltan pp.

Williamson, G.M. y Schulz, R. (1990). Relationship orientation, quality of prior relationship, and distress among caregivers of Alzheimer's patient. *Psychology and Aging*, 5, 502-509.

Williamson, G.M. y Schulz, R. (1993). Coping with specific stressors in Alzheimer's disease caregiving. *Gerontologist*, 33(6), 747-755.

Wilson, P.A.; Moore, S.T.; Rubin, D.S. y Bartels, P.K. (1990). Informal caregivers of the chronically ill and their social support: a pilot study. *Journal of Gerontological Social Work*, 90 (2).

Winkleby, M.A.; Jatulis, D.E.; Frank, E. y Fortmann, S.P. (1992). Socioeconomic status and health: How education, income and occupation contribute to risk factors for cardiovascular disease. *American Journal of Public Health*, 82, 6, 816-820.

Wright, L.; Clipp, E. y George, L. (1993). Health consequences of caregiver stress. *Medicine, Exercise, Nutrition, and Health*, 2, 181-195.

Wylie, C.M. (1967). Measuring end results of rehabilitation of patients with stroke. *Public Health Rep*, 82, 893-898.

Yanguas, J.J. y Pérez, M. (1997). Apoyo informal y demencia. ¿Es posible explorar nuevos caminos? *Revista del Colegio Oficial de Psicólogos de Madrid*, 1-24.

Yanguas, J.J.; Leturia, F.J. y Leturia, M. (2001). Apoyo informal y cuidado de las personas mayores dependientes. *Matia Fundazioa*, 1-20.

Yates, M.E.; Tennstedt, S. y Chang, B. (1999). Contributors to and mediators of psychological well-being for informal caregivers. *Journal of Gerontology: Psychological Sciences*, 54B, P12-P22.

Yee, J. L. y Schulz, R. (2000). Gender Differences in Psychiatric Morbidity Among Family Caregivers: A Review and Analysis. *The Gerontologist*, 2 (40), 147-164.

Zarit (1989). Issues and directions in Family intervention research. En E. Light y B.D. Lebowitz (eds): *Alzheimer, and Family Stress: Directions for research.* Washington, D.C.: US Government Printing Office, 458-486.

Zarit S.H. y Zarit J.M. (1987). *The Memory and Behaviour Problems Checklist 1987R and the Burden Interview (Technical report).* Pennsylvania: Pennsylvania State University.

Zarit, J.M. y Zarit, S.H. (1982). Measurement of burden and social support. Comunicación presentada a la *Meeting of the Gerontological Society of America.* San Diego.

Zarit, S. H. y Zarit, J. M. (1983). *The Memory and behavior problems checklist.* University Park: Pennsylvania State University.

Zarit, S. y Leitsch, S. (2001). Developing and evaluating community based intervention programs for Alzheimer's patients and their caregivers. *Aging & Mental Health*, 5, S84-S98.

Zarit, S.H. (1990a). Concepts and measures in family caregiving research. En B. Bauer (ed.): *Conceptual and Methodological Sigues in Family Caregiving Research.* Proceeding of the Invitational Conference on Family Caregiving Research. Toronto (Ontario), June 21-22.

Zarit, S.H. (1990b). Interventions with Frail Elders and Their Families: Are They Effective and Why? En M.A. Parris Stephens, J.H. Crowther, S.E. Hobfoll y D.L. Tennenbaum (eds): *Stress and Coping in Later Life Families.* New York: Hemisphere Publishing Company.

Zarit, S.H. (1996). *Families at the Crossroads: Caring for Disabled Older People.* Pennsylvania: Penn Sate University, Gerontology Center, College of Health and Human Development.

Zarit, S.H. (1998a). *Dementia: caregivers and stress. Community paper series: paper 8.* Victoria, BC: Centre on Aging, University of Victoria.

Zarit, S.H. (1998b). *The final frontier: perspectives on the oldest old*. Pennsylvania: College of Health and Human Development, Gerontology Center, Penn State University, University Park, PA.

Zarit, S.H. (2002). Caregiver's Burden. En S. Andrieu y J.P. Aquino: *Family and professional carers: findings lead to action*. Paris: Serdi Edition y Fondation Médéric Alzheimer.

Zarit, S.H. (2004). Family care and burden at the end of life. Commentary. *Canadian Medical Association Journal*, 170 (12), 1811-1812.

Zarit, S.H. y Whitlatch, C.J. (1992). Institutional placement: Phases of transition. *The Gerontologist*, 32, 665-672.

Zarit, S.H. y Whitlatch, C.J. (1993). The effects of placement in nursing homes on family caregivers: Short and long term consequence. *Irish Journal of Psychology*, 14, 25-37.

Zarit, S.H. y Zarit, J.M. (1983). *The Memory and Behavior Problem Checklist and the Burden Interview*. Technical Report, Pennsylvannia State University.

Zarit, S.H.; Anthony, C.R. y Bouselis, M. (1987). Interventions with caregivers of dementia patients: Comparison of two service approaches. *Psychology and Aging*, 2, 225-232.

Zarit, S.H.; Cheri, A. y Boutselis, M. (1987). Interventions with caregivers of dementia patients: comparison of two approaches. *Psychol Aging*, 2, 225-232.

Zarit, S.H.; Gaugler, J.E. y Jarrot, S.E. (1999). Useful services for families: Research findings and directions. *International Journal of Geriatric Psychiatry*, 14, 165-181.

Zarit, S.H.; MaloneBeach, E.E. y Spore, D.S. (1988). *Casemanagement as an approach to dementia: An exploratory study*. Unpublished manuscript.

Zarit, S.H.; Orr, N.K. y Zarit, J.M. (1985). T*he hidden victims of Alzheimer's disease. Families under stress*. Nueva York: New York University Press.

Zarit, S.H.; Reever, K.E. y Bach-Peterson, J. (1980). Relatives of the impaired elderly: correlates of feelings of burden. *Gerontologist*, 20, 649-654.

424   S. CARRETERO-J. GARCÉS-FCO. RÓDENAS-VTE. SANJOSÉ

Zarit, S.H.; Shea, D.G.; Berg, S. y Sundström, G. (1998). *Patterns of Formal and Informal Long Term Care in the United States and Sweden*. Pennsylvania: AARP Andrus Foundation Final Report, The Pennsylvania State University.

Zarit, S.H.; Todd, P.A. y Zarit, J.M. (1986). Subjective burden of husbands and wives as caregivers: A longitudinal study. *The Gerontologist*, 26, 260-266.

Zarit, S.H.; Zarit, J.M. y Reever, K.E. (1982). Memory training for severe memory loss: Effects on senile dementia patients and their families. T*he Gerontologist*, 22, 373-377.

Zurriaga, O. (1998). *Informe de la Red Centinela Sanitaria de la Comunidad Valenciana 1995-1996. Informes de salud, nº 39.* Valencia: Consellería de Sanidad, Dirección General de Salud Pública.

A N E X O

INSTRUMENTO DE EVALUACIÓN

NOMBRE Y APELLIDOS DE LA PERSONA ENTREVISTADA

Nº DE ENCUESTA	
Nº DE SUJETO	

AREA 1: EVALUACIÓN DE LA PERSONA DEPENDIENTE

A) DATOS SOCIODEMOGRÁFICOS DE LA PERSONA DEPENDIENTE

1.Edad	
2. Sexo	
Varón:	☐ 1
Mujer:	☐ 2
3. Estado civil	
Soltero/a:	☐ 1
Casado/a	☐ 2
Separado/a:	☐ 3
Divorciado/a:	☐ 4
Viudo/a:	☐ 5
4. Nivel de Estudios (Marcar sólo el de mayor nivel)	
Analfabetos:...	☐ 1
Sin título de estudios primarios (no analfabetos):	☐ 2
Estudios no reglados (especificar):	☐ 3
Estudios primarios:	☐ 4
Estudios medios (Bachiller, F.P. o similar):	☐ 5
Estudios superiores (Titulación Universitaria):	☐ 6
5. Profesión que desarrolló. Condición Laboral y ocupación	
Empresario (indicar ocupación y duración):	☐ 1
Empleado (indicar ocupación y duración):	☐ 2
No trabajó (motivos):	☐ 3
6. Datos económicos	

6.1. Total de ingresos mensuales en el núcleo familiar (sumar todos los ingresos de las personas que viven en el mismo domicilio que la persona entrevistada):

.... euros/mes

6.2. Rentas

Rentas de capital (planes de ahorro, planes de pensiones, etc.)	☐	1
Rentas de trabajo	☐	2
Rentas de bienes inmuebles	☐	3
Rentas de explotaciones agrícolas o ganaderas	☐	4
Rentas procedentes de seguros (seguro de vida, accidente, etc.)	☐	5
Otras/no especifica	☐	6
Tiene rentas (global)	☐	7

6.3. Pensiones y prestaciones

Pensión contributiva de jubilación	☐	1
Pensión contributiva de jubilación anticipada	☐	2
Pensión contributiva de invalidez	☐	3
Pensión de viudedad	☐	4
Prestación familiar por hijo a cargo	☐	5
Prestación por desempleo	☐	6
Pensión no contributiva de jubilación	☐	7
Pensión no contributiva de invalidez	☐	8
Otras/no especifica	☐	9
Percibe pensión y/o prestación (global)	☐	10

6.4. Ayudas sociales concedidas (no contemplar las solicitadas no concedidas)

Ayudas para el cuidado de ancianos/as desde el ámbito familiar	☐	1
Ayudas para financiar estancias en Residencias de Tercera Edad (Bono-Residencia)	☐	2
Ayudas para financiar la atención institucionalizada de otros grupos de población (discapacitados, enfermos mentales, etc.) .	☐	3
Ayudas para el desarrollo personal (mayores, discapacitados) .	☐	4
Otras/no especifica	☐	5
Percibe alguna ayuda social (global)	☐	6

6.5. Cuantía mensual de la pensión o ayuda social (suma total)

.... euros/mes

7. Tiene cuidador

No	☐	0
Sí	☐	1

B) CAPACIDAD FUNCIONAL PARA LAS ACTIVIDADES BÁSICAS E INSTRUMENTALES DE LA VIDA DIARIA

B.1. Índice de Barthel

ÍTEM	Actividad básica de la vida diaria	Puntos
Comer	Independiente. Capaz de usar cualquier instrumento necesario. Come en un tiempo razonable	☐ 10
	Necesita ayuda para cortar la carne o el pan, extender la mantequilla, etc.	☐ 5
	Dependiente	☐ 0
Empleo de ducha o baño	Independiente. Capaz de lavarse entero usando la ducha o baño. Entra y sale solo del baño. Puede hacerlo sin estar otra persona presente	☐ 5
	Dependiente	☐ 0
Vestirse	Independiente. Capaz de ponerse y quitarse la ropa, atarse los zapatos, abotonarse y colocarse otros complementos que precise sin ayuda	☐ 10
	Necesita ayuda, pero realiza solo la mitad de la tarea en un tiempo razonable	☐ 5
	Dependiente	☐ 0
Aseo personal	Independiente. Incluye lavarse la cara y las manos, peinarse, maquillarse, afeitarse, limpiarse los dientes	☐ 5
	Dependiente	☐ 0
Control anal (valorar la semana previa)	Continente. Ningún episodio de incontinencia. Si necesita enema o supositorio se lo autoadministra	☐ 10
	Ocasional. Un episodio de incontinencia. Necesita ayuda para administrarse enema o supositorio	☐ 5
	Incontinente	☐ 0
Control vesical (valorar la semana previa)	Continente. Ningún episodio de incontinencia. Si necesita sonda o colector es capaz de cuidarlo solo	☐ 10
	Ocasional. Máximo un episodio de incontinencia 24 horas. Necesita ayuda, cuidado de sonda o colector	☐ 5
	Incontinente	☐ 0
Uso de retrete	Independiente. Usa retrete, bacinilla o cuña sin ayuda y sin manchar. Si va al retrete se quita y pone la ropa, se sienta y se lava sin ayuda, se limpia y tira de la cadena	☐ 10

	Necesita ayuda pequeña para mantener el equilibrio, quitar y ponerse la ropa, pero se limpia solo	☐ 5
	Dependiente	☐ 0
Trasladarse (sillón/cama)	Independiente	☐ 15
	Mínima ayuda física o supervisión verbal	☐ 10
	Gran ayuda (persona fuerte o entrenada). Es capaz de permanecer sentado sin ayuda	☐ 5
	Dependiente. Necesita grúa o ayuda de dos personas; no permanece sentado	☐ 0
Desplazamientos	Independiente. Camina solo 50 m. Puede ayudarse de bastón, muletas o andador sin ruedas. Si utiliza prótesis es capaz de quitársela y ponérsela	☐ 15
	Necesita ayuda física o supervisión para andar 50 m	☐ 10
	Independiente en silla de ruedas sin ayuda ni supervisión	☐ 5
	Dependiente	☐ 0
Subir escaleras	Independiente. Puede subir y bajar un piso sin supervisión ni ayuda de otra persona	☐ 10
	Necesita ayuda física de otra persona o supervisión	☐ 5
	Dependiente	☐ 0
	TOTAL	

B.2. Índice de Lawton y Brody de Actividades de la Vida Diaria

ÍTEM	Actividad instrumental de la vida diaria	Puntos
Capacidad para utilizar el teléfono	Utiliza el teléfono por iniciativa propia	☐ 1
	Es capaz de marcar bien algunos números	☐ 1
	Es capaz de contestar por teléfono pero no de marcar	☐ 1
	No utiliza el teléfono	☐ 0
Hacer compras	Realiza todas las compras	☐ 1
	Realiza independientemente pequeñas compras	☐ 0
	Necesita ir acompañado para realizar cualquier compra	☐ 0
	Totalmente incapaz de comprar	☐ 0
Preparación de la comida	Organiza, prepara y sirve las comidas por sí solo adecuadamente	☐ 1
	Prepara adecuadamente las comidas si se le proporcionan los ingredientes	☐ 0

	Prepara, calienta y sirve las comidas, pero no sigue una dieta adecuada	☐ 0
	Necesita que le preparen y sirvan la comida	☐ 0
Cuidado de la casa	Mantiene la casa solo o con ayuda ocasional (para trabajos pesados)	☐ 1
	Realiza tareas ligeras como lavar los platos o hacer las camas	☐ 1
	Realiza tareas ligeras pero no puede mantener un adecuado nivel de limpieza	☐ 1
	Necesita ayuda en todas las labores de la casa	☐ 1
	No participa en ninguna labor de la casa	☐ 0
Lavado de la ropa	Lava por si sola/o toda su ropa	☐ 1
	Lava por si solo/a pequeñas prendas	☐ 1
	Todo el lavado de ropa debe ser realizado por otro	☐ 0
Usos de medios de transporte	Viaja solo en transporte público o conduce su propio coche	☐ 1
	Es capaz de coger taxi, pero no usa otro medio de transporte	☐ 1
	Viaja en transporte público cuando va acompañado de otra persona	☐ 1
	Utiliza el taxi o el automóvil solo con ayuda de otros	☐ 0
	No viaja en absoluto	☐ 0
Responsabilidad respecto a su medicación	Es capaz de tomar su medicación a la hora y dosis correcta	☐ 1
	Toma su medicación si la dosis es preparada previamente	☐ 0
	No es capaz de administrarse su medicación	☐ 0
Manejo de sus asuntos económicos	Realiza las compras de cada día, pero necesita ayuda en grandes compras y bancos	☐ 1
	Incapaz de manejar dinero	☐ 0
	TOTAL	

C) DETERIORO COGNITIVO

Short Portable Mental Status Questionnaire (Test de Pfeiffer)

ÍTEMS	Bien	Problemas
1. ¿Qué día es hoy? (día, mes y año)	☐ 1	☐ 0
2. ¿Qué día de la semana es hoy?	☐ 1	☐ 0
3. ¿En qué lugar se encuentra?	☐ 1	☐ 0
4. Dígame su número de teléfono (o dirección si no tiene)	☐ 1	☐ 0

5. Dígame su edad 1	☐ 0	☐ 0
6. ¿Cuál es su fecha de nacimiento?	☐ 1	☐ 0
7. Dígame el nombre del actual presidente del gobierno	☐ 1	☐ 0
8. Dígame el nombre del anterior presidente	☐ 1	☐ 0
9. Dígame los dos apellidos de su madre	☐ 1	☐ 0
10.Cuente de 3 en 3 desde 20 hacia atrás (restando 3 unidades desde el 20 hasta acabar)	☐ 1	☐ 0
TOTAL NÚMERO DE ERRORES		

D) ESTADO DE SALUD FÍSICO Y PSÍQUICO Y PROCEDIMIENTOS CLÍNICOS UTILIZADOS

D.1. Problemas de salud/enfermedades actuales

Señale con una cruz la/s enfermedad/es que padezca el paciente. Es decir, puede marcar más de una. Sólo las *diagnosticadas por un facultativo*

ENFERMEDADES DIAGNOSTICADAS	GRUPO	CÓDIGO CIE	
Diabetes	3	250	☐ 1
Obesidad	3	278	☐ 1
Anemias	4	280-285	☐ 1
Psicosis orgánica senil y presenil (Demencia senil)	5	290	☐ 1
Depresión-otras	5	291-299	☐ 1
Trastornos esquizofrénicos y otros trastornos psicóticos	5	295	☐ 1
Síndrome de dependencia del alcohol (Alcoholismo)	5	303	☐ 1
Dependencia de las drogas	5	304	☐ 1
Retraso mental	5	317-319	☐ 1
Enfermedad de Alzheimer	6	331.0	☐ 1
Enfermedad de Parkinson	6	332	☐ 1
Esclerosis múltiple	6	340	☐ 1
Hemiplejia	6	342	☐ 1
Parálisis cerebral infantil y otros síndromes paralíticos	6	343-344	☐ 1
Glaucoma	6	365	☐ 1
Ceguera y baja visión	6	369	☐ 1
Pérdida de oído	6	389	☐ 1

Hipertensión esencial y otras (enfermedad hipertensiva)	7	401-405	☐ 1
Enfermedad cardiaca isquémica	7	410-414	☐ 1
Fallo cardiaco	7	428	☐ 1
Enfermedad cerebrovascular	7	430-438	☐ 1
Bronquitis crónica, enfisema y asma	8	491-493	☐ 1
Enfermedad hepática y cirrosis crónica	9	571	☐ 1
Fallo renal crónico	10	585	☐ 1
Hiperplasia de próstata	10	600	☐ 1
Artropatías sin traumatismos (Osteoartrosis)	13	710-716	☐ 1
Osteoporosis	13	733.0	☐ 1
Fractura del cuello del Fémur	17	820	☐ 1
Otros*			☐ 1

* (Indique los diagnósticos en mayúscula)

D.2. Fase y evolución del estado de salud

1. Su estado de salud es (últimos 12 meses):	
Muy malo	☐ 1
Malo	☐ 2
Regular	☐ 3
Bueno	☐ 4
Muy bueno	☐ 5
2. Su evolución es (últimos 12 meses):	
Empeora apreciablemente	☐ 1
Mejora apreciablemente	☐ 2
Estable	☐ 3
3. Estadio en el tratamiento de la enfermedad	
En fase terminal	☐ 1
Enfermedad sin tratamiento	☐ 2
En tratamiento activo	☐ 3
Libre de enfermedad..	☐ 4

D.3. Procedimientos clínicos

1. ¿Utiliza algún procedimiento clínico?	
Si	☐ 1
No	☐ 0
SÓLO EN EL CASO EN QUE EL SUJETO HAYA RESPONDIDO SÍ A LA PREGUNTA ANTERIOR (1):	
2. Tipo de procedimiento clínico utilizado (Observados o bien que el paciente declara. Dejar vacío si no se conoce)	
....	
3. Persona que administra el procedimiento clínico	
Nadie lo/la está atendiendo	☐ 1
No sanitario (decir quien)	☐ 2
Sanitario	☐ 3
Se lo administra ella misma	☐ 4
4. ¿En qué lugar se llevan a cabo estas técnicas?	
Domicilio	☐ 1
Centro de Atención Primaria	☐ 2
Hospital	☐ 3
5. Frecuencia con que se aplican las técnicas sanitarias*	
Más de una vez al día (decir cuantas)	☐ 1
Una vez al día	☐ 2
Más de una vez a la semana (decir cuantas)	☐ 3
Una vez a la semana	☐ 4
Menos de una vez a la semana	☐ 5

* Marcar sólo una: la de mayor requerimiento

E) SITUACIÓN SOCIOFAMILIAR

E.1. Escala de Valoración Socio-Familiar

1. Situación familiar	
Vive con familia, sin conflicto familiar	☐ 1
Vive con familia y presenta algún tipo de conflicto	☐ 2
Vive con cónyuge de similar edad	☐ 3
Vive solo y tiene relaciones familiares y vecinales	☐ 4
Vive solo y carece de relaciones familiares y vecinales	☐ 5
2. Situación económica.	
Más de 1.5 veces el salario mínimo	☐ 1
Hasta 1.5 veces el salario mínimo	☐ 2
Hasta pensión mínima contributiva	☐ 3
LISMI, FAS, pensión no contributiva	☐ 4
Sin ingresos o con ingresos inferiores al apartado anterior	☐ 5
3. Vivienda	
Adecuada a sus necesidades	☐ 1
Barreras arquitectónicas en la vivienda o puerta de la casa (peldaños, puertas estrechas, baños...)	☐ 2
Ausencia de calefacción, y/o ascensor, y/o teléfono (confort básico)	☐ 3
Humedades, mala higiene, equipamiento inadecuado (baño incompleto)	☐ 4
Vivienda inadecuada (chabolas, vivienda declarada en ruina, ausencia de equipamientos mínimos)	☐ 5
4. Relaciones sociales	
Relaciones sociales	☐ 1
Relación social sólo con familia y vecinos	☐ 2
Relación social sólo con familia	☐ 3
No sale del domicilio, recibe visitas	☐ 4
No sale y no recibe visitas	☐ 5
5. Apoyos de la red social	
No necesita apoyo	☐ 1
Con apoyo vecinal	☐ 2
Voluntariado social	☐ 3
Ayuda domiciliaria	☐ 4
Necesita cuidados permanentes (residencia tercera edad, Cruz Roja, centro de día)	☐ 5
PUNTUACIÓN TOTAL	

E.2. Valoración de la Función Familiar (Apgar Familiar)

ÍTEMS	Casi nunca	A veces	Siempre
1. ¿Está satisfecho de la ayuda que recibe de su familia cuando tiene un problema? *(¿Cree Vd. que hay muchas personas mayores que no reciben ayuda suficiente de su familia?)*	☐ 0	☐ 1	☐ 2
2. ¿Discuten entre ustedes los problemas que tienen en casa? *(¿Cree Vd. que las personas mayores como Vd. discuten los problemas que tienen con sus familiares?)*	☐ 0	☐ 1	☐ 2
3. ¿Las decisiones importantes se toman en conjunto? *(¿Cree Vd. que en el resto de las familias toman las decisiones importantes en conjunto?)*	☐ 0	☐ 1	☐ 2
4. ¿Está satisfecho con el tiempo que su familia y usted permanecen juntos? *(¿Cree Vd. que hay persona mayores que no están satisfechas con el tiempo que pasan junto a su familia?)*	☐ 0	☐ 1	☐ 2
5. ¿Siente que su familia le quiere? *(¿Cree Vd. que hay familias que no quieren a sus familiares mayores?)*	☐ 0	☐ 1	☐ 2
PUNTUACIÓN TOTAL			

ÁREA 2: EVALUACIÓN DEL SERVICIO DE AYUDA A DOMICILIO (SAD)

A) VALORACIÓN OBJETIVA DEL SAD

A.1. Características generales del SAD

1. Franja horaria en la que el SAD acude al domicilio*	
* Si es variable, indicar	
2. Número de día que el SAD atiende a la semana	
3. Número de auxiliares habituales	
4. ¿Son los mismos auxiliares las que acuden habitualmente?	☐ Si ☐ No
5. Formación de los auxiliares. Especificar Título y estudios	

....

....

....

6. Tiempo transcurrido entre la demanda y el comienzo de la prestación del servicio SAD en su día (poner número y unidad de tiempo: semanas, meses, etc.)

....

....

....

7. Demanda principal del usuario. ¿Qué otras ayudas necesita usted y que no le están siendo proporcionadas? (Poner un máximo de dos demandas al SAD o a otros recursos que no estén siendo satisfechas por el servicio actual)
1...
2...

8. Demanda principal del cuidador principal. ¿Qué otras ayudas necesita usted y que no le están siendo proporcionadas? (Poner un máximo de dos demandas al SAD o a otros recursos que no estén siendo satisfechas por el servicio actual)
1...
2...

9. ¿Utiliza otros servicios a parte del SAD?   ☐ Si ☐ No

En caso afirmativo, diga cuál o cuales..
....

A.2. Atención del SAD a las actividades de la vida diaria

Se debe cumplimentar esta sección de forma individual para cada actividad de la vida diaria atendida por el SAD, en caso de existir más de una.

1. Actividad de la vida diaria atendida por el SAD		
....		
....	☐Básica	☐Instrumental
2. Tiempo/semana de dedicación del SAD a esta necesidad (horas, min.)		....

3. Proporción en la que el SAD cubre usualmente la necesidad semanal del usuario	
Menos del 25%	☐ 1
Entre 25% y 50%	☐ 2
Entre 50% y 75%	☐ 3
Entre 75% y 100%	☐ 4
100%	☐ 5

B) VALORACIÓN SUBJETIVA DEL SAD

B.1. Satisfacción con las actividades atendidas por el SAD

Se debe cumplimentar esta sección de forma individual para cada actividad de la vida diaria atendida por el SAD, en caso de existir más de una.

1. Satisfacción del usuario con el servicio prestado por el SAD, de 0 a 10*.	
* Puntuación 0: El usuario no está satisfecho con la atención del SAD Puntuación 10: El usuario está totalmente satisfecho con la atención del SAD	
2. Satisfacción del cuidador con el servicio prestado por el SAD, de 0 a 10*.	
* Puntuación 0: El usuario no está satisfecho con la atención del SAD Puntuación 10: El usuario está totalmente satisfecho con la atención del SAD	

B.2. Satisfacción global con el SAD

1. Satisfacción global percibida por el usuario, de 0 a 10*	
* Puntuación 0: El usuario no está satisfecho con la atención del SAD Puntuación 10: El usuario está totalmente satisfecho con la atención del SAD	
2. Satisfacción global percibida por la persona cuidadora, de 0 a 10*	
* Puntuación 0: El usuario no está satisfecho con la atención del SAD Puntuación 10: El usuario está totalmente satisfecho con la atención del SAD	

B.3. Evaluación de la relación entre el usuario y el auxiliar del SAD

1. Relación personal, emocional con las auxiliares del SAD Marca la casilla más adecuada	
Mala	☐ 0
Regular	☐ 1
Buena	☐ 2
Muy buena	☐ 3
2. Cuando le atienden usted experimenta: Marca la casilla más adecuada	
Mucha incomodidad	☐ 0
Incomodidad	☐ 1
Alguna confianza	☐ 2
Tiene confianza	☐ 3

B.4. Valoración de la calidad de vida asociada a los servicios prestados por el SAD

1. Valoración de la calidad de vida del usuario, de 0 a 10*	
Antes del SAD	....
Con el SAD actual	....
Con el SAD que se demanda	....
* Puntuación 0: Calidad de vida muy mala Puntuación 10: Calidad de vida excelente	
2. Valoración de la calidad de vida del cuidador principal, de 0 a 10*	
Antes del SAD	....
Con el SAD actual	....
Con el SAD que se demanda	....
* Puntuación 0: Calidad de vida muy mala Puntuación 10: Calidad de vida excelente	
3. Sólo para el cuidador principal. ¿Ha mejorado su calidad de vida gracias al SAD en los siguientes aspectos?		
Laborales (especificar)..	☐ Si	☐ No

Económicos (especificar)	☐ Si	☐ No
Salud (especificar)	☐ Si	☐ No
Relaciones personales y sociales (especificar)	☐ Si	☐ No
Tiempo libre, ocio, diversión, vacaciones, etc. (especificar).....	☐ Si	☐ No

AREA 3: EVALUACIÓN DEL CUIDADOR PRINCIPAL.

A) DATOS SOCIODEMOGRÁFICOS DEL CUIDADOR PRINCIPAL

1.Edad	
2. Sexo	
Varón	☐ 1
Mujer..	☐ 1
3. Nivel de Estudios (Marcar sólo el de mayor nivel)	
Analfabetos	☐ 1
Sin título de estudios primarios (no analfabetos)	☐ 2
Estudios no reglados (especificar)	☐ 3
Estudios primarios	☐ 4
Estudios medios (Bachiller, F.P. o similar)	☐ 5
Estudios superiores (Titulación Universitaria)	☐ 6
4. Situación Laboral	
Ocupado/a	☐ 1
En paro	☐ 2
Estudiante	☐ 3
Persona que se ocupa de su hogar	☐ 4
Jubilado/a	☐ 5
Incapacidad laboral	☐ 6
Otros tipos de inactivo (especificar)	☐ 7

B) VALORACIÓN DE LAS CARACTERÍSTICAS DE LOS CUIDADOS INFORMALES EN EL ÁMBITO SOCIOFAMILIAR

1. La atención y el cuidado que proporciona el ámbito familiar (sin el SAD):	
Es totalmente insuficiente	☐ 1
Cubre sólo una parte de los que necesita (indicar fracción).......	☐ 2
Cubre todo lo que la persona necesita	☐ 3
2. La periodicidad de los cuidados es:	
Periodos de vacaciones	☐ 1
Fines de semana	☐ 2
Diaria pero puntual (visitas un rato al día)	☐ 3
Diaria y continuada	☐ 4
Otros (especificar)	☐ 5
3. ¿Qué tiempo ocupan los cuidados? (No contabilizar el SAD)	
Menos de 7 horas semanales (o menos de 1 hora al día)	☐ 1
Entre 7 y 14 horas semanales (o entre 1 y 2 horas al día)	☐ 2
Entre 14 y 21 horas semanales (o entre 2 y 3 horas al día)	☐ 3
Entre 21 y 28 horas semanales (o entre 3 y 4 horas al día)	☐ 4
Más de 28 horas semanales (o más de 4 horas al día)	☐ 5
4. Qué tipo de relación le vincula a la persona que cuida? La persona cuidada es su:	
Padre/Madre	☐ 1
Hermano/a	☐ 2
Cónyuge	☐ 3
Hijo/a...	☐ 4
Sobrino/a	☐ 5
Abuelo/a	☐ 6
Suegro/suegra..	☐ 7
Otros familiares (indicar)	☐ 8
Amigo/a	☐ 9
Vecino/a	☐ 10
Se me ha contratado para cuidarlo/a	☐ 11
Otros casos (indicar vínculo)..	☐ 12
5. Número de cuidadores habituales	

6. El cuidador principal recibe ayuda de alguien para cuidar	☐ Si	☐ No

SÓLO EN EL CASO EN QUE EL CUIDADOR PRINCIPAL HAYA CONTESTADO "SI" A LA PREGUNTA ANTERIOR (6):

7. ¿Qué persona le ayuda en mayor medida en sus tareas como persona cuidadora? SEÑALAR UNO

Cónyuge	☐ 1
Hijo	☐ 2
Hija	☐ 3
Padre	☐ 4
Madre	☐ 5
Hermana	☐ 6
Hermano	☐ 7
Nuera	☐ 8
Yerno	☐ 9
Cuñado/a	☐ 10
Otros familiares (indicar)	☐ 11
Amigo/a	☐ 12
Cuidador/a contratado/a	☐ 13
Otros (especificar)	☐ 14
Sólo SAD	☐ 15

8. ¿Con qué frecuencia esta/s persona/s le ayudan a usted?

Hay reparto de la tarea de cuidado	☐ 1
En todo momento necesario del día	☐ 2
Ocasional, esporádico, en algún momento de necesidad o urgencia	☐ 3

9. ¿Qué cantidad de ayuda semanal recibe de esta/s persona/s?

Menos de 7 horas semanales	☐ 1
Entre 7 y 14 horas semanales	☐ 2
Entre 14 y 21 horas semanales	☐ 3
Entre 21 y 28 horas semanales	☐ 4
Más de 28 horas semanales	☐ 5

10. ¿Considera que la ayuda recibida es suficiente?	☐ Si	☐ No

11. Si ha contestado NO a la pregunta anterior (10), ¿Por qué razon cree que no recibe usted ayuda suficiente de sus familiares para el cuidado de la persona a la que atiende?	
Yo solo/a me valgo. No necesito de otros/as	☐ 1
No pueden hacerlo porque no tienen tiempo	☐ 2
No pueden hacerlo porque viven lejos, aunque en la misma ciudad..	☐ 3
No pueden hacerlo porque viven en otra ciudad	☐ 4
No lo hacen porque no quieren	☐ 5
Tienen malas relaciones con (o mal concepto de) la persona cuidada	☐ 6
No lo hacen porque piensan que esa tarea me corresponde a mí	☐ 7
Otra (especificar)	☐ 8

C) EVALUACIÓN DE LA CARGA DE LOS CUIDADORES PRINCIPALES DE LAS PERSONAS DEPENDIENTES

Escala de Sobrecarga del Cuidador de Zarit.

0	1	2	3	4	
Nunca	Casi nunca	A veces	Frecuentemente	Casi siempre	
1. ¿Siente usted que su familiar/paciente solicita más ayuda de la que realmente necesita?			☐ 0	☐ 1	☐ 2	☐ 3	☐ 4
2. ¿Siente usted que, a causa del tiempo que gasta con su familiar/paciente, ya no tiene tiempo suficiente para usted mismo/a?			☐ 0	☐ 1	☐ 2	☐ 3	☐ 4
3. ¿Se siente estresado/a al tener que cuidar a su familiar/paciente y tener además que atender otras responsabilidades?(p.ej., con su familia o en el trabajo)			☐ 0	☐ 1	☐ 2	☐ 3	☐ 4
4. ¿Se siente avergonzado/a por el comportamiento de su familiar/paciente?			☐ 0	☐ 1	☐ 2	☐ 3	☐ 4
5. ¿Se siente irritado/a cuando está cerca de familiar/paciente?			☐ 0	☐ 1	☐ 2	☐ 3	☐ 4
6. ¿Cree que la situación actual afecta a su relación con amigos u otros miembros de su familia de una forma negativa?			☐ 0	☐ 1	☐ 2	☐ 3	☐ 4
7. ¿Siente temor por el futuro que le espera a su familiar/paciente?			☐ 0	☐ 1	☐ 2	☐ 3	☐ 4

8. ¿Siente que su familiar/paciente depende de usted?	☐ 0	☐ 1	☐ 2	☐ 3	☐ 4
9. ¿Se siente agotada/o cuando tiene que estar junto a su familiar/paciente?	☐ 0	☐ 1	☐ 2	☐ 3	☐ 4
10. ¿Siente usted que su salud se ha visto afectada por tener que cuidar a su familiar/paciente?	☐ 0	☐ 1	☐ 2	☐ 3	☐ 4
11. ¿Siente que no tiene la vida privada que desearía a causa de su familiar/paciente?	☐ 0	☐ 1	☐ 2	☐ 3	☐ 4
12. ¿Cree que sus relaciones sociales se han visto afectadas por tener que cuidar a su familiar/paciente?	☐ 0	☐ 1	☐ 2	☐ 3	☐ 4
13. Solamente si el entrevistado vive con el paciente ¿Se siente incómoda/o para invitar amigos a casa, a causa de su familiar/paciente?	☐ 0	☐ 1	☐ 2	☐ 3	☐ 4
14. ¿Cree que su familiar/paciente espera que usted le cuide, como si fuera la única persona con la que pudiera contar?	☐ 0	☐ 1	☐ 2	☐ 3	☐ 4
15. ¿Cree usted que no dispone de dinero suficiente para cuidar de su familiar/paciente además de otros gastos?	☐ 0	☐ 1	☐ 2	☐ 3	☐ 4
16. ¿Siente que no va a ser capaz de cuidar de su familiar/paciente durante mucho tiempo más?	☐ 0	☐ 1	☐ 2	☐ 3	☐ 4
17. ¿Siente que ha perdido el control sobre su vida desde que la enfermedad de su familiar/paciente se manifestó?	☐ 0	☐ 1	☐ 2	☐ 3	☐ 4
18. ¿Desearía poder encargar el cuidado de su familiar/paciente a otra persona?	☐ 0	☐ 1	☐ 2	☐ 3	☐ 4
19. ¿Se siente inseguro/a acerca de lo que debe hacer con su familiar/paciente?	☐ 0	☐ 1	☐ 2	☐ 3	☐ 4
20. ¿Siente que debería hacer más de lo que hace por su familiar/paciente?	☐ 0	☐ 1	☐ 2	☐ 3	☐ 4
21. ¿Cree que podría cuidar a su familiar/paciente mejor de lo que hace?	☐ 0	☐ 1	☐ 2	☐ 3	☐ 4
22. En general, ¿se siente muy sobrecargada/o al tener que cuidar de su familiar/paciente?	☐ 0	☐ 1	☐ 2	☐ 3	☐ 4
PUNTUACIÓN TOTAL					

Condiciones del pase del cuestionario. Sugerencias y observaciones del entrevistado (nivel socioeconómico detectado, relaciones familiares apreciadas, sospecha de malos tratos físicos y/o psicoló-

**gicos, personas presentes durante la entrevista y lugar y hora de
la misma, etc.)**

....

....

....

....

....

....

....